Patricia Briggs menait une vie parfaitement ordinaire jusqu'à ce qu'elle apprenne à lire. À partir de ce moment-là, ses après-midi se déroulèrent à dos de dragon ou à la recherche d'épées magiques, quand ce n'était pas à cheval dans les Rocheuses. Diplômée en histoire et en allemand, elle est professeur et auteur. Elle vit avec sa famille dans le Nord-Ouest Pacifique, où elle travaille à la suite des aventures de Mercy Thompson.

De la même autrice :

Mercy Thompson :
1. *L'Appel de la Lune*
2. *Les Liens du sang*
3. *Le Baiser du fer*
4. *La Croix d'ossements*
5. *Le Grimoire d'Argent*
6. *La Marque du fleuve*
7. *La Morsure du givre*
8. *La Faille de la nuit*
9. *L'Étreinte des flammes*
10. *L'Épreuve du silence*
11. *Le Souffle du mal*
12. *L'Empreinte de la fumée*

Ombres mouvantes
(Recueil de nouvelles)

Alpha & Omega :
Alpha & Omega : L'Origine
1. *Le Cri du loup*
2. *Terrain de chasse*
3. *Jeu de piste*
4. *Entre chien et loup*
5. *Dans la gueule du loup*

Corbeau :
Corbeau – L'Intégrale

Sianim :
Masques
L'Épreuve du loup
Le Voleur de dragon
L'Empreinte du démon

Les Chaînes du dragon
Le Sang du dragon

Le Pacte du Hob

Chez Milady Graphics :
Mercy Thompson :
Retour aux sources

Patricia Briggs

Le Grimoire d'Argent

Mercy Thompson – 5

Traduit de l'anglais (États-Unis) par Lorène Lenoir

Milady

Milady est un label des éditions Bragelonne

Titre original : *Silver Borne*

ISBN : 978-2-8112-0405-1

Bragelonne – Milady
60-62, rue d'Hauteville – 75010 Paris

E-mail : info@milady.fr
Site Internet : www.milady.fr

Aux Éditeurs endurants qui jamais ne perdent leur calme, aux Maris qui nourrissent les chevaux, aux Enfants qui se déplacent par leurs propres moyens et se préparent à manger tout seuls, aux Vétérinaires qui répondent à toute heure à mes appels paniqués, et à tous ceux d'entre vous qui consacrent leur temps, leur énergie et leur talent à aider les autres et qui sont toujours là quand on a besoin d'eux :

Merci !

Remerciements

Beaucoup de gens m'ont apporté leur aide pour ce livre. Merci donc à Michael et Susann Boch, mes amis d'Allemagne, qui corrigent mon allemand et permettent à Zee d'exercer sa magie. Merci aux deux employées de l'hôpital général de Kennewick qui m'ont donné l'idée d'un endroit sûr pour Samuel. Mes excuses pour avoir perdu le bout de papier où j'avais noté vos noms. Si nous nous revoyons, je m'assurerai de vous remercier nommément dans le prochain livre. Merci à Sylvia Cornish et aux dames du club de lecture qui ont bien voulu répondre à mes questions à propos des mandats. Mes remerciements vont aussi au sergent Kim Lattin de la police de Kennewick, qui a répondu à nombre de mes questions urgentes. À mon formidable mari, qui a chorégraphié la plupart des scènes de combat, que ce soit dans ce livre ou dans les précédents. À Tom Lentz, propriétaire d'un semi-automatique Kel-Tec et qui, avec Kaye et Kyle Roberson, m'a beaucoup appris sur les armes. Et comme toujours, l'auteure profondément reconnaissante remercie tous ceux aux grands talents d'éditeur qui ont relu, critiqué, commenté et pointé les incohérences de ce livre lors de son écriture : Mike Briggs, Collin Briggs, Michael Enzweiler, Debbie Lentz, Ann Peters, Kaye et Kyle Roberson, Sara et Bob Schwager, et enfin Anne Sowards.

Comme toujours, toutes les erreurs dans ce livre sont de la responsabilité de l'auteure.

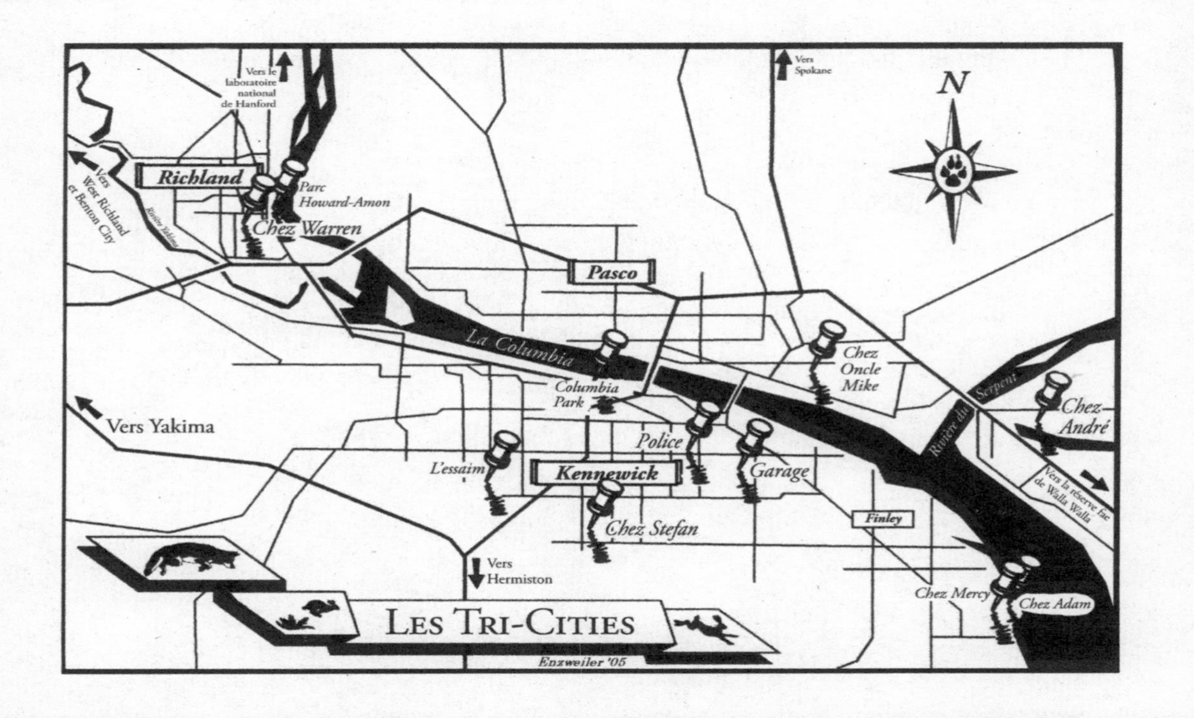

N
Vers le laboratoire national de Hanford
Vers Spokane
Richland
Parc Howard-Amon
Chez Warren
Vers West Richland et Benton City
Rivière Yakima
Pasco
La Columbia
Columbia Park
Chez Oncle Mike
Rivière du Serpent
Chez André
Vers Yakima
Police
Garage
L'essaim
Kennewick
Chez Stefan
Finley
Vers la réserve fae de Walla Walla
Vers Hermiston
Chez Mercy
Chez Adam
Les Tri-Cities
Enzweiler '05

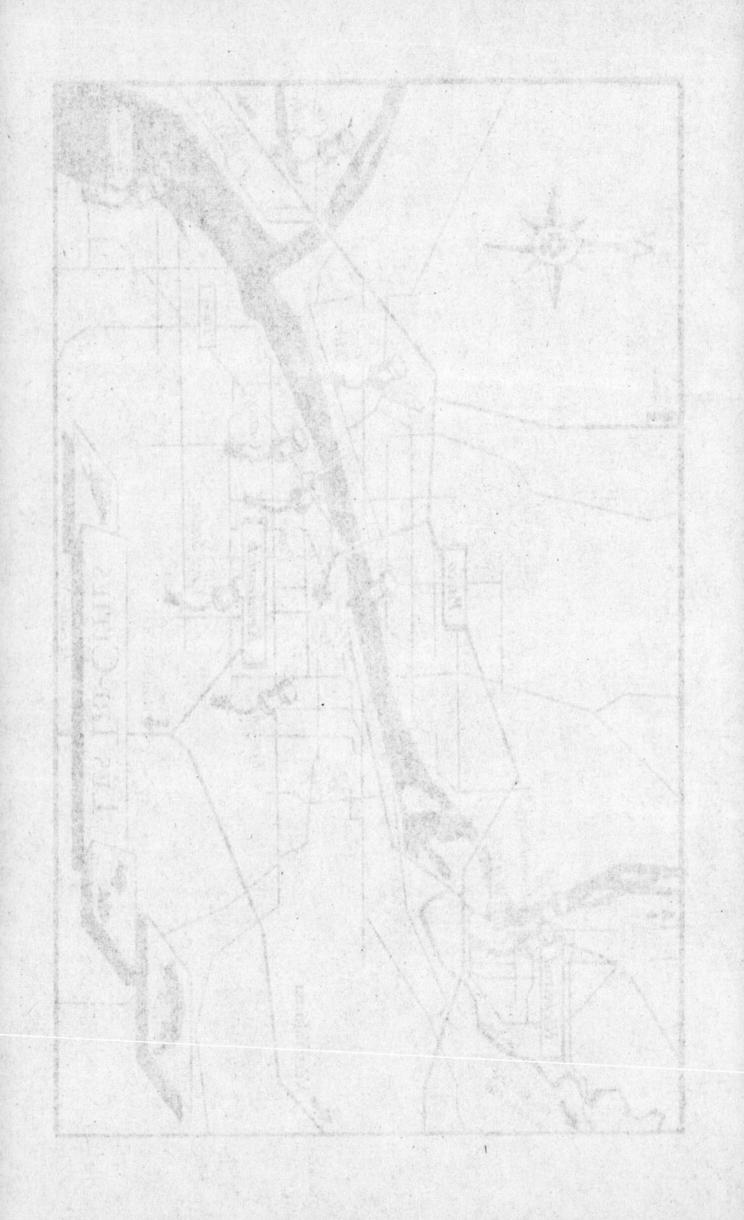

Chapitre premier

Le démarreur laissa échapper un gémissement asthmatique en essayant d'entraîner le gros moteur de la vieille Buick. Je ne pouvais que compatir avec lui : je savais parfaitement ce qu'on ressentait en combattant un adversaire hors de sa catégorie. J'étais un coyote dans un monde de loups-garous et de vampires. Dire de moi que j'étais surclassée aurait été un euphémisme.

— Encore une fois, demandai-je à Gabriel, mon homme à tout faire de 17 ans, qui était assis au volant de la Buick de sa mère.

Je reniflai et m'essuyai sur l'épaule de mon bleu de travail. La goutte au nez faisait partie intégrante de mon job pendant la saison hivernale.

Et j'adorais mon métier de mécanicienne, même avec le nez qui coulait, les mains pleines de cambouis et tout ça. C'était une vie pleine de frustrations et d'articulations écorchées, agrémentée de brefs moments de triomphe qui, à eux seuls, justifiaient tout le reste. Et dans le chaos qu'était devenue ma vie ces derniers temps, j'y trouvais une espèce de réconfort : personne ne mourrait si je ne pouvais pas réparer sa voiture.

Sa voiture, ou celle de sa mère, d'ailleurs. Il y avait eu peu de cours au lycée ce jour-là et Gabriel avait essayé de mettre à profit son temps libre pour s'occuper de la voiture de sa mère. Celle-ci était du coup passée du stade

« fonctionne mal » à celui « ne démarre carrément plus ». Gabriel avait alors demandé à un ami de l'aider à remorquer le véhicule jusqu'à mon garage pour voir si je pouvais y faire quelque chose.

La Buick toussa de nouveau d'un air exténué qui ne me disait rien de bon. Je m'éloignai du capot ouvert. C'est le mélange de l'essence, de l'air et du feu qui permet à un moteur de démarrer. Sauf si ledit moteur est mort, évidemment.

— Ça ne démarre pas, Mercy, fit remarquer Gabriel, des fois que je ne l'aurais pas remarqué.

Il serra le volant de ses mains élégantes, bien qu'abîmées par le travail au garage. Il avait une virgule de cambouis sur la pommette et l'un de ses yeux était rouge, parce qu'il n'avait pas pris la peine de mettre ses lunettes de protection avant de se glisser sous la voiture. Il avait été récompensé par une projection de rouille et de cambouis dans l'œil.

Même si mes gros radiateurs atténuaient la sensation de froid, nous étions tous deux emmitouflés dans des blousons. Il est impossible de maintenir une température agréable dans un atelier dont la porte se lève et s'abaisse toute la journée.

— Mercy, ma *mamá* doit aller travailler dans moins de une heure.

— La bonne nouvelle, c'est que je crois que tu n'es pas responsable de la panne. (Je m'éloignai du capot et croisai son regard paniqué.) La mauvaise, c'est qu'elle ne sera pas réparée dans une heure. À vrai dire, je ne sais même pas si elle pourra être réparée tout court.

Gabriel s'extirpa de la Buick et se pencha sous le capot pour contempler le brave petit moteur endormi, comme s'il espérait y trouver un fil qu'il n'aurait qu'à rebrancher pour qu'il redémarre miraculeusement. Je le laissai à ses maussades pensées et me dirigeai vers le bureau.

Derrière le comptoir se trouvait un panneau qui avait autrefois été blanc, orné de crochets où je suspendais les clés des véhicules sur lesquels je travaillais… ainsi qu'une petite dizaine de clés non identifiées qui envahissaient peu à peu les espaces libres. J'attrapai un porte-clés en forme de symbole de la paix aux couleurs de l'arc-en-ciel, puis revins dans l'atelier. Gabriel était de nouveau assis au volant de la voiture, l'air anxieux. Je lui tendis les clés à travers la vitre ouverte.

— Prends la Coccinelle, lui proposai-je. Dis juste à ta mère que les clignotants ne fonctionnent pas et qu'elle devra signaler ses changements de direction à la main. Et si elle tire trop fort sur le volant, il risque de lui rester dans les mains.

Il se renfrogna.

— Écoute, le raisonnai-je avant qu'il puisse refuser, ça ne va rien me coûter. Il n'y aura pas de place pour toute la famille (dans la Buick non plus : c'était vraiment une famille nombreuse), et le chauffage n'est pas bien vaillant. Mais elle roule, et je ne m'en sers pas. Nous nous occuperons de la Buick après la fermeture du garage et tu viendras travailler autant d'heures en compensation.

J'étais à peu près certaine que le moteur était parti au grand paradis des pièces détachées, et je savais que Sylvia, la mère de Gabriel, n'avait pas les moyens d'en acheter un nouveau, et encore moins une autre voiture d'occasion. Je ferais donc appel à mon vieux mentor, Zee, qui lui jetterait un de ses sorts. Littéralement. Zee n'était pas du genre à faire dans la métaphore. C'était un fae, un gremlin dont l'élément naturel était le métal.

— Mais c'est la voiture sur laquelle tu travailles pour ton projet, protesta Gabriel.

Mon dernier projet en date, une Kharmann Ghia, venait d'être vendu. Ma part des profits, que je partageais avec un super carrossier et un tapissier automobile, m'avait permis d'acquérir une Coccinelle de 1971 et un bus Volkswagen de 1965, et de mettre un peu de sous de côté. Le minibus était magnifique, mais ne roulait pas. La Cox, c'était pile poil l'inverse.

— Je bosserai d'abord sur le bus. Prends les clés.

Son expression lui donna l'air plus vieux que son âge.

— Seulement si tu laisses les filles venir faire le ménage le samedi jusqu'à ce qu'on te rende la Cox.

Je n'étais pas stupide. Ses sœurs étaient d'une efficacité redoutable. J'avais parfaitement conscience que ce marché était tout à mon avantage.

— Ça marche ! m'écriai-je avant qu'il puisse revenir sur sa parole. (Je lui fourrai les clés dans la main.) Amène-la à Sylvia avant qu'elle soit en retard.

— Je reviens ensuite.

— Il est tard. Je vais rentrer. Contente-toi d'être là demain à l'heure habituelle.

Demain, c'était samedi. Officiellement, le garage était fermé le week-end, mais mes affaires avaient souffert de mes récentes expéditions pour aller combattre des vampires. Du coup, je restais ouverte un peu plus tard le soir et les samedis et dimanches pour mettre un peu de beurre dans les épinards.

Combattre le mal, ça ne rapporte pas vraiment beaucoup d'argent. Et c'était même le contraire, si je devais en croire mon expérience. Théoriquement, j'en avais fini avec les vampires : j'avais bien failli me faire tuer lors de ma dernière mésaventure et ma chance finirait par m'abandonner. Une femme dont le meilleur atout était de se transformer en coyote n'avait pas grand-chose à faire dans la cour des grands.

J'envoyai Gabriel chez lui, puis fermai le garage. Je baissai les portes de l'atelier, réglai le thermostat sur 15 degrés et éteignis les lumières. Puis je mis le tiroir de la caisse dans le coffre-fort et y récupérai mon sac à main avant de me diriger vers la sortie. La sonnerie de mon portable m'interrompit alors que j'allais actionner l'interrupteur près de la porte.

— Mercy ?

C'était Tad, le fils de Zee, qui avait bénéficié d'une bourse complète pour aller étudier dans l'une des grandes universités de la côte est. Les faes étant considérés comme une minorité, son statut officiel de métis et ses notes lui avaient ouvert les portes de l'Ivy League, mais c'était seulement grâce à son travail qu'il pouvait y rester.

— Hé, salut, Tad ! Comment va ?

— J'ai eu un message étrange sur mon portable hier soir. Est-ce que Phin t'a donné quelque chose ?

— Phin ?

— Phineas Brewster. Le gars chez qui je t'avais envoyée quand papa était soupçonné de meurtre et que tu avais besoin d'en savoir plus sur les faes pour trouver le vrai coupable.

J'eus un instant d'hésitation.

— Le mec de la librairie ? Il m'a prêté un livre…

J'avais eu l'intention de le lui rendre aussi vite que possible. Mais bon… On avait rarement l'occasion de lire un bouquin sur les mystérieux faes écrit par les faes eux-mêmes. Comme il était manuscrit, la lecture en était particulièrement laborieuse… et Phin n'avait pas semblé particulièrement pressé de le récupérer quand il me l'avait prêté.

— Dis-lui que je suis désolée, et que je le lui rapporterai ce soir, repris-je. J'ai un rendez-vous, mais je peux passer avant.

Tad ne répondit pas immédiatement.

— En fait, il n'a pas dit clairement qu'il voulait que tu le lui rendes. Il a seulement dit « Assure-toi que Mercy s'occupe bien de ce que je lui ai donné ». Et maintenant, je n'arrive pas à le contacter. On dirait qu'il a éteint son téléphone. C'est pour ça que je t'ai appelée, toi. (Il poussa un grognement de frustration.) Le truc, c'est qu'il n'éteint jamais son portable, d'habitude. Il veut que sa grand-mère puisse le joindre à tout instant.

Sa grand-mère ? Phin devait être plus jeune qu'il me l'avait semblé.

— Tu as l'air inquiet, remarquai-je.

Il eut un petit rire de dérision.

— Oui, je sais, je suis parano.

— Pas de souci. Il faut bien que je le lui rende, de toute façon. Mais à moins qu'il ouvre tard, je ne pourrai pas passer à la librairie avant la fermeture. Tu sais où il habite ?

Il me donna son adresse et je raccrochai non sans l'avoir encore rassuré. Je verrouillai la porte et levai les yeux vers la caméra de surveillance camouflée au-dessus de l'entrée. Adam n'était probablement pas en train de me regarder : à part lorsque quelqu'un déclenchait l'alarme, les caméras fonctionnaient automatiquement, se contentant d'enregistrer et de stocker les images. Pourtant… en m'éloignant vers ma voiture, je soufflai un baiser en direction de cet œil qui me surveillait à tout instant et articulai : « À ce soir ».

Mon compagnon aussi se demandait si un coyote arriverait à survivre au milieu des loups. Son statut d'Alpha ne faisait qu'accentuer son inquiétude... et celui de P.-D.G. d'une entreprise de télésurveillance qui travaillait avec diverses organisations gouvernementales lui donnait les moyens techniques de satisfaire son instinct de protection. J'avais été folle de rage lorsqu'il avait fait installer ces caméras sans me demander mon avis, mais à présent je les trouvais rassurantes. Comme tout coyote digne de ce nom, je m'adaptais à n'importe quelle situation.

Phineas Brewster habitait au deuxième étage d'un des nouveaux complexes immobiliers à l'ouest de Pasco. Ça ne ressemblait pas vraiment au genre d'endroit qu'aurait choisi un collectionneur de livres anciens, mais peut-être qu'il avait son content de poussières, de moisissures et de vieux papiers pendant la journée et était heureux d'en sortir après le travail.

J'étais à mi-chemin entre ma voiture et le bâtiment quand je me rendis compte que je n'avais pas pris le livre avec moi. J'hésitai un instant, puis décidai de le laisser là où il se trouvait, enveloppé dans une serviette à l'arrière de la Golf. La serviette avait pour but de protéger le livre, des fois que je n'aurais pas réussi à ôter toute trace de graisse de mes mains, mais servait aussi à le camoufler au regard d'un éventuel voleur, ce qui semblait de toute façon peu probable dans le quartier.

Je montai deux volées d'escalier et frappai à la porte 3B. Je comptai silencieusement jusqu'à 10, puis actionnai la sonnette. Aucune réponse. Je sonnai encore, et la porte de l'appartement 3A s'entrebâilla.

— Il n'est pas là, marmonna une voix bourrue.

Je me tournai et me retrouvai face à un vieil homme tout maigre, impeccablement vêtu d'une paire de vieilles bottes, d'un jean neuf, d'une chemise de cow-boy et d'une cravate-lacet. Il ne lui manquait qu'un chapeau de cow-boy. Quelque chose, les bottes, certainement, sentait vaguement le cheval. Et le fae.

—Ah bon ? demandai-je.

Officiellement, tous les faes ont fait leur *coming out* voilà bien longtemps. Mais la réalité, c'est que les Seigneurs Gris, qui gouvernent les faes, ont fait un tri rigoureux entre ceux dont l'existence pouvait être rendue publique, et ceux qui risquaient d'effrayer les gens… ou qui étaient plus utiles en se faisant passer pour des humains. Par exemple, il y a plusieurs sénateurs qui sont des faes déguisés. Rien dans la Constitution n'interdit à un fae d'être élu au Sénat, et les Seigneurs Gris ne veulent pas que cela change.

Ce fae-là se donnait vraiment du mal pour paraître humain, il n'apprécierait sûrement pas que je lui fasse remarquer que ce n'était pas le cas. Je gardai donc ma découverte pour moi.

Il secoua la tête d'un air désolé, une étincelle faisant luire son regard pâle.

—Non, il n'a pas été là de la journée.

—Vous savez où il se trouve ?

—Phin ? (Le vieil homme éclata de rire, laissant apparaître des dents si blanches et alignées qu'on aurait dit des fausses. Peut-être était-ce le cas.) Oh, là. Il passe le plus clair de son temps à la boutique. Jour et nuit, souvent.

—Il est revenu dormir ici, hier soir ?

Il me regarda avec un grand sourire.

—Non. Pas lui. Peut-être qu'il a acquis une grosse collection privée qu'il est occupé à cataloguer. Il fait souvent ça. (Le voisin de Phin regarda le ciel pour évaluer l'heure qu'il était.) Il ne répondra pas à la porte en dehors des heures d'ouverture. Il s'enferme dans la cave et n'entend rien. Il vaut mieux que vous attendiez jusqu'à demain matin pour y aller.

Je jetai un regard à ma montre. De toute façon, il fallait que je rentre me préparer pour mon rendez-vous avec Adam.

— Si vous aviez quelque chose pour lui, reprit le vieil homme au regard clair comme un ciel d'été, vous pouvez toujours me le laisser.

Les faes ne mentent pas. Au début, je croyais qu'ils en étaient incapables, mais le livre que j'avais emprunté m'avait appris qu'il y avait bien d'autres facteurs en cause. Le voisin de Phin n'avait pas dit que ce dernier travaillait au magasin. Il avait dit *peut-être*. Il n'avait pas non plus dit ne pas savoir où se trouvait Phin. Mon instinct m'alerta, et j'eus bien du mal à ne rien laisser paraître.

— Je suis simplement venue voir comment il allait, lui répondis-je, ce qui était la pure vérité. Son téléphone est éteint, alors je m'inquiétais pour lui. (Je décidai de prendre le risque :) Il ne m'a jamais parlé de ses voisins. Vous êtes nouveau dans le coin ?

— J'ai emménagé récemment, répondit-il avant de changer de sujet. Peut-être qu'il a oublié son chargeur chez lui. Vous avez essayé le numéro de la librairie ?

— Je n'ai qu'un seul numéro, reconnus-je. Je crois qu'il s'agit de son portable.

— Laissez-moi votre nom, et je lui dirai que vous êtes passée.

Mon sourire faussement amical s'élargit.

— Ne vous inquiétez pas pour ça. Je le lui dirai moi-même. C'est rassurant de savoir qu'il a des voisins pour veiller sur lui.

Je ne le remerciai pas : remercier un fae, c'est reconnaître qu'on lui est redevable, et c'est une très mauvaise chose.

Je me contentai de lui adresser un joyeux signe de main du bas des marches.

Il n'essaya pas de m'arrêter, mais je sentis son regard sur moi alors que je retournais à la voiture. Je roulai jusqu'à être hors de vue, puis appelai Tad.

— Bonjour, me dit sa voix enregistrée. Vous êtes bien sur mon répondeur. Peut-être que je suis en train d'étudier ou peut-être que je suis sorti faire la fête. Laissez votre nom et votre numéro, et peut-être que je vous rappellerai.

— Salut, c'est Mercy, prononçai-je. Phin n'était pas chez lui.

J'hésitai un instant. Bien à l'abri dans ma voiture, je me demandais si ma réaction face à son voisin n'avait pas été exagérée. Plus je connaissais les faes et plus ils me fichaient la trouille. Mais il était probable que celui-là était inoffensif. Ou qu'il était très dangereux, mais sans que ça ait aucun rapport avec Phin. Je repris donc :

— J'ai rencontré le voisin de Phin, qui est fae. Il m'a suggéré d'appeler la boutique. Tu aurais le numéro ? As-tu essayé de l'appeler là-bas ? Je continue à le chercher.

Je coupai la communication et démarrai avec la ferme intention de rentrer à la maison. Sauf que je me retrouvai sans savoir trop comment sur la route qui menait à Richland, et non à Finley.

Le mystérieux appel que Tad avait reçu de Phin et les soupçons que j'avais concernant le voisin me rendaient nerveuse. La boutique ne constituait qu'un petit détour, me répétai-je. Ça ne ferait pas de mal d'y jeter un coup d'œil. Tad était coincé de l'autre côté du pays et il s'inquiétait.

Uptown Mall était un petit centre commercial, le plus ancien de Richland. Contrairement aux complexes plus récents, on aurait dit que quelqu'un avait collé ensemble des boutiques de styles et de tailles hétéroclites avant de les entourer d'un parking.

C'était le genre de commerces qui n'auraient pas eu le moindre succès dans la galerie marchande de Kennewick : des restaurants indépendants, plusieurs antiquaires, pour ne pas dire des brocanteurs, des boutiques de fringues d'occasion, un disquaire, un marchand de beignets et quelques autres magasins pour le moins éclectiques.

La librairie de Phin se trouvait au sud de la galerie marchande. Ses vitrines étaient fumées pour protéger les ouvrages anciens de la lumière du soleil. Sur la vitrine principale était inscrit en lettres d'or : « LIBRAIRIE BREWSTER – LIVRES ANCIENS DE COLLECTION ».

Il n'y avait aucune lumière visible à l'intérieur et la porte était fermée à clé. Je collai mon oreille à la vitre et écoutai.

Même sous forme humaine, j'avais une ouïe plus développée que la moyenne, pas autant que sous ma forme de coyote, mais assez pour savoir qu'il n'y avait aucun signe de vie à l'intérieur. Je frappai à la porte, mais n'obtins aucune réponse.

À droite de la porte étaient indiqués les horaires d'ouverture du magasin : de 10 heures à 18 heures, du mardi au samedi, sur rendez-vous les autres jours. Le numéro qui y figurait était celui que j'avais en ma possession. Il était plus de 18 heures.

Je toquai une dernière fois à la porte, puis jetai un regard à ma montre. Si je frisais l'excès de vitesse, j'aurais une dizaine de minutes pour me rafraîchir avant qu'un certain loup arrive sur le pas de ma porte.

La voiture de mon colocataire se trouvait dans l'allée, offrant un contraste saisissant avec le mobil-home de 1978 dans lequel je vivais. Mais les voitures très chères, comme les œuvres d'art, avaient tendance à influer sur leur environnement : rien qu'en se trouvant là où il était, le véhicule apportait une touche de classe à ma maison, malgré l'apparence peu reluisante de celle-ci.

Samuel, lui aussi, avait ce talent : celui de paraître à sa place dans n'importe quelle situation, tout en dégageant l'image de quelqu'un de spécial, d'important. Les gens ne pouvaient s'empêcher de l'aimer. Cela lui servait beaucoup en tant que médecin, mais j'avais tendance à penser que ça lui servait même un peu trop en tant qu'homme. Il était trop habitué à ce que tout se déroule selon ses désirs. Et si le charme ne suffisait pas, il mettait à contribution un esprit tactique digne de Rommel.

C'était d'ailleurs grâce à cela qu'il était devenu mon colocataire.

Il m'avait fallu un long moment avant de deviner pour quelle raison il avait emménagé avec moi : Samuel avait tout bonnement besoin d'une meute. Les loups-garous ne se débrouillaient pas très bien quand ils étaient seuls, en particulier lorsqu'ils commençaient à prendre de l'âge, et Samuel était un très vieux loup. Très vieux, et très dominant. Dans n'importe quelle autre meute que celle de son père, il aurait été l'Alpha. Sauf que son père, c'était Bran, le Marrok, le plus Alpha de tous les loups-garous.

Samuel était médecin et, en tant que tel, avait bien assez de responsabilités à son goût. Il ne voulait ni être Alpha, ni rester au sein de la meute de son père.

Alors, c'était devenu un loup solitaire, vivant avec moi sur le territoire de la meute du bassin de la Columbia, sans y appartenir. Je n'étais pas une louve-garou, mais je n'étais pas non plus une humaine sans défense. J'avais été élevée par la meute de son père, et c'était tout comme si je faisais partie de la famille. Jusqu'ici, lui et Adam, l'Alpha de la meute locale (et mon amant) avaient réussi à ne pas s'entre-tuer. J'avais le raisonnable espoir que cela resterait le cas.

— Samuel ? appelai-je en entrant dans la maison. Samuel ?

Il ne répondit pas, mais je pouvais sentir son odeur. Le parfum si reconnaissable du loup-garou était trop fort pour n'en être qu'une rémanence. Je trottinai le long du couloir étroit jusqu'à sa chambre et toquai doucement à la porte fermée.

Ça ne lui ressemblait vraiment pas de ne pas venir m'accueillir à mon retour.

Je m'inquiétais tellement à propos de Samuel que j'en devenais paranoïaque. Il n'allait pas très bien. Il était brisé, mais, vu de l'extérieur, il vivait sa vie malgré cette dépression permanente qui ne semblait ni empirer ni s'améliorer au fil des mois. Son père se doutait que quelque chose clochait, et j'étais quasiment certaine que la raison pour laquelle Samuel vivait avec moi et pas dans sa propre maison du Montana, c'était qu'il ne voulait pas que son père sache à quel point il allait mal.

Samuel ouvrit la porte, l'air normal, grand et beau comme la plupart des loups-garous l'étaient, quels que soient leurs traits. Une santé de fer, la jeunesse perpétuelle et une grande quantité de muscles constituaient une excellente recette de beauté.

— Vous avez sonné ? dit-il dans une excellente imitation de Lurch, baissant sa voix plus que je l'avais jamais entendu faire.

La veille au soir, nous nous étions livrés à un visionnage-marathon d'épisodes de *La Famille Adams*. Et s'il faisait de l'humour, c'est que ça allait à peu près. Même s'il évitait mon regard, comme s'il était inquiet de ce que je pourrais lire dans le sien.

Une Médée ronronnante se trouvait sur son épaule. Ma petite chatte de l'île de Man me décocha un regard extatique d'entre ses paupières mi-closes. Samuel caressa son échine et elle s'arc-bouta, son petit cul sans queue vibrant de plaisir, et ses griffes arrière plantées dans l'épaule de Samuel.

— Aïe! s'écria-t-il en tentant de la décrocher, mais ses griffes avaient transpercé la flanelle usée de sa chemise et l'animal était arrimé plus solidement (et plus douloureusement) qu'une bande Velcro.

— Hum, dis-je en essayant de contenir mon rire. Adam et moi prévoyons de sortir ce soir. Tu seras seul pour dîner. Je n'ai pas pu passer à l'épicerie, alors il n'y a pas grand-chose dans le frigo.

Il tourna le dos et se pencha afin que le chat ne tombe pas de trop haut quand il réussirait à s'en dépêtrer.

— Impec, répondit-il. Aïe, le chat! Fais gaffe, tu sais très bien que je ne ferais qu'une bouchée de toi. Y aurait même pas la queue qui dépasserait... aïe!

Je le laissai se débattre avec Médée et courus dans ma propre chambre. Mon téléphone sonna alors que je passais la porte.

— Mercy, il arrive chez toi, et j'ai des nouvelles à t'annoncer.

C'était la fille adolescente d'Adam.

— Salut, Jesse. Alors, où va-t-on, ce soir?

En pensant à lui, je ressentis son impatience et le contact de son volant revêtu de cuir sous ses doigts. Adam n'était pas seulement mon amant: c'était aussi mon compagnon.

Chez les loups-garous, le terme avait un sens légèrement différent pour chaque couple. Nous n'étions pas seulement liés par l'amour, mais aussi par la magie. Je m'étais rendu compte que, pour certains couples, ça ne faisait pas grande différence, alors que, pour d'autres, c'était synonyme d'une fusion totale entre les deux personnalités. Beurk. Heureusement, pour Adam et moi, c'était entre les deux. La plupart du temps.

Nous avions saturé le circuit magique qui nous reliait lorsque nous avions scellé notre lien. Depuis, celui-ci avait été aussi erratique qu'envahissant, se manifestant pendant quelques heures avant de se faire oublier des jours durant. Déconcertant, c'était le moins qu'on puisse dire. J'imaginais que j'aurais pu plus facilement m'habituer à cette connexion avec Adam si elle avait été stable, comme c'était censé être le cas d'ordinaire. Mais là, ça avait plutôt tendance à me prendre par surprise chaque fois.

Je sentis donc le volant vibrer dans les mains d'Adam alors qu'il démarrait, puis ça s'évapora, et je me retrouvai plantée dans ma chambre, vêtue de mon seul bleu de travail, avec la voix de Jesse qui pépiait dans mon oreille.

— Au bowling, dit-elle.

— Merci, ma grande, lui répondis-je. Je te rapporterai une glace. Il faut que je prenne une douche.

— Tu me dois cinq dollars, mais je ne cracherai pas sur la glace, répliqua-t-elle d'un ton de mercenaire inflexible que je respectais profondément. Allez, dépêche-toi de te doucher.

Adam et moi avions ce petit jeu rigolo entre nous. Son loup s'amusait avec moi, en tout cas, c'est l'effet que ça me faisait. Les jeux qui n'avaient ni perdant ni gagnant étaient très appréciés par les loups, c'était quelque chose qu'ils réservaient aux personnes à qui ils tenaient. Ce n'était pas un jeu qui concernait la meute dans sa globalité, mais ça se manifestait dans des plus petits groupes.

Mon compagnon refusait de me dire où il avait l'intention de m'emmener, me laissant le soin de le découvrir par tous les moyens nécessaires. Le simple fait qu'il s'attende que j'y parvienne était une preuve de son respect.

Ce soir-là, j'avais graissé la patte de sa fille pour qu'elle m'appelle dès qu'elle aurait une info pour moi, même si ce n'était que la tenue qu'il portait en sortant de la maison. Ça me permettrait de m'habiller en conséquence, ce qui ne m'empêcherait pas de jouer les abasourdies en voyant que nous étions parfaitement assortis alors que j'ignorais où il voulait m'emmener.

Ce petit jeu faisait partie du flirt, mais c'était aussi une manière de détourner notre attention des raisons qui faisaient que nous nous fréquentions au lieu de vivre ensemble comme mari et femme. Sa meute n'appréciait pas vraiment que sa compagne soit une métamorphe-coyote. À l'instar de leurs cousins naturels, les loups-garous n'aimaient pas partager leur territoire avec un autre prédateur. Mais ils avaient amplement eu le temps de s'y habituer, et la plupart d'entre eux s'y étaient résignés… jusqu'à ce jour où Adam avait décidé de m'intégrer à la meute. Ça n'aurait même pas dû être possible. Je n'avais jamais entendu parler d'une compagne non lycanthrope qui serait devenue membre à part entière d'une meute.

Je sortis la tenue que j'avais l'intention de revêtir et sautai dans la douche. La pomme de celle-ci était assez basse pour que je puisse éviter de mouiller mes tresses alors que je frottais mes mains avec du savon à microbilles et une brosse à ongles. J'avais déjà fait un brin de toilette avant de partir du garage, mais un lavage de plus ne pouvait pas faire de mal. De toute façon, la crasse était tellement incrustée dans ma peau que je savais pertinemment n'avoir aucun avenir en tant que mannequin mains.

Lorsque je sortis de la salle de bains, enroulée dans une serviette, j'entendis des voix dans le salon. Samuel et

Adam parlaient juste assez bas pour que je ne puisse pas comprendre ce qu'ils disaient, mais il ne semblait y avoir aucune tension. Ils s'appréciaient raisonnablement en tant que personnes, mais Adam était un Alpha, et Samuel un loup solitaire plus dominant que lui. Il leur arrivait d'avoir du mal à être dans la même pièce, mais ce n'était manifestement pas le cas ce soir-là.

Je tendis la main vers le jean que j'avais posé au pied de mon lit.

Du bowling.

J'hésitai un instant. Je ne parvenais pas à me l'imaginer. Pas le bowling : j'étais certaine qu'Adam aimait bien ça. Lancer une grosse boule sur une forêt de quilles innocentes et contempler le chaos résultant, c'était typiquement le genre de trucs qu'adoraient les loups-garous.

Non, ce que je ne réussissais pas à m'imaginer, c'était qu'Adam dise à sa fille qu'on allait au bowling. Pas alors qu'il essayait à tout prix de me le cacher. La dernière fois, tout ce qu'elle avait pu me dire, c'était dans quelle tenue il avait quitté la maison.

Peut-être n'était-ce que de la paranoïa. J'ouvris mon armoire et en contemplai le maigre contenu. J'avais plus de robes que l'année dernière à la même époque. Trois de plus.

Jesse l'aurait remarqué, s'il s'était habillé avec élégance.

Je jetai un regard au lit où mon jean neuf et un tee-shirt bleu marine me tentaient par leur aspect confortable. La corruption, ça marchait dans les deux sens… et ça amuserait énormément Jesse de jouer les agents doubles.

Je sortis donc une robe gris clair de ma penderie, assez élégante pour pouvoir être portée en toute occasion, sauf en cas de tenue de soirée exigée, mais assez discrète pour sembler à sa place au cinéma ou au restaurant. Si nous allions effectivement au bowling, il me serait possible de jouer dans cette tenue. Je l'enfilai rapidement et défis mes tresses avant de me brosser les cheveux.

— Mercy, tu n'es pas prête ? demanda Samuel avec une pointe d'amusement dans la voix. Tu ne m'as pas dit que tu avais un super rendez-vous ?

J'ouvris la porte et me rendis compte que je m'étais trompée : Adam portait un smoking.

Adam est plus petit que Samuel, avec un corps de lutteur et un visage qui… je ne sais pas. C'est le visage d'Adam, assez beau pour détourner l'attention des gens des vibrations de puissance qui émanent de lui. Il avait des cheveux bruns qu'il gardait très courts. Il m'avait dit que c'était pour que les militaires avec qui il avait affaire dans le cadre de son entreprise de systèmes de sécurité soient à l'aise en sa présence. Mais d'après ce que j'avais appris sur lui ces derniers mois, je pensais que c'était parce que son visage l'embarrassait. Les cheveux en brosse le dégageaient de tout soupçon de vanité et avaient pour but de dire : « Me voilà. Au boulot, maintenant. »

Je l'aurais aimé même s'il avait eu trois yeux et deux dents, mais parfois sa beauté était un véritable choc pour moi. Je clignai des yeux, pris une profonde inspiration et luttai contre le besoin urgent de déclarer qu'il m'appartenait, *à moi*, forçant mon esprit à se mettre en mode interactif.

— Ah ! m'écriai-je en claquant des doigts, je me disais bien que j'oubliais quelque chose.

J'allai rapidement chercher dans la penderie une étole recouverte de paillettes argentées qui ajouta une touche d'élégance appropriée à ma robe.

Je revins dans le salon et vis Samuel donner un billet de 5 dollars à Adam.

— Je t'avais bien dit qu'elle devinerait, remarqua Adam d'un air satisfait.

— Parfait, intervins-je, tu pourras les donner à Jesse. Elle m'a dit que nous allions au bowling. Il va falloir que je trouve un espion plus fiable.

Son visage s'illumina d'un sourire et je dus me forcer pour continuer à avoir l'air agacé. Contrairement aux apparences, ce n'était pas sa beauté rayonnante qui me ravissait lorsqu'il souriait, même s'il était décidément spectaculaire. C'était le fait que je sois à l'origine dudit sourire. Adam n'était pas très… joueur, sauf en ce qui me concernait.

— Hé, Mercy, dit Samuel alors qu'Adam m'ouvrait la porte.

Je me tournai vers lui et il m'embrassa sur le front.

— Sois heureuse, dit-il, et l'étrangeté de la formule me fit marquer un temps d'arrêt, mais la suite de la phrase me rassura. Je suis de garde cette nuit. Je serai probablement parti à ton retour. (Il leva les yeux vers Adam et lui décocha un regard de mâle dominateur qui fit plisser les yeux à mon compagnon.) Occupe-toi bien d'elle.

Puis il nous poussa dehors et referma la porte sur nous avant qu'Adam puisse s'offusquer de l'ordre reçu.

Au bout d'un moment qui me sembla très long, Adam finit par éclater de rire en secouant la tête.

— Ne t'en fais pas, répondit-il en sachant très bien que le loup de l'autre côté de la porte entendrait ses paroles. Mercy s'occupe très bien d'elle-même. Moi, je me contente de nettoyer les dégâts, ensuite.

Si je ne l'avais pas regardé à ce moment-là, le petit rictus qui déforma sa bouche m'aurait échappé. C'était comme s'il n'aimait pas vraiment ce qu'il venait de dire.

Je me sentis soudain envahie par une gêne bizarre. J'aime bien ce que je suis, mais j'ai conscience que la plupart des hommes ne partagent pas ce sentiment. Je suis mécanicienne. La première femme d'Adam était tout en courbes féminines, moi, je suis plutôt du genre musclé. Je ne ressemblais pas tellement à une fille, ce qui navrait ma mère qui me le faisait souvent remarquer. Et puis il y avait toutes ces bizarreries, apparues en réaction à mon viol.

Adam tendit sa main et j'y glissai la mienne. Il était devenu très fort pour m'encourager à le toucher et pour ne pas me contraindre à un contact malvenu.

Je regardai nos doigts enlacés en descendant les marches du porche. J'avais cru que mon état s'améliorait et que mes réflexes de fuite, ma peur lorsqu'on m'approchait, commençaient à disparaître. Mais il m'apparut que c'était peut-être lui qui avait trouvé le moyen d'apprivoiser ma terreur.

— Qu'est-ce qu'il y a ? demanda-t-il alors que nous arrivions près de son véhicule.

Celui-ci était si neuf qu'il y avait encore un autocollant du concessionnaire sur la lunette arrière. Il avait remplacé le précédent 4 x 4 d'Adam, qui avait été bien abîmé par un loup qui tentait de me protéger, avant d'être quasiment réduit en miettes par un elfe des glaces, un truc énorme qui avait fait tomber tout un pan de mur sur la voiture alors qu'il me pourchassait.

— Mercy…, dit-il en fronçant les sourcils. Tu ne me dois rien pour cette fichue bagnole, je te l'ai déjà dit.

Il me tenait toujours la main, et j'eus juste le temps de me rendre compte que c'était notre lien qui lui avait permis de deviner à quoi je pensais, avant de tomber à genoux, assommée par une vision.

Il faisait nuit et Adam se trouvait chez lui, dans son bureau, devant son ordinateur. Ses yeux le brûlaient, ses mains étaient douloureuses et il avait le dos raidi par plusieurs heures de travail.

La maison était calme. Trop calme. Il n'avait pas d'épouse à protéger contre la cruauté du monde. Cela faisait longtemps qu'il ne l'aimait plus : c'est toujours dangereux d'aimer quelqu'un lorsque ce n'est pas réciproque. Il avait été trop longtemps dans l'armée pour se mettre délibérément en danger sans raison valable. Ce qu'elle aimait, c'était sa position sociale, son argent et son pouvoir. Mais elle les aurait encore plus aimés s'ils avaient appartenu à quelqu'un qui lui obéissait.

Lui ne l'aimait pas, mais il avait aimé prendre soin d'elle. Il adorait lui faire des petits cadeaux. Ce qu'il appréciait, c'était plus l'idée d'avoir une épouse que l'épouse elle-même.

La perdre avait été difficile. Mais perdre sa fille, ça, ç'avait été bien pire. Jesse laissait toujours derrière elle une traînée de joie et de rires, et son absence était… dure à supporter. Le loup d'Adam ne parvenait pas à trouver le repos. C'était une créature qui ne vivait que dans l'instant présent. Il n'y avait aucun moyen de la calmer en lui disant que Jesse serait de retour l'été venu. Adam lui-même ne se sentait pas vraiment réconforté à cette lointaine perspective. Alors, il se tuait à la tâche, pour oublier.

On frappa à la porte de derrière.

Il repoussa son fauteuil et dut marquer une pause. Son loup était furieux que quelqu'un puisse violer son sanctuaire. Même les membres de sa meute n'avaient pas eu le courage de l'approcher dans son antre ces derniers jours.

Le temps d'arriver dans la cuisine, il avait presque entièrement repris le contrôle de lui-même. Il ouvrit la porte à la volée, s'attendant à se retrouver face à un de ses loups. Mais c'était Mercy.

Elle n'avait pas l'air ravi, mais c'était rarement le cas lorsqu'elle était contrainte de venir lui parler. C'était une fille dure, indépendante, qui détestait le voir se mêler de ses affaires. Cela faisait un bon bout de temps que personne n'avait osé le défier autant qu'elle, et il devait reconnaître qu'il aimait bien ça. Bien plus qu'un loup qui était Alpha depuis vingt ans l'aurait dû.

Il émanait d'elle un parfum d'huile de vidange surchauffée, de jasmin (son shampooing), et de chocolat. Encore que ce dernier devait plutôt venir de l'assiette de cookies qu'elle lui tendait.

— Tenez, dit-elle d'un ton emprunté, et il se rendit compte que c'était la timidité qui lui donnait l'air si renfermé. Le chocolat, ça m'aide beaucoup quand j'ai une mauvaise passe.

Elle n'attendit aucune réponse, se contentant de faire volte-face et de s'éloigner en direction de sa maison.

Il emporta les cookies dans son bureau. Au bout de quelques minutes, il en goûta un. Une puissante vague de chocolat noir lui déferla dans la bouche, son amertume tempérée par la quantité effarante de cassonade et de vanille présentes dans les biscuits. Il avait oublié de manger et ne s'en était même pas rendu compte.

Mais ce n'étaient ni le chocolat ni le fait de manger qui le réconfortaient. C'était la gentillesse de Mercy envers quelqu'un qu'elle considérait comme un ennemi. Et c'est à cet instant précis qu'il eut une révélation : il pourrait faire tout ce qu'il voudrait, jamais elle ne l'aimerait.

Il mangea un autre cookie avant d'aller se préparer à dîner.

Adam mit un terme soudain à cette connexion, amenuisant notre lien au point qu'il ne fut pas plus épais qu'une toile d'araignée.

— Je suis désolé, murmura-t-il à mon oreille, tellement désolé… Put…

Il ravala le gros mot qui avait failli lui échapper et me serra contre lui. Je me rendis compte que nous étions tous les deux assis sur le gravier de l'allée, recroquevillés contre la voiture. Et le gravier était vraiment froid contre ma peau nue.

— Ça va ? demanda-t-il.

— Tu sais ce que tu m'as montré ? m'enquis-je d'une voix enrouée.

— J'ai cru que c'était un flash-back, répondit-il.

Il m'avait vue en avoir à multiples reprises.

— D'une certaine manière, oui, mais c'était l'un de *tes* souvenirs.

Il sourit.

— Un mauvais ou un bon ?

Il avait fait la guerre du Vietnam. Il était devenu loup-garou bien avant ma naissance : il devait avoir eu son content de mauvaises expériences.

— On aurait dit un moment intime que je n'aurais jamais dû voir, lui dis-je avec franchise. Mais ce n'était pas un mauvais souvenir.

J'avais vu le moment précis où j'étais devenue bien plus qu'une simple mission que le Marrok lui avait confiée.

Je me souvenais combien je m'étais sentie stupide sous son porche, avec mon assiette de cookies pour cet homme dont la vie venait d'être bouleversée par un horrible divorce. Il n'avait rien dit en ouvrant la porte, et j'en avais conclu qu'il avait partagé mon opinion quant à la bêtise de mon geste. J'étais repartie chez moi en me forçant à ne pas courir.

Je ne m'étais pas rendu compte que ça l'avait aidé, en fait. Ni qu'il me considérait solide et compétente. Bizarrement, j'avais toujours eu l'impression d'être faible aux yeux des loups-garous.

Qu'est-ce qu'on en avait à faire, alors, si je continuais à reculer quand il essayait de me toucher ? Ça finirait par passer avec le temps. J'allais déjà beaucoup mieux : les flash-backs quotidiens me replongeant dans mon viol appartenaient déjà au passé. On réussirait à survivre à tout ça. Adam avait maintes fois démontré sa bonne volonté.

Notre lien, comme souvent, se remit en place tel un élastique qu'on ferait claquer, et mes pensées lui apparurent soudain avec une clarté cristalline.

— Je ferai tout ce dont tu auras besoin, marmonna-t-il en se figeant dans la fraîcheur de la nuit. Tout ce qui est en mon pouvoir.

Je relâchai mes épaules et fourrai mon nez au creux de son cou. Très rapidement, je me sentis réellement détendue.

— Je t'aime, lui dis-je. Et il faut qu'on parle de ma participation au remplacement de ta voiture.

— Je ne veux…

Je lui coupai la parole. J'avais eu l'intention de le faire en posant le doigt sur ses lèvres, mais au lieu de cela je relevai brutalement la tête en réaction à ses excuses et mon front percuta violemment son menton. Ce qui le fit taire encore plus efficacement qu'un index affectueux, puisqu'il se mordit la langue.

Il se mit à rire en voyant du sang couler sur sa belle chemise, et je me confondis en excuses. Il laissa partir sa tête en arrière, et se cogna bruyamment contre la carrosserie de la voiture.

— Ne t'en fais pas, Mercy. Ça va se refermer tout seul.

Je me dégageai de son étreinte et m'assis à côté de lui, riant à moitié moi aussi, parce que, même si c'était probablement assez douloureux, il avait raison : sa blessure cicatriserait en l'espace de quelques minutes. Elle n'était pas très profonde, et c'était un loup-garou.

— Cesse d'essayer de payer pour mon 4x4.

— Mais c'est ma faute, s'il a été détruit ! objectai-je.

— Ce n'est pas toi qui as fait tomber un mur dessus, protesta-t-il. Pour la bosse, je t'aurais laissé payer, mais là...

— Ne t'avise pas de me mentir ! m'exclamai-je d'un ton indigné.

Il rit une nouvelle fois.

— Bon, d'accord, je ne t'aurais pas laissé payer quoi que ce soit. Mais ça n'a aucune importance : après avoir reçu un mur sur le coin de la figure, la bosse était le cadet des soucis de cette bagnole. Et tu n'es pas responsable de la fureur de l'elfe des glaces, c'est la faute des vampires.

J'aurais pu continuer à me disputer avec Adam : j'adorais ça. Mais il y avait d'autres activités que je préférais largement à ça.

Je me penchai vers lui et l'embrassai.

Je sentis le goût du sang, puis celui de sa bouche, et Adam ne sembla avoir aucun problème à passer des chamailleries à la passion en un clin d'œil.

Au bout d'un moment, je ne sais pas combien de temps, Adam regarda sa chemise tachée de sang et recommença à rire.

— J'imagine qu'après ça, autant aller au bowling, dit-il en m'aidant à me relever.

Chapitre 2

Nous fîmes d'abord un arrêt dans un *steak house* pour dîner.

Il laissa sa veste tachée et sa chemise dans la voiture et récupéra un tee-shirt bleu marine qui se trouvait dans un sac de vêtements sur la banquette arrière. Il me demanda si ça ne faisait pas trop bizarre avec le pantalon de smoking. Il ne voyait pas la manière avantageuse dont le vêtement soulignait les muscles de ses épaules et de son dos. Je le rassurai tout à fait sincèrement, et réussis à rester sérieuse en lui disant que personne ne le remarquerait.

C'était un vendredi soir et il y avait beaucoup de monde au restaurant. Mais heureusement, le service était quand même efficace.

Une fois que la serveuse eut pris notre commande, Adam me demanda, d'un ton peut-être un peu trop dégagé :

— Alors, qu'est-ce que tu as vu, tout à l'heure ?

— Rien d'embarrassant, lui répondis-je. Juste une fois où je t'avais apporté des cookies.

Une étincelle fit luire son regard.

— Je vois, commenta-t-il en se détendant, même si ses joues rougirent un peu. Je repensais effectivement à ce moment-là.

— Ça ne te pose pas de problème, hein ? m'inquiétai-je. Je suis désolée de m'être mêlée de ce qui ne me regardait pas.

Il secoua la tête.

— Pas besoin de t'excuser. Tu es la bienvenue dans mes pensées.

— Et donc, poursuivis-je d'un ton léger, ta première fois, c'était sous les gradins d'un stade ?

Il releva brusquement la tête.

— Je t'ai bien eu. C'est Warren qui me l'a dit.

Il sourit.

— Oui, un lamentable épisode marqué par le froid et la pluie.

La serveuse déposa nos assiettes devant nous et s'éloigna de nouveau. Adam me donna quelques bouchées de son filet mignon saignant, et je lui fis goûter mon saumon. La nourriture était aussi délicieuse que la compagnie dans laquelle je me trouvais. Si j'avais été un chat, j'aurais ronronné.

— Tu sembles heureuse, constata-t-il en étendant ses jambes pour que nos pieds soient en contact.

— C'est toi qui me rends heureuse, lui répliquai-je.

— Ton bonheur pourrait être permanent, dit-il en avalant son dernier morceau de pomme de terre au four, si tu emménageais avec moi.

Me réveiller près de lui chaque matin… mais…

— Non. Je t'ai déjà causé bien assez de problèmes, objectai-je. La meute et toi devez d'abord atteindre une sorte de… d'équilibre avant que je vienne habiter chez toi. Ta maison, c'est la tanière, le cœur de la meute. Ils ont besoin d'un endroit où se sentir en sécurité.

— Ils peuvent très bien s'adapter.

— C'est ce qu'ils font, à leur rythme, répondis-je. D'abord, il y a eu Warren. Tu sais que, depuis que tu l'as accepté, plusieurs autres meutes ont permis à des loups homosexuels de les rejoindre, non ? Et à présent, me voilà :

un coyote parmi les loups. Il faut reconnaître que ce sont de gros changements pour une seule et même meute.

— Oui, si on continue à cette allure, dit-il, l'air sérieux, mais avec une pointe de taquinerie dans la voix, bientôt, les femmes auront le droit de vote et on aura un président noir.

— Tu vois ? fis-je remarquer en pointant ma fourchette vers lui. Ils sont tous coincés au XIXe siècle, et tu t'attends qu'ils changent. Samuel dit souvent que la plupart des loups ont leur dose de changement le jour où ils deviennent des loups-garous. Pas facile de les forcer à en accepter d'autres de bonne grâce.

— Peter et Warren sont les seuls de la meute qui ont connu le XIXe siècle, me rappela Adam. La plupart d'entre eux sont plus jeunes que moi.

La serveuse revint à notre table et eut l'air un peu surpris lorsque Adam commanda trois desserts : les loups ont besoin d'énormes quantités de nourriture pour rester en forme. Je secouai négativement la tête lorsqu'elle me consulta du regard.

J'attendis qu'elle soit repartie pour reprendre notre conversation.

— Cela ne nous coûtera pas grand-chose d'attendre quelques mois, le temps que les choses se tassent.

De toute façon, s'il n'avait pas été d'accord avec moi, ça ferait un moment qu'on habiterait ensemble au lieu de se contenter de rendez-vous galants. Mais il savait aussi bien que moi que le fait de m'avoir intégrée à la meute avait créé un fort ressentiment. Peut-être que, si la meute avait été saine et stable à la base, ça aurait causé moins de tension.

Quelques années auparavant, certains membres de la meute avaient commencé à me harceler, moi, le coyote qui vivait juste à côté de chez eux. Les loups-garous, comme leurs cousins sauvages, sont très territoriaux et détestent partager leur terrain de chasse avec d'autres prédateurs. Pour y mettre un point final, Adam m'avait déclarée sienne. À l'époque, je n'avais pas compris pour quelle raison ils avaient arrêté de m'asticoter du jour au lendemain, et Adam ne s'était pas vraiment empressé de me l'expliquer. Mais l'absence de réponse claire à cette déclaration avait mis à mal la magie de la meute, et c'était Adam qui en avait subi les conséquences. Ça l'avait affaibli, agacé et rendu moins à même de maintenir le calme au sein de la meute. Et en m'intégrant à la meute en même temps que notre lien se scellait, il n'avait pas laissé le temps aux siens de retrouver leur équilibre avant de les lâcher de nouveau sur un terrain glissant.

— Un mois de plus, finit-il par dire, et il faudra bien qu'ils s'habituent à la situation… et je veux aussi parler de Samuel. (Lorsqu'il se pencha vers moi, je pus voir dans son regard couleur chocolat amer qu'il était sérieux.) Et tu m'épouseras.

Je souris en montrant les dents.

— C'est pas « Veux-tu m'épouser ? », la formule consacrée, plutôt ?

C'était de l'humour, mais je vis ses iris s'éclaircir, laissant apparaître des paillettes dorées dans les profondeurs obscures de son regard.

— Tu as eu tout le loisir de t'enfuir, coyote. Maintenant, c'est trop tard. (Il sourit.) Ta mère est ravie à l'idée d'utiliser certaines affaires dont elle n'a pas pu se servir pour le mariage de ta sœur.

La panique fit palpiter mon cœur.

— Ne me dis pas que tu lui en as parlé !

J'eus la vision terrible d'une église pleine à craquer et recouverte de satin blanc. Et de colombes. Ma mère avait eu droit à des colombes pour son mariage. Ma sœur avait décidé de partir se marier très loin pour éviter cela. Mais ma mère était têtue comme une mule et n'écoutait personne.

Ses yeux redevinrent complètement humains et il me décocha un sourire amusé.

— Tu n'as aucun problème avec le fait d'épouser un loup-garou père d'une adolescente et Alpha d'une meute instable, mais c'est *ta mère* qui te panique ?

— Tu l'as rencontrée, pourtant, maugréai-je. Toi aussi, tu devrais être paniqué. (Il éclata de rire.) Il faut croire que tu ne l'as pas vue assez longtemps, conclus-je.

C'était la moindre des choses de le prévenir.

Coup de chance, les femmes de l'allée adjacente rassemblaient leurs affaires au moment où nous allions nous installer, nous laissant l'usage exclusif de la table de scores. Nous avions déjà choisi nos boules : la mienne était verte, marbrée de tourbillons dorés, tandis que celle d'Adam était noire.

— Tu n'as vraiment aucune imagination, lui dis-je d'un ton suffisant. Ça ne te tuerait pas, de jouer avec une boule rose, tu sais ?

— Sauf que les boules roses ont des trous adaptés à des doigts d'enfant, objecta-t-il. Les noires sont les plus lourdes.

J'ouvris la bouche pour répliquer, mais il me fit taire d'un baiser.

— Pas ici, chuchota-t-il. Regarde à côté.

Je me rendis compte que nous étions observés par un petit garçon d'environ cinq ans et un bébé en robe à volants rose. Je pris l'air outré.

— Comme si j'allais faire des blagues de mauvais goût sur tes boules en public ! Ce serait complètement puéril, enfin.

Il sourit.

— Ravi que tu sois d'accord avec moi.

Je m'assis à la table de score et tripotai les noms des joueurs jusqu'à en être satisfaite.

— Folie Ou Raison : Dilemme ?

— J'ai utilisé les marques de nos voitures pour en faire des acronymes. Tu conduis une Ford. F-O-R-D.

— Vive Wallaby ?

— Y a pas des masses de trucs qui commencent par W.

Il se pencha par-dessus mon épaule et changea mon pseudonyme pour « Vraiment Walkyrie » puis me murmura au creux de l'oreille :

— Voracement Wahou. Tu es à moi.

— Ça me convient parfaitement.

Son souffle chaud contre ma nuque me rendait effectivement assez vorace.

Jusqu'à ma rencontre avec Adam, je m'étais toujours sentie un peu comme sa boule de bowling noire : banale, mais utile. Physiquement, je n'ai rien de remarquable, une fois qu'on s'est habitué à mon teint hérité de mon père amérindien. Adam, lui… c'est le genre d'homme qui attire l'attention de tout le monde. Même dans ce bowling, tous les regards étaient tournés vers lui.

— Va donc lancer ton ennuyeuse boule, lui répliquai-je avec un air faussement sévère. C'est pas flirter avec la fille qui tient la table de score qui arrangera tes affaires : tout est informatisé, de nos jours.

— Comme si j'avais besoin d'arranger mes affaires, me taquina-t-il en reculant de quelques pas avant de braquer son regard sur les pauvres quilles sans défense.

Il jouait au bowling de la même manière implacable et terriblement précise avec laquelle il menait toute sa vie. La puissance maîtrisée, c'était tout Adam.

Mais je remarquai soudain que l'admiration laissait place à autre chose dans les yeux de ceux qui nous regardaient. Ou plutôt, qui regardaient Adam. Celui-ci n'était pas vraiment une célébrité : au contraire, il faisait tout ce qui était en son pouvoir pour ne pas figurer dans les journaux. Mais Adam était un des loups-garous qui avaient fait leur *coming out*: cet homme d'affaires raisonnable, à la tête d'une entreprise florissante de sécurité qui travaillait à la protection des secrets nucléaires américains, était un exemple parfait de mec bien qui était accessoirement un loup-garou. J'imagine que ça ne posait aucun problème quand on lisait ça dans le journal. Mais visiblement, voir ledit loup-garou fréquenter le bowling du coin, c'était très différent.

Ils ont peur de lui.

Cette idée me traversa l'esprit avec tant de force qu'on aurait pu croire que quelqu'un me l'avait soufflée à l'oreille. Je sentis l'inquiétude m'envahir.

Regarde-les. Je vis les hommes se rapprocher de leurs femmes, les mères rassembler en toute hâte leurs enfants éparpillés. Il n'allait pas tarder à se produire un exode de masse... et ça, c'était seulement si les jeunes hommes que je vis se lever à quatre allées de nous ne s'avisaient pas de faire quelque chose de stupide.

Il n'a toujours rien remarqué.

Adam me décocha un sourire ravi en retournant à sa banquette après avoir réussi un *strike*, un *strike* d'autant plus remarquable qu'il n'y eut aucun dégât infligé aux quilles ou à l'allée. Trop de puissance, ça peut être un désavantage autant que pas assez.

Regarde à côté de toi.

Je soulevai ma boule verte et jetai un regard à l'allée voisine. Comme nous, les personnes qui s'y trouvaient étaient trop absorbées par leur jeu pour remarquer le murmure croissant qui avait envahi le bowling. Le petit garçon était en train de ramper sous une chaise et ses parents se chamaillaient à propos de la table de score. Leur petite fille si mignonne, avec sa jolie robe rose et de microscopiques couettes retenues par des élastiques avec des lions roses eux aussi, avait grimpé sur la plate-forme de retour des boules et jouait avec la soufflerie qui permettait de se sécher les mains avant de récupérer sa boule. Elle agita les doigts dans le courant d'air et se mit à rire d'un air ravi.

Adam ne va pas apprécier de se rendre compte que tout le monde s'en va à cause de lui.

Mon front se couvrit de sueur, ce qui était ridicule vu la fraîcheur qui régnait dans cet endroit. Je m'immobilisai au milieu de la ligne de lancer (ou quel que soit le nom de ce truc) et imitai Adam en levant la boule devant ma poitrine.

Peut-être y a-t-il moyen de leur prouver que c'est un héros, pas un monstre…

Je regardai par-dessus mon épaule et vis le bébé taper sur l'arrivée d'air. Son frère était retourné dans la zone de repos et jouait avec les boules non utilisées. Sa mère venait de se rendre compte qu'il s'était éloigné et se levait pour le ramener plus près de sa famille.

Je reportai mon attention sur les quilles.

— Tu me regardes ? demandai-je à Adam.

Le besoin de faire quelque chose pour l'aider était si dévorant que je sentis les articulations de mes doigts blanchir sous l'effet de la tension.

— Je ne fais que ça, me rassura-t-il. Tu vas faire quelque chose d'extraordinaire ?

Je balançai maladroitement la boule, comme si je n'avais jamais joué au bowling auparavant, la lâchai sans le faire exprès et l'envoyai valser vers l'arrière, droit sur la petite fille qui jouait avec la soufflerie.

La boule avait à peine quitté mes doigts que je me rendis compte, horrifiée, de ce que je venais de faire. Je me retournai vivement, tremblante. Mais j'avais eu beau être rapide, je manquai toute l'action.

Adam avait rattrapé la boule au vol à une cinquantaine de centimètres de la tête de la petite.

La gamine regarda Adam d'un air surpris lorsqu'il s'écrasa au sol à côté d'elle en tenant fermement la boule contre lui. Quand elle s'aperçut de la présence de cet étranger si près d'elle, elle ouvrit grands les yeux et fit une moue effrayée.

Adam n'est en général pas très intéressé par les enfants, sauf quand il s'agit de la sienne, ou tant qu'ils ne sont pas assez grands pour pouvoir tenir une conversation intéressante, comme il me l'avait dit une fois.

— Salut, marmonna-t-il d'un air embarrassé.

Elle le dévisagea un moment. Mais c'était une petite fille et Adam… eh bien, c'était Adam, quoi. Elle mit ses mains devant sa bouche et se mit à glousser.

C'était adorable. Mignon à en crever. Il était foutu, et tout le monde le savait.

La minuscule conquérante couina lorsque son père la prit dans ses bras, et sa mère, tenant le petit garçon par la main, balbutia des remerciements.

Et c'est toi la méchante, dans l'histoire, ma pauvre Mercy.

Évidemment que c'était moi, la méchante : j'étais passée à deux doigts d'écrabouiller un bébé. Mais qu'est-ce qui m'était passé par la tête ? Il aurait suffi qu'elle recule d'un pas, ou qu'Adam ne soit pas assez rapide, et j'aurais pu la tuer.

Elle n'a jamais couru le moindre danger. Tu ne lui as pas lancé la boule dessus, elle est juste partie dans sa direction. Elle ne l'aurait pas touchée. C'est lui que tu as sauvé... Et il ne s'en est même pas rendu compte.

Adam me jeta un regard perplexe alors que nous changions d'allée pour la sécurité de tous ; même si le responsable du bowling n'avait rien dit d'aussi explicite. Nous reprîmes notre partie et il me laissa lancer en premier.

Je pris soin d'envoyer la boule dans la rigole, là où elle ne risquerait pas de frapper quiconque. J'ignorais si c'était pour ma propre tranquillité d'esprit ou simplement pour rassurer les personnes qui m'entouraient.

Tout ce que tu voulais, c'était aider Adam. Et voilà comment il te remercie.

Je ne m'attendais pas réellement à être remerciée pour avoir essayé de réduire un bébé en bouillie. Je me frottai le front en essayant d'éclaircir mes pensées.

Elle ne l'aurait pas touchée. Tu t'en étais bien assurée. Même si Adam ne l'avait pas attrapée au vol, elle aurait juste roulé au sol.

Adam me regarda d'un air pensif alors que je faisais tout ce qui était en mon pouvoir pour perdre d'environ douze milliards de millions de points. Je ne pouvais décemment pas bien jouer après une si éclatante preuve de maladresse, ou sinon on risquerait de se douter de quelque chose.

Parce que je l'avais bien fait exprès, n'est-ce pas ?

Je n'arrivais pas à croire que j'aie pu faire une telle chose. Mais qu'est-ce qui clochait, chez moi ? Si Adam n'avait pas semblé aussi renfrogné, j'aurais peut-être osé lui en parler.

Il se fiche de savoir ce que tu as à lui dire. Il vaut mieux te taire. De toute façon, il ne comprendrait pas.

Je trouvai cela normal et ne protestai même pas en m'apercevant qu'il restait toujours derrière moi, de manière à empêcher un nouvel accident. De toute façon, son sauvetage de bébé semblait encore plus admirable s'il avait l'air de croire que j'étais une idiote, pas vrai ?

Au bout de quatre parties, il s'avança devant moi et dit, d'une voix qui ne portait pas au-delà de nous deux :

— Tu l'as fait exprès, n'est-ce pas ? Mais bon sang, pourquoi as-tu fait ça ?

Pour une raison inconnue, alors que j'étais tout à fait d'accord avec lui, sa question me rendit furieuse. Ou peut-être était-ce cette petite voix, dans ma tête…

Il aurait dû le comprendre avant. Tu es sa compagne, il devrait te connaître mieux que n'importe qui d'autre. Tu ne devrais pas avoir à te défendre contre lui. Il vaut mieux que tu ne dises rien.

J'arquai le sourcil et le contournai pour récupérer ma boule. Ma peine alimentait ma colère. J'étais si furieuse que j'en oubliai d'être nulle et réussis un *strike*. Mais je m'assurai ensuite que ce soit mon seul point de la partie. Et je ne décrochai pas un mot à Adam.

Ce dernier gagna de plus de 200 points. Quand il eut lancé pour la dernière fois sa boule, il la récupéra, ainsi que la mienne, et les ramena sur leur étagère alors que je changeais de chaussures.

Les adolescents qui se trouvaient à présent à cinq allées de nous nous arrêtèrent sur le chemin de la sortie et demandèrent un autographe à Adam. Je rapportai mes chaussures de bowling au comptoir, les rendis à l'employée et réglai la partie.

— C'est vraiment l'Alpha ? me demanda la gamine derrière le comptoir.

— Ouaip, répondis-je, les dents serrées.

— Waouh !

— Ouaip, répétai-je.

Je sortis de la salle et attendis Adam à côté de son 4x4 flambant neuf dont les portes étaient verrouillées. La température avait chuté d'une dizaine de degrés avec la disparition du soleil et il faisait à présent assez froid pour que je frissonne, seulement vêtue de ma petite robe et d'une paire de talons aiguilles. Enfin, ç'aurait été le cas si ma colère ne m'avait pas tenu bien chaud.

J'étais à côté de la portière côté passager, et il ne me vit pas immédiatement en sortant du bowling. Je le vis lever la tête et flairer l'air ambiant. J'appuyai ma hanche contre le flanc du 4x4 et mon mouvement attira son attention. Il s'approcha du véhicule en ne me quittant pas des yeux.

Il pense que tu pourrais délibérément mettre un enfant en danger juste pour le faire paraître héroïque. Il n'arrive pas à comprendre que tu en serais incapable, et que tu savais que la boule ne la toucherait pas. C'est lui qui te doit des excuses.

Je ne prononçai pas un mot. Je ne pouvais pas lui dire que c'étaient les voix dans ma tête qui m'avaient dit de le faire, n'est-ce pas ?

Il plissa les paupières, mais ne dit rien non plus. Au lieu de ça, il déverrouilla les portières et me laissa grimper dans la voiture. Je me concentrai sur la boucle de ma ceinture de sécurité, puis me laissai aller au fond de mon siège et fermai les yeux. Je serrai les poings posés sur mes cuisses, puis sentis une forme familière s'insérer à l'intérieur et forcer mes doigts à se relâcher : la vieille canne fae de bois et d'argent était de retour.

Je m'étais tellement habituée à la voir apparaître aux moments les plus improbables que je ne fus même pas surprise, même si c'était la première fois que je la sentais se manifester au lieu de seulement la voir. Mon esprit était totalement préoccupé par le tour catastrophique qu'avait pris notre sortie.

Avec la canne dans les mains, ce fut comme si le brouillard qui m'obscurcissait le cerveau se dissipait. Tout d'un coup, je ne fus plus du tout en colère. Juste fatiguée et impatiente de rentrer chez moi.

— Mercy.

Adam, lui, était assez furieux pour nous deux : je l'entendais grincer des dents. Il pensait réellement que j'aurais pu lancer une boule de bowling sur une petite fille sans défense.

Je ne pouvais pas lui en vouloir. Je disposai la canne de manière que sa pointe touche le sol et en frottai la tête sertie d'argent de la pulpe du pouce. Je n'avais rien à dire pour ma défense… et de toute façon, je n'avais pas la moindre envie de me justifier. Ce que j'avais fait était stupide et dangereux. Et si Adam n'avait pas été assez rapide ? J'en avais la nausée.

— Je ne comprends décidément rien aux femmes, cracha-t-il en mettant le contact et en appuyant avec un peu trop de vigueur sur l'accélérateur.

Je serrai aussi fort que possible ma canne des fées et gardai les yeux fermés tout le reste du chemin. J'avais mal au ventre. Il avait tout à fait raison d'être furieux et contrarié.

J'avais la désagréable impression que quelque chose n'allait pas du tout, du tout, du tout. Mais je ne pouvais pas lui en parler de peur que ça ne fasse qu'aggraver la situation. Je devais comprendre ce qui m'avait pris avant de pouvoir le lui expliquer.

Nous remontâmes mon allée dans un silence pesant. La voiture de Samuel n'était plus là : il avait dû partir pour l'hôpital plus tôt que prévu. Il fallait absolument que je lui parle, parce que j'avais d'horribles soupçons à propos de ce qui s'était déroulé dans la soirée. Je ne pouvais pas en discuter avec Adam, car il penserait que je me cherchais des excuses. J'avais besoin de Samuel, et il n'était pas là.

Je défis ma ceinture de sécurité et déverrouillai ma portière. Mais Adam tendit le bras pour m'empêcher de l'ouvrir.

— Il faut qu'on parle, dit-il, cette fois sans colère.

Mais il était trop près. Je n'arrivais plus à respirer, avec lui si près de moi. Et c'est à cet instant précis, le pire moment où ça pouvait m'arriver, qu'une crise d'angoisse s'abattit sur moi.

Avec un gargouillement de désespoir que je ne pus ravaler, je tendis brusquement mes jambes et me projetai par-dessus le dossier de mon siège, atterrissant sur la banquette arrière. La portière était verrouillée aussi. Je commençai à me débattre avec la poignée et Adam actionna le déverrouillage centralisé, me libérant enfin.

Je titubai en m'éloignant aussi vite que possible de la voiture, inondée de sueur et tremblante dans l'air froid de la nuit, brandissant ma canne comme un gourdin ou une épée qui me protégerait de… de ma stupidité. Stupide. Stupide. Je maudissais Tim pour avoir fait de moi cette pauvre chose stupide secouée de frissons stupides alors que j'étais parfaitement en sécurité, juste devant ma stupide maison.

Je ne voulais qu'une chose : redevenir moi-même, et pas cette inconnue qui était terrorisée dès qu'on la touchait… et qui obéissait aux petites voix qui lui ordonnaient de jeter des boules de bowling sur des enfants.

— Mercy, murmura Adam, qui était sorti lui aussi et m'avait rejointe de l'autre côté de la voiture.

Sa voix était douce et pleine de… Soudain, je ressentis sa peine et sa confusion : il ne comprenait pas ce qui s'était passé. Tout ce qu'il savait, c'est qu'il avait dû faire une connerie. Il n'avait pas la moindre idée de la raison pour laquelle la situation était devenue aussi catastrophique.

Mais je n'avais pas envie de savoir ce qu'il ressentait, parce que je ne m'en sentais que plus stupide... et plus vulnérable.

— Il faut que je rentre, dis-je à la canne que je tenais dans la main, incapable d'affronter le regard d'Adam.

Si j'avais levé les yeux vers lui, je me serais certainement enfuie en courant, et il n'aurait pas pu s'empêcher de me poursuivre. Un autre jour, ça aurait pu être amusant. Ce soir-là, ç'aurait été un désastre. Je me contentai donc de marcher doucement vers la porte.

Il ne me suivit pas, mais me dit de là où il se trouvait:

— Je t'envoie quelqu'un pour monter la garde.

Parce que j'étais la compagne de l'Alpha. Parce qu'il était inquiet pour moi. À cause de Tim. Et de la culpabilité qu'il ressentait.

— Non, protesta-t-il en avançant d'un pas vers moi, démontrant que le lien était plus solide de son côté à cet instant précis. Parce que je t'aime.

Je refermai doucement la porte entre nous et y posai le front.

Mon estomac me faisait mal. Ma gorge était serrée. J'avais envie de hurler, ou d'assommer quelqu'un d'un coup de poing, mais au lieu de cela je me contentai de serrer la canne de toutes mes forces en écoutant Adam remonter dans la voiture et s'éloigner.

Je baissai les yeux vers ma canne. Autrefois (peut-être était-ce toujours le cas), elle permettait aux moutons de son propriétaire d'avoir deux agneaux à chaque naissance. Mais elle avait été conçue il y avait bien longtemps, et la magie ancienne avait tendance à évoluer de manière parfois surprenante au fil des siècles. C'était devenu plus qu'une canne utile aux seuls agriculteurs. Personne ne savait exactement en quoi consistait le changement. Tout ce qu'on savait, c'est qu'elle me suivait partout où j'allais.

Peut-être était-ce une coïncidence que je me sois enfin sentie moi-même lorsque je l'avais sentie se matérialiser entre mes mains dans la voiture d'Adam. Peut-être pas.

Je m'étais disputée à maintes reprises avec Adam ces dernières années. C'était probablement inévitable vu nos personnalités : lui, un Alpha aussi bien littéralement que métaphoriquement parlant, et moi, qui avais été élevée parmi de nombreux mâles dominants, et avais choisi de ne pas les laisser me contrôler, même de manière subtile. Mais jamais je ne m'étais sentie aussi mal après une de nos disputes. En général, j'en sortais remontée à bloc et vaguement rigolarde, pas nauséeuse et terrifiée.

Bien sûr, en général, c'était moi qui déclenchais nos disputes, pas quelqu'un qui utilisait les liens de la meute pour trafiquer mes pensées.

Je pouvais me tromper, me dis-je. Peut-être n'était-ce qu'une chouette nouvelle conséquence de ce que m'avait fait subir le très peu regretté Tim. Comme si les flash-backs et les crises d'angoisse ne suffisaient pas.

Mais maintenant que c'était terminé, ces voix avaient un arrière-goût de meute. Je n'avais jamais entendu parler d'une meute capable d'influencer quelqu'un par le biais de ses liens magiques, mais il y avait beaucoup de choses que j'ignorais à leur propos.

J'avais besoin de changer de peau, de me libérer des liens de compagne et de meute qui laissaient l'accès à mes pensées à beaucoup trop de gens à mon goût. J'en étais tout à fait capable : certes, je ne pouvais pas tout laisser derrière moi, mais je pouvais parfaitement changer de peau en me métamorphosant en coyote. Une petite course nocturne me remettrait probablement les idées en place.

Il fallait que je sache exactement ce qui s'était produit lors de cette soirée. La distance n'était pas toujours suffisante pour me procurer un peu de solitude, mais elle m'aidait à affaiblir la connexion avec Adam… et celle avec la meute. Il fallait que je sorte avant que le garde envoyé par Adam arrive, car il ne me laisserait certainement pas sortir seule.

Sans prendre la peine d'aller jusqu'à ma chambre, je me déshabillai. Il me fut plus difficile de lâcher la canne, ce qui me prouva que j'étais déjà convaincue qu'elle m'avait servi de bouclier contre celui qui tentait de m'influencer.

Je restai immobile un instant, prête m'en saisir à la moindre alerte, mais je n'entendais plus les voix dans ma tête. Soit elles s'étaient désintéressées de moi puisque leur objectif, éloigner Adam, avait été atteint. Soit la distance était un facteur aussi efficace que je le pensais. De toute façon, j'allais devoir la laisser ici : un coyote traînant un tel objet derrière lui risquait d'attirer une attention malvenue.

Je me glissai donc dans ma peau de coyote avec un soupir de soulagement. Je me sentis aussitôt plus en sécurité, plus concentrée dans ma forme de quadrupède. Ce qui était idiot, puisque je n'avais jamais constaté que ma forme animale interférait en quelque manière que ce soit avec mon lien de couple ou celui de meute. Mais j'étais prête à me raccrocher à n'importe quel élément pouvant m'apporter du réconfort dans la situation où je me trouvais.

Je bondis à travers la chatière que Samuel avait pratiquée dans la porte arrière et m'enfonçai dans la nuit.

L'odeur de l'extérieur était différente, plus claire. Sous ma forme de coyote, je percevais plus de *stimuli* qu'en tant qu'humaine. J'étais capable de flairer la marmotte cachée dans un terrier voisin, les chauves-souris accrochées aux poutres métalliques de mon garage. C'était le milieu du mois, et la lune m'apparaissait comme une grosse tranche d'orange, même à mes yeux de coyote moins sensibles aux couleurs. La poussière des dernières récoltes saturait toujours l'atmosphère.

Et je sentis aussi un loup-garou sous forme animale qui approchait.

C'était Ben, pensai-je, et c'était une bonne chose. Darryl aurait pu me détecter en coyote, mais Ben, lui, avait vécu toute sa vie à Londres avant de nous rejoindre ici un an et demi plus tôt. Il serait plus facile à semer.

Je me figeai et résistai à la tentation de m'aplatir au sol ou de courir me cacher. Les mouvements attiraient l'attention plus que l'immobilité, et ma fourrure était conçue pour se fondre dans les nuances du désert.

Ben ne me jeta même pas un regard, et dès qu'il tourna au coin du mobil-home, sans doute pour s'installer sous mon porche, je me précipitai vers la haie d'armoise et m'enfuis à travers le désert plongé dans l'obscurité.

Je me dirigeais vers la rivière et une plage de galets où je savais pouvoir trouver la solitude quand soudain un lapin émergea des herbes folles. Je me rendis alors compte à quel point j'avais faim.

J'avais pourtant beaucoup mangé lors du dîner. Je n'avais aucune raison d'avoir faim. D'autant que j'étais littéralement affamée. Décidément, il y avait vraiment quelque chose qui clochait.

Je mis cette pensée de côté et me lançai à la poursuite du lapin ; je le manquai, mais pas le suivant. Je ne laissai de celui-ci qu'un petit tas d'os, et j'étais loin d'être rassasiée. Je continuai donc ma chasse et finis par dénicher une caille.

Je n'aimais pas tuer les cailles. La manière dont la petite plume qui dépassait du sommet de leur crâne ondulait quand elles bondissaient m'amusait énormément. Et ce sont des animaux stupides, qui n'ont pas la moindre chance de survie face à un coyote, ou au moins un coyote comme moi. J'imaginais qu'elles ne devaient pas être aussi sans défense que ça, car les coyotes ne manquaient pas dans les environs, et les cailles non plus. Mais je me sentais toujours coupable quand je devais en traquer une.

Quand j'en eus terminé avec ma seconde proie, je me permis de réfléchir au sort que je réservais à la personne qui m'avait tellement affamée que j'en étais arrivée à manger de la caille.

Une meute de loups-garous était capable de se nourrir de l'énergie de n'importe lequel de ses membres. Je n'étais pas certaine de la manière dont ça se passait, mais j'en avais souvent été témoin. C'était ce qui faisait de l'Alpha quelque chose de supérieur au loup qu'il était avant d'accepter la responsabilité d'une meute.

Rien de tout cela ne m'avait affectée avant que je devienne un membre de la meute d'Adam, et je ne m'étais donc pas tracassée à ce propos. Personne n'avait été capable d'envahir mon esprit et de me convaincre que lancer une boule de bowling sur un bébé pouvait être une bonne idée. Ou de me contraindre à passer ma frustration sur Adam.

Enfin rassasiée, je me dirigeai vers ma destination originelle sans encombre.

J'ignorais si cette partie de la rivière appartenait à quelqu'un. La haie la plus proche se trouvait à une bonne centaine de mètres, et la maison la plus proche un peu plus loin que ça. Il y avait quelques cannettes de bière abandonnées sur la rive. Si la température avait été un peu plus clémente, je serais peut-être tombée sur des gens.

Je grimpai sur un gros rocher et tentai de sentir les liens de la meute. Mais j'étais seule. Il n'y avait que moi, la rivière et, loin de là, les petites lumières des moulins à vent au sommet des collines de Horse Heaven. J'ignorais si c'était dû simplement à la distance, ou si cet endroit avait quelque chose de spécial, mais je n'avais jamais été capable de sentir les liens qui me connectaient à la meute et à Adam lorsque j'étais ici.

Dieu merci.

J'attendis d'être vraiment certaine qu'Adam ne pouvait pas m'entendre pour m'attarder sur mes sentiments : ça me terrifiait d'avoir quelqu'un d'autre dans ma tête, même si c'était Adam, que j'aimais de tout mon cœur. C'était le genre de pensée que j'essayais autant que possible de lui cacher.

Bizarrement, étant donné qu'il était devenu loup-garou avant ma naissance, j'avais beaucoup moins de problèmes que lui pour accepter sa nature. Le fait que je sois effrayée par le plus grand don qu'un loup pouvait faire à un autre ne le surprendrait probablement pas, mais ça le blesserait inutilement. Je finirais par m'habituer avec le temps… Je n'avais pas le choix, si je voulais le garder.

Si au moins je n'avais que le lien entre Adam et moi auquel m'adapter, ce serait plus simple. Mais il m'avait aussi intégrée à la meute, et quand cette connexion-là fonctionnait normalement, j'étais capable de les sentir tous dans un coin de ma tête. Et par ce lien, semblait-il, ils étaient capables de pomper mon énergie et de me faire me disputer avec leur Alpha.

Enfin seule dans ma tête, il me fut plus aisé de repasser le film des événements et de voir ce qui s'était produit : une petite poussée par-ci, une bourrade par-là. Je serais prête à beaucoup de choses pour protéger Adam, mais certainement pas à mettre un innocent en danger… et jamais de ma vie je n'avais opposé un silence buté à quiconque. Ceux qui m'énervent méritent d'entendre exactement quels sont leurs torts, ou alors d'être bercés par de fausses paroles apaisantes avant que je les attaque sournoisement. Mais le silence avait été l'arme préférée de l'ex-femme d'Adam.

Celui qui m'avait manipulée essayait de nous séparer.

Qui cela pouvait-il être ? Toute la meute ? Ou seulement une partie ? Était-ce délibéré, ou juste une manifestation inconsciente de la haine que me vouait la meute et de son désir de m'éloigner de force ? Et, plus important que tout, comment allais-je pouvoir faire en sorte que ça ne se reproduise pas ?

Il devait bien y avoir un moyen : s'il était aussi facile pour un loup-garou d'influencer un autre membre de la meute de la manière dont on m'avait manipulée, alors les Alphas pourraient exercer une plus grande maîtrise sur les leurs. Ce qui en ferait une secte plutôt qu'une troupe de bêtes sauvages bourrées de testostérone que la crainte de mourir sous les crocs de leur leader parvient à discipliner momentanément. Ou alors, ils se seraient déjà tous entre-tués.

J'aurais aimé trouver Samuel à la maison car je voulais lui demander comment tout cela fonctionnait. Adam avait sans doute les réponses, mais je préférais entamer cette discussion avec lui en ayant plus de cartes en main.

Si Adam devinait qu'un de ses loups essayait de trafi-coter mes pensées… Je n'étais pas certaine des règles dans ce genre de situation. C'était justement l'une des questions que je voulais poser à Samuel. Si quelqu'un devait mourir à cause de cette histoire, je tenais à m'assurer que j'approuverais un tel châtiment, ou tout du moins que je le saurais avant d'appuyer sur la détente. Et si quelqu'un devait mourir, je préférerais probablement garder mes réflexions pour moi et décider moi-même du châtiment le plus adapté.

J'allais devoir attendre que Samuel rentre de l'hôpital. Jusque-là, j'allais probablement garder la canne fae bien en main et espérer que rien d'autre ne se produirait.

Je restai sur la plage de galets à contempler le clair de lune aussi longtemps que je l'osai. Mais si je ne retournais pas à la maison avant que Ben s'aperçoive que je n'y étais plus, il appellerait certainement des renforts pour partir à ma recherche. Et je n'étais tout simplement pas d'humeur à supporter toute une meute de loups-garous.

Je me relevai, m'étirai et entamai la longue course du retour.

Quand j'arrivai devant ma porte d'entrée, je vis Ben qui y faisait les cent pas, l'air anxieux. Quand il m'aperçut, il s'immobilisa : il s'était rendu compte que quelque chose clochait, mais, jusqu'à mon arrivée, n'avait pas été certain que j'avais réellement disparu. Il retroussa sa lèvre supérieure, mais ne grogna pas, partagé entre la colère, l'inquiétude, ses instincts de mâle protecteur et la conscience que j'étais d'un rang supérieur à lui.

Le langage corporel, quand on sait le déchiffrer, est souvent beaucoup plus parlant que les mots.

Sa frustration ne regardait que lui, alors je fis mine de ne pas la remarquer et traversai la chatière, qui était beaucoup trop petite pour un loup, avant de foncer dans ma chambre.

Je me re-métamorphosai, saisis une petite culotte et un tee-shirt propre et me mis au lit. Il n'était pas très tard : la soirée avait été courte, et ma promenade pas beaucoup plus longue. Mais il fallait que je me lève tôt le lendemain car j'avais une voiture à réparer. Et il fallait que je sois au sommet de ma forme pour déterminer de quelle manière j'allais pouvoir interroger Samuel sans qu'il aille tout répéter à Adam.

Peut-être valait-il mieux que j'appelle son père. *Oui*, décidai-je. J'allais passer un coup de fil à Bran.

Je me réveillai avec le téléphone contre l'oreille et crus un instant que j'avais appelé Bran avant de m'endormir, parce que la voix qui s'insinuait dans mon oreille parlait en gallois. Mais ça n'avait aucun sens. Bran ne me parlerait jamais en gallois, surtout pas au téléphone, qui rendait la compréhension d'une langue étrangère encore plus délicate.

Encore l'esprit embrumé, je me rendis compte que je me souvenais presque d'avoir entendu le téléphone sonner. Je devais avoir décroché avant d'être totalement réveillée… mais ça n'expliquait pas pourquoi on me parlait en gallois.

Je jetai un coup d'œil au réveil (je m'étais endormie moins de deux heures auparavant) et réussis enfin à identifier la voix qui me parlait à toute allure.

— Samuel ? m'étonnai-je. Pourquoi parles-tu en gallois ? Je ne te comprends pas, tu parles trop vite. Et utilise des mots plus courts.

C'était une blague entre nous : les Gallois ne semblaient connaître que des mots longs comme le bras.

— Mercy, articula-t-il avec difficulté.

Pour une raison étrange, mon cœur se mit à battre avec force, comme si j'étais sur le point de recevoir une terrible nouvelle. Je me redressai.

— Samuel ? demandai-je au silence à l'autre bout du fil.

— Viens chercher…

Il se mit à bafouiller, comme s'il parlait mal anglais, ce qui n'était pas le cas, et ne l'avait jamais été, d'aussi loin que je le connaissais, soit une trentaine d'années.

— J'arrive tout de suite, l'interrompis-je en enfilant mon jean d'une main. Où es-tu ?

— Dans la salle de stockage des radios, répondit-il presque sans balbutier.

Je savais où celle-ci se trouvait, à l'extrémité du service d'urgences de l'hôpital général de Kennewick, où il travaillait.

— Je viens te chercher.

Il raccrocha sans un mot.

Il y avait eu un gros problème. Mais quoi que ce soit, ça ne pouvait pas être si catastrophique que ça s'il voulait que je le retrouve dans cette salle à l'écart de tout le monde. Si ses collègues avaient deviné qu'il était un loup-garou, se cacher là-bas ne rimerait à rien.

Contrairement à Adam, Samuel n'avait pas fait son *coming out*. Personne ne ferait confiance à un médecin lycanthrope, ce qui était tout à fait compréhensible. Les odeurs de sang, de peur et de mort étaient trop intenses pour la plupart des loups-garous. Mais Samuel pratiquait la médecine depuis très longtemps, et c'était un excellent docteur.

Ben était assis sous mon porche quand je sortis. Je trébuchai sur lui et roulai au bas des dures marches avant d'atterrir lourdement sur le gravier de mon allée.

Il savait que j'allais sortir : je n'avais pas été particulièrement discrète. Il aurait pu s'écarter de ma trajectoire, mais ne l'avait pas fait. Peut-être s'était-il même mis exprès sur mon chemin. Il resta imperturbable quand je levai les yeux vers lui.

Mais je reconnus ce regard, même si je ne l'avais jamais vu chez lui. J'étais un coyote en couple avec son Alpha, et il était persuadé que je ne le méritais pas.

— Tu as entendu parler de notre dispute de ce soir, lui dis-je. (Il plaqua ses oreilles en arrière et posa son museau sur ses pattes avant.) Alors, on aurait dû aussi te dire que quelqu'un utilisait le lien de meute pour me manipuler.

Je n'avais pas eu l'intention d'en parler avant de pouvoir consulter Samuel, mais ma chute m'avait légèrement énervée.

Il se figea et son attitude corporelle n'exprima pas l'incrédulité : il était horrifié.

C'était donc possible. *Merde, merde, merde.* J'avais espéré que ce n'était pas le cas, que j'étais paranoïaque. Je n'avais vraiment pas besoin de ça.

Parfois, ces histoires de lien de couple et de meute me donnaient l'impression qu'on me volait mon âme. C'était une comparaison un peu abusive, mais la réalité me terrifiait presque autant que si ç'avait été réellement le cas. M'apercevoir que l'on pouvait en plus les utiliser pour me faire faire n'importe quoi, c'était vraiment la foutue cerise sur le gâteau.

Heureusement, j'avais d'autres priorités qui prenaient le pas sur cette horrible situation. Je me relevai et époussetai mes vêtements.

J'avais eu l'intention d'attendre avant de parler de toute cette histoire à Adam, mais cette solution avait ses avantages. Il serait utile à Adam de savoir que certains membres de sa meute montraient… activement leur antipathie pour moi. Et si c'était Ben qui lui en parlait, Adam ne pourrait explorer mon esprit et ainsi se rendre compte que ce n'était pas seulement cette manipulation mentale, mais toute cette histoire de liens de meute et de couple qui me fichait les jetons.

Je m'adressai à Ben :

— Va le dire à Adam.

Je lui faisais confiance. Ben pouvait être glauque et franchement désagréable, mais c'était aussi presque un ami : nous avions certaines expériences traumatisantes en commun.

— Présente-lui mes excuses, et dis-lui que je vais me faire discrète un moment (Adam saurait que ça voulait dire que j'allais m'éloigner de la meute), jusqu'à ce que je sache exactement quoi faire. Mais pour le moment, je vais chercher Samuel. Tu peux disposer.

Chapitre 3

Je conduisis ma fidèle Golf jusqu'à l'hôpital général de Kennewick et me garai dans le parking des urgences. Il était encore tôt, quelques heures avant l'aube, quand j'entrai dans le bâtiment.

Le truc, pour se déplacer sans être dérangé dans un hôpital, c'est de marcher rapidement en saluant d'un mouvement de tête les gens qu'on connaît et en faisant mine de ne pas voir ceux qu'on ne connaît pas. Le salut rassure les témoins quant au fait qu'on est connu, l'allure vive leur dit que vous avez une mission et pas le temps de discuter. Bien sûr, le fait que la plupart de ceux qui travaillaient à la réception me connaissaient était un avantage certain.

J'entendis un bébé pleurer en arrivant devant les portes battantes menant au cœur du service, un son triste, plein de fatigue et de désespoir. Je plissai le nez en sentant l'odeur agressive et aigre du désinfectant hospitalier et eus un mouvement de recul en constatant l'augmentation du volume sonore et des effluves chimiques une fois que j'eus passé les portes.

Une infirmière occupée à griffonner quelque chose sur un bloc-notes leva les yeux vers moi et son visage s'illumina d'un sourire chaleureux. Je la connaissais de vue, mais ne me rappelais pas son nom.

— Mercy, dit-elle, n'ayant visiblement aucun mal à se souvenir du mien, le docteur Cornick a donc fini par vous demander de le ramener à la maison, n'est-ce pas ? Il était temps. Je lui ai bien dit qu'il aurait dû faire ça il y a un bon moment, mais il est sacrément têtu, et en tant qu'infirmière, je n'ai aucun ordre à lui donner…

Le ton qu'elle employa laissa clairement entendre qu'elle ne croyait pas en cet ordre des choses.

J'avais peur de dire quoi que ce soit, des fois que cela fasse voler en éclats le fragile château de cartes bâti par Samuel pour justifier un retour anticipé chez nous. Je finis par dire d'un ton neutre :

— Il est plus doué pour aider que pour accepter l'aide des autres.

Elle sourit.

— C'est bien un mec. Il devait avoir honte d'avouer qu'il avait complètement détruit sa voiture. Je vous assure, il aimait cette bagnole comme une femme.

Je restai plantée là à la dévisager d'un air abruti. Je n'avais pas la moindre idée de ce dont elle parlait.

Détruit sa voiture ? Elle voulait dire qu'il avait eu un accident ? Samuel, un accident ? Je n'arrivais pas à l'imaginer. Certains loups-garous avaient du mal à conduire parce qu'ils étaient facilement distraits. Mais pas Samuel.

Il fallait que je le trouve avant de dire quelque chose d'idiot.

— Je devrais…

— Il a eu de la chance de s'en sortir aussi bien, reprit-elle en baissant les yeux sur ce qu'elle était en train d'écrire. (Elle pouvait visiblement faire les deux en même temps, puisqu'elle poursuivit :) Il vous a dit à quel point il était passé près du désastre ? L'agent de police qui l'a amené a dit qu'il était presque tombé à l'eau… et c'était du haut du pont Vernita, vous savez, celui sur la 24, qui passe au-dessus de la Hanford Reach ? Il serait mort s'il était tombé : il est tellement haut, ce pont.

Mais bon sang, qu'est-ce que Samuel était allé fabriquer sur ce pont tout au nord de Hanford ? C'était totalement de l'autre côté des Tri-Cities, et loin de n'importe quel chemin entre la maison et l'hôpital. Peut-être était-il allé courir près du bras de la rivière : on y trouvait peu de gens et beaucoup d'écureuils. Ce n'était pas parce qu'il ne m'avait pas informée de son intention de chasser qu'il n'avait pas pu le faire. Après tout, je n'étais pas sa mère.

— Il n'a pas jugé utile de me dire qu'il avait couru le moindre danger, lui dis-je en toute franchise. (Puis je glissai un petit mensonge pour l'inciter à m'en dire plus :) Il a juste parlé de dégâts matériels.

— Typique du docteur Cornick, tiens, commenta-t-elle avec un reniflement de dérision. Il a refusé qu'on fasse autre chose que lui enlever les bouts de verre dont il était truffé, mais rien qu'à le voir, il s'est au moins froissé les côtes. Et il boite, aussi.

— On dirait que c'est bien pire que ce qu'il m'a raconté, remarquai-je en réprimant ma nausée.

— Il est passé à travers le pare-brise et s'est retrouvé suspendu au capot de sa voiture. Jack… c'est le policier. Jack m'a dit qu'il avait eu peur de le voir tomber avant qu'il puisse l'atteindre. Le docteur devait être sous le choc, parce qu'il essayait de ramper dans la mauvaise direction : si Jack ne l'avait pas rattrapé, il serait passé par-dessus bord.

Je compris alors exactement ce qui s'était produit.

— Chérie ? Chérie ? Vous allez bien ? Asseyez-vous donc un instant.

Elle avait tiré une chaise derrière moi sans que je m'en rende compte, et je me retrouvai soudain avec les oreilles qui bourdonnaient, la tête entre les genoux et sa main sur mon dos.

Pendant un moment, j'eus de nouveau quatorze ans, écoutant Bran m'annoncer ce que je savais déjà : Bryan, mon père adoptif, était mort. On avait retrouvé son corps dans la rivière. Il s'était suicidé à la suite de la mort de ma mère adoptive, sa compagne.

Les loups-garous ne meurent pas facilement : ils n'ont donc pas vraiment le choix quand ils veulent se suicider. Et depuis que la Révolution française avait donné une image exécrable de la guillotine, l'autodécapitation n'était pas des plus aisées.

Les balles en argent avaient aussi leurs défauts : l'argent est plus dur que le plomb ; du coup, les balles traversent souvent le corps du loup suicidaire, le laissant malade à crever, et vivant. Les petits plombs sont un peu plus efficaces, mais à moins que l'arme soit modifiée en conséquence, on pouvait mettre des semaines à mourir. Si quelqu'un débarquait pendant ce temps-là et se piquait d'extraire les projectiles, eh bien... c'était beaucoup de douleur pour rien.

La méthode de suicide la plus populaire, c'était la mort par loup-garou. Mais ce n'était pas possible pour Samuel : rares étaient les loups qui auraient accepté son défi ; et ceux qui en auraient été capables... eh bien, disons que je n'aurais pas voulu assister à un combat entre Adam et Samuel : l'égalité des chances, ce n'était pas ce que recherchait un loup suicidaire.

En dehors de cela, il restait donc la noyade, très appréciée. Les loups-garous ne savent pas nager : leur corps est trop dense, et même un loup-garou a besoin de respirer.

Je savais même pour quelle raison il avait choisi cet endroit. La Columbia est la plus grande rivière des environs, elle fait près d'un kilomètre et demi de large, mais les trois ponts qui l'enjambent (le Blue Bridge, le pont suspendu et celui de l'autoroute) ont tous des rambardes extrêmement robustes. De plus, la circulation y est quasiment incessante, même en pleine nuit. Quelqu'un aurait nécessairement vu l'accident et tenté de lui porter secours. Or il faut quand même plusieurs minutes pour se noyer.

Le pont qu'il avait choisi, lui, n'était pas très fréquenté et avait été construit avant qu'on conçoive les ponts de manière que même un crétin ne puisse en tomber. La rivière était plus étroite, aussi, à cet endroit-là, ce qui signifiait qu'elle était également plus profonde, avec un courant plus rapide. Et le pont se trouvait à une hauteur impressionnante.

Je visualisais la scène dans ma tête, Samuel accroché au capot et le policier se précipitant à sa rescousse. C'était vraiment un coup de chance que le seul autre véhicule présent ait été une voiture de police. Si ç'avait été un témoin ordinaire, il aurait probablement eu trop peur pour sa propre vie pour tenter de secourir Samuel et l'aurait laissé se noyer. Mais l'agent de police l'aurait suivi pour tenter de le sauver, aurait risqué sa vie pour lui.

Non, Samuel ne serait pas tombé, une fois que le policier l'avait vu.

Même s'il le voulait plus que tout.

Mon vertige commença à se dissiper.

« Sois heureuse », m'avait-il dit quand j'étais partie vers ma catastrophique soirée. C'était un souhait concernant le reste de ma vie, pas seulement mon rendez-vous.

Quel abruti ! Je sentis un grondement monter dans ma gorge et réussis à grand-peine à l'étouffer.

— Il va bien, m'assura l'infirmière.

Je relevai la tête d'entre mes jambes et remarquai alors que son prénom, Jody, était écrit sur le badge qu'elle portait à la poitrine.

— On a extrait les morceaux de verre, poursuivit-elle, et même s'il est un peu raide quand il marche, il n'a rien de grave, ou sinon, on s'en serait déjà rendu compte. D'accord, il aurait dû rentrer à la maison, mais il a refusé, et vous savez comment il est. Il ne dit jamais non, mais réussit à vous embrouiller sans jamais dire oui non plus.

Je le savais très bien.

— Je suis désolée, m'excusai-je en me relevant doucement pour paraître stable. J'ai juste été prise par surprise. On se connaît depuis très longtemps… et il ne m'a pas dit que c'était aussi grave.

— Il ne voulait probablement pas vous inquiéter.

— Oui, c'est bien son genre.

Mon cul, que c'était son genre. J'allais le tuer de mes propres mains, et il n'aurait pas à chercher une manière de se suicider.

— Il a dit qu'il allait trouver un endroit calme où se reposer, dit Jody en regardant autour d'elle, comme si elle s'attendait à le voir apparaître de nulle part.

— Il m'a précisé qu'il se trouvait dans la salle de stockage des radios.

Elle rit.

— Eh bien, j'imagine en effet que c'est un endroit calme. Vous savez où c'est ?

Je lui rendis son sourire, ce qui n'était pas très facile quand on avait envie d'écorcher vif quelqu'un.

— Bien sûr.

Je longeai plusieurs pièces séparées par des rideaux qui dégageaient des odeurs de sang et de douleur et adressai un signe de tête à un aide-soignant qui me paraissait vaguement familier. Au moins les hurlements du bébé s'étaient-ils réduits à des gémissements étouffés.

Samuel avait tenté de se suicider.

Je frappai à la porte de la salle de stockage des radios et l'ouvris. Je vis des boîtes en carton blanc alignées impeccablement sur des étagères, dégageant une impression d'ordre certain, celle qu'il y avait quelqu'un en mesure de trouver n'importe quoi ici.

Samuel était assis par terre, adossé à un tas de cartons. Il portait une blouse blanche par-dessus son uniforme vert. Il avait croisé les bras sur ses genoux pliés, laissant pendre mollement ses mains. Il avait la tête baissée et ne leva pas les yeux en m'entendant entrer. Il attendit que j'aie refermé la porte derrière moi pour parler, toujours sans me regarder.

Je me doutai que c'était parce qu'il avait honte, ou qu'il savait que j'étais en colère.

— Il a essayé de nous tuer, dit Samuel.

Mon cœur s'arrêta un instant puis se remit douloureusement à battre, parce que je m'étais trompée concernant la raison de sa tête baissée. Complètement trompée. Le « il » dont il parlait, c'était Samuel, ce qui signifiait que ce n'était plus « il » qui avait le contrôle. J'étais en train de parler au loup de Samuel.

Je me laissai tomber au sol comme une pierre et m'assurai que ma tête se trouvait plus bas que celle du loup-garou. Samuel, l'homme, négligeait souvent ce genre d'étiquette, mais son loup en était incapable. Si j'obligeais le loup à lever le regard vers moi, il serait contraint soit de reconnaître ma supériorité, soit de me défier.

Et moi, je me transformais en un prédateur d'une quinzaine de kilos tout mouillé, conçu pour tuer des poules et des lapins. Et des pauvres cailles idiotes. Les loups-garous, eux, peuvent affronter des ours kodiaks. Je n'étais pas de taille à en affronter un.

— Mercy, murmura-t-il en levant la tête.

La première chose que je remarquai, ce fut la myriade de microcoupures sur son visage et je me souvins de Jody me racontant qu'ils avaient dû extraire du verre brisé de sa peau. Le fait que les plaies ne soient pas encore cicatrisées me disait autre chose : il y avait eu d'autres blessures, plus graves, dont son corps avait dû s'occuper avant les plaies superficielles. Génial : il avait vraiment besoin d'un peu de douleur pour adoucir son tempérament.

Ses yeux étaient d'un bleu glacier presque blanc, emplis d'une expression sauvage.

Dès que je les vis, je baissai les yeux au sol et pris une grande inspiration.

— Sam ? chuchotai-je. Comment puis-je t'aider ? Tu veux que j'appelle Bran ?

— *Non !*

Il cracha le mot avec une telle force que son corps fut projeté en avant, et il se retrouva à quatre pattes, un genou levé et l'autre au sol.

Le fait qu'il soit parvenu à en garder un au sol signifiait qu'il n'était pas (encore ?) prêt à me bondir dessus.

— Notre père nous tuera, expliqua lentement Sam avec un fort accent gallois. Je… Nous ne voulons pas le contraindre à faire ça. (Il prit une grande inspiration.) Et je ne veux pas mourir.

— Bien. Très bien, croassai-je en comprenant soudain les premiers mots qu'il avait prononcés : Samuel avait voulu se tuer, et c'était son loup qui l'en avait empêché.

Ce qui était une bonne chose, mais nous posait un sacré problème.

Le Marrok avait de bonnes raisons d'exécuter tous les loups-garous dont c'était le loup et non l'humain qui tenait les manettes. De très bonnes raisons, du genre empêcher un carnage.

Mais si le loup de Samuel ne voulait pas les laisser mourir, je me dis qu'il valait mieux que ce soit lui qui soit aux commandes. En tout cas pour le moment, étant donné qu'il ne semblait pas vouloir me tuer tout de suite. Samuel était vieux. Je ne savais pas exactement à quel point, mais il était né au moins avant le *Mayflower*. Peut-être cela permettrait-il à son loup de se contrôler sans l'aide de Samuel. Peut-être.

— OK, Sam, on ne va pas appeler Bran.

Je le regardai du coin de l'œil et le vis m'examiner, la tête penchée.

— Je peux faire semblant d'être humain jusqu'à ce qu'on arrive à ta voiture. Je me suis dit que cela valait mieux, alors j'ai gardé cette forme.

Je déglutis.

— Qu'as-tu fait de Samuel ? Il va bien ?

L'air pensif, il me contempla de son regard bleu acier.

— Samuel ? Je suis presque sûr qu'il avait oublié que je pouvais faire ça : on n'avait pas eu à combattre pour avoir le contrôle depuis tellement longtemps. Il me laissait sortir pour m'amuser quand il le décidait, et je lui faisais confiance. (Il s'interrompit un moment, puis reprit d'un ton presque timide :) Tu le sais, quand c'est moi. Tu m'appelles Sam.

Il avait raison, mais je ne m'en étais pas rendu compte avant qu'il le dise.

— Sam, répétai-je en essayant de ne pas le braquer, qu'as-tu fait de Samuel ?

— Il est ici, mais je ne peux pas le laisser sortir. Sinon, il ne me laissera jamais reprendre la main… et nous mourrons.

Sauf qu'il semblait penser qu'il ne le pourrait *jamais*. Et « jamais », c'était très mauvais signe. « Jamais » impliquait qu'il finirait de toute façon par se faire tuer… et qu'il ne serait probablement pas la seule victime dans l'histoire.

— À défaut de Bran, pourquoi pas la compagne de Charles, Anna ? C'est une Omega : elle devrait être en mesure de vous aider.

Si j'avais bien compris le concept, les loups Omega étaient l'équivalent du Valium pour les loups-garous. La belle-sœur de Samuel, Anna, était la seule Omega que j'avais jamais rencontrée. Je n'avais jamais entendu parler d'eux auparavant. Je l'aimais bien, mais elle ne semblait pas avoir sur moi l'effet qu'elle faisait aux loups : en particulier, je n'avais aucune envie de me rouler à ses pieds en attendant qu'elle me gratouille le ventre.

Sam eut l'air mélancolique… ou peut-être avait-il juste faim.

— Non. Si c'était *moi*, le problème, si je me mettais à commettre des ravages dans un village, alors elle pourrait m'aider. Mais il n'a pas fait ça sur un coup de tête, ou par simple désespoir. Samuel a simplement le sentiment qu'il n'appartient plus à ce monde et que son existence n'a plus aucun but. Même l'Omega ne peut rien faire pour lui.

— Qu'est-ce que tu suggères, alors ? demandai-je, impuissante.

Anna, pensai-je, serait probablement capable de remettre Samuel aux commandes, mais, comme le loup, je ne pensais pas que ce serait une bonne idée.

Il laissa échapper un rire amer.

— Je n'en sais rien. Mais si tu ne veux pas avoir à sortir un loup de cette pièce, il vaudrait mieux qu'on se dépêche de partir d'ici.

Sam se pencha en avant pour se relever et laissa échapper un grognement.

— Tu es blessé, constatai-je en me levant pour lui donner un coup de main.

Il hésita, mais accepta mon aide et m'attrapa la main pour faciliter le mouvement. Le fait qu'il me montre sa faiblesse était un signe de confiance. Dans des circonstances ordinaires, cette confiance impliquerait que j'étais en sécurité avec lui.

— J'ai juste mal partout, répondit Sam. Rien qui ne guérira pas tout seul, à présent. Je me suis nourri de ta force pour me soigner, afin que personne ne sache la vraie gravité de mes blessures.

— Comment as-tu fait ça ? m'étonnai-je en me remémorant soudain la faim atroce qui m'avait saisie plus tôt et avait abouti sur un festin à base de lapin et de caille en plus du saumon que j'avais dégusté au dîner.

J'avais cru que ça venait d'un des loups d'Adam, tout simplement parce que c'était le genre de chose qui n'était possible qu'avec un lien de meute.

— Nous n'appartenons pas à la même meute, lui fis-je remarquer.

Il me regarda droit dans les yeux avant de détourner le regard.

— En es-tu bien sûre ?

— À moins que tu… que Samuel ait mené une cérémonie du sang dans mon sommeil, non, nous ne sommes pas de la même meute.

Je sentais la panique m'envahir, accompagnée d'un sentiment de claustrophobie. Il y avait déjà Adam et sa meute qui influençaient mes pensées. Je n'avais nul besoin de quelqu'un d'autre dans ma tête.

— Les meutes existaient avant les cérémonies, répondit Sam d'un ton amusé. La magie crée des liens plus visibles, plus complets, mais pas plus profonds.

— C'est *toi* qui as traficoté mes pensées pendant mon dîner avec Adam ? demandai-je d'un ton accusateur.

— Non. (Il pencha la tête et montra les dents.) Quelqu'un t'a fait du mal ?

— Non, répondis-je en toute hâte. Ce n'est rien.

— Mensonges, dit-il.

— Oui, reconnus-je, mais si ce n'était pas toi, c'est une affaire qui ne concerne qu'Adam et moi.

Il resta muet un instant, puis grogna :

— Pour le moment.

Je lui tins la porte et l'accompagnai à travers les urgences. Tout le chemin, Sam garda les yeux braqués sur moi, et son regard était pesant. Je ne protestai pas. S'il faisait cela, c'était pour éviter que des témoins puissent remarquer le changement de couleur de ses iris… mais aussi parce que, quand un loup aussi dominant que Samuel croisait le regard de quelqu'un alors que le loup était aux commandes, n'importe quel humain tombait à genoux. Et ce ne serait pas facile à expliquer. Pour le moment, nous agissions dans l'espoir que Samuel voudrait un jour revenir pratiquer la médecine dans cet hôpital.

Je l'aidai à grimper sur la banquette arrière de la Golf, et vis que le grimoire enveloppé dans sa serviette s'y trouvait toujours. Je me pris à souhaiter que mon plus grand problème soit de le rapporter à son propriétaire. Je l'attrapai et le fourrai dans le coffre, pour éviter de l'abîmer. Puis je sautai sur le siège conducteur et me hâtai de conduire la voiture hors de la zone éclairée du parking. Il faisait encore nuit, mais Samuel était plutôt imposant et on le verrait nécessairement se déshabiller sur la banquette arrière de ma petite voiture.

Il ne lui fallut pas longtemps pour se débarrasser de ses vêtements et entamer sa métamorphose. Je ne le regardais pas, mais je devinai que la transformation commençait, du fait que des gémissements de douleur avaient succédé au bruit du tissu qui se déchire. Ce que les loups traversaient lors de leur changement était l'une des nombreuses raisons qui faisaient que j'étais ravie d'être ce que j'étais. Pour moi, le passage d'une forme à l'autre était totalement instantané. Il n'y avait aucun effet secondaire plus dérangeant que des picotements dans mes membres. Pour un loup-garou, la métamorphose était lente et douloureuse. Si je devais en juger d'après les grognements provenant de la banquette arrière, il n'avait pas totalement terminé quand je garai la voiture devant chez nous.

Ce n'était pas l'endroit le plus adapté pour le cacher. Aucun loup-garou, s'il le voyait, ne pourrait se tromper sur ce qui s'était produit, et la maison d'Adam, où les membres de sa meute venaient souvent, était de l'autre côté de la clôture. Mais je n'avais pas d'autre idée.

Il serait de toute façon nécessaire d'en parler à Bran, je le savais, et je me doutais que Samuel… Sam le savait aussi. Mais j'avais bien l'intention de lui donner autant de temps que possible, en espérant qu'il ne péterait pas les plombs et ne déciderait pas de dévorer des gens.

Il fallait donc que j'évite qu'Adam et la meute le voient.

Ma meute. Mon compagnon et ma meute.

Ça me dérangeait de devoir lui cacher quelque chose. Mais je connaissais Adam, je savais l'importance qu'il accordait à l'honneur et au devoir. C'était une des raisons pour lesquelles j'avais appris à l'aimer : c'était un homme qui savait faire des choix difficiles. Le devoir et l'honneur le contraindraient à prévenir Bran. Et le devoir et l'honneur forceraient ce dernier à exécuter Samuel. Au bout du compte, Samuel serait mort et deux hommes bien en souffriraient.

Heureusement pour eux, mon sens du devoir et de l'honneur était nettement plus flexible.

Je sortis de la voiture et regardai lentement autour de moi. L'odeur de Ben flottait encore dans l'air. En dehors de ça, nous étions seuls, si l'on exceptait les petites créatures nocturnes : chauves-souris, mulots et moustiques. Il y avait de la lumière dans la chambre d'Adam, mais elle s'éteignit pendant que je regardais. Demain, il faudrait que je trouve un meilleur endroit pour Sam.

Ou une bonne raison pour éviter la meute.

J'ouvris la portière arrière de la Golf, la gardant entre moi et Sam au cas où son humeur aurait souffert de la métamorphose. La douleur que les loups ressentaient en changeant avait tendance à les rendre agressifs, et Sam était déjà blessé lorsqu'il avait commencé à se transformer. Mais il avait l'air d'aller bien. Il sauta de la banquette et attendit patiemment que je verrouille la voiture, puis il me suivit jusqu'à la porte.

Il dormit sur le pied de mon lit. Quand je lui suggérai qu'il pourrait peut-être se sentir plus à l'aise dans sa chambre, il se contenta de me dévisager de son regard bleu glacier.

Ça dort où, un loup-garou ? Où ça le décide, évidemment.

J'aurais pensé que ça me dérangerait, ou même me terroriserait. Ça aurait dû me tracasser. Mais étrangement, je n'arrivais pas à ressentir la moindre angoisse concernant ce gros loup roulé en boule sur mes pieds. Après tout, c'était Sam.

Je me levai tôt malgré les événements de la nuit.

Je me réveillai au son de l'estomac de Sam qui grondait. M'assurer qu'il était en permanence repu était devenu une priorité absolue, alors je m'empressai d'aller lui préparer son petit déjeuner.

Puis, comme la cuisine est une activité que je pratique quand je n'ai pas le moral ou que je suis stressée (et parce que ça m'aide à réfléchir, en particulier quand je fais des plats sucrés), je me fis plaisir en préparant des cookies. Une double fournée au beurre de cacahuètes, et pour faire bonne mesure, une troisième, avec des pépites de chocolat, pendant que les deux premières cuisaient.

Sam restait sagement sous la table, hors de mon chemin, et m'observait. Je lui donnais de temps à autre une cuillerée de pâte crue, même s'il avait déjà dévoré quelques kilos de bacon et une dizaine d'œufs. Bon, d'accord, il avait partagé ces derniers avec Médée, ma chatte. Peut-être était-ce la raison pour laquelle il avait encore faim. Je lui donnai ensuite quelques cookies tout juste sortis du four.

J'étais en train de les partager entre plusieurs sacs plastiques quand Adam appela.

— Mercy, dit-il d'une voix sans timbre embrumée par la fatigue. J'ai vu la lumière allumée chez toi. Ben m'a dit ce qui se passait. Je peux t'aider.

En général, je n'ai aucun mal à comprendre ce que me dit Adam, mais là, je n'avais eu que trois heures de sommeil. Sans compter que j'étais inquiète pour Samuel, à propos duquel il ne devait rien savoir. Je me frottai le nez. Ben ? Oh ! Adam me parlait de la manière dont la meute avait fichu notre soirée en l'air. Bien sûr.

Je devais m'arranger pour garder Adam à distance. Au moins jusqu'à ce que je concocte un plan génial pour garder Samuel en vie… et voilà que se présentait l'excuse parfaite.

— Merci, répondis-je, mais je crois que j'ai juste besoin d'une pause… sans la meute, sans…

Je ne terminai pas ma phrase. Je ne pouvais pas lui dire que j'avais besoin de m'éloigner de lui alors que c'était faux. Même au téléphone, il serait probablement capable de détecter le mensonge. J'aurais voulu qu'il soit là. Il avait une manière très reposante de voir les choses en noir et blanc. Évidemment, ça signifierait qu'il faudrait exécuter Sam pour le bien des autres loups-garous. Moi, je voyais plutôt les choses en gris.

— Tu as besoin d'une pause sans la meute et sans moi, compléta Adam. Je peux le comprendre. (Il y eut un bref silence.) Mais je ne te laisserai pas sans protection.

Je baissai les yeux.

— Samuel est en congé pour quelques jours. (Il fallait d'ailleurs que je pense à appeler l'hôpital pour les avertir, mais ça ne changeait pas le fait qu'il n'allait certainement pas travailler ces prochains jours.) Il restera avec moi.

— Parfait, alors. (Il y eut un nouveau silence embarrassé, puis Adam reprit :) Je suis désolé, Mercy. J'aurais dû remarquer que quelque chose n'allait pas. (Il déglutit bruyamment.) Quand mon ex-femme avait décidé que j'avais fait quelque chose de mal, elle refusait de m'adresser la parole. Quand tu as fait la même chose, ça m'a déstabilisé.

— Je pense que c'était exactement le but recherché, commentai-je d'un ton ironique, le faisant rire.

— Ouais. Je n'ai même pas pensé combien c'était improbable, comme tactique de ta part, approuva-t-il. Les attaques en traître, la guérilla, oui, mais certainement pas le silence.

— Ce n'est pas ta faute, le rassurai-je avant de me mordre la lèvre.

Si je n'avais pas eu besoin de le garder éloigné de Sam, j'en aurais dit plus, bien plus. Mais je devais gagner du temps pour permettre à Sam d'aller mieux, alors je me contentai de lui expliquer :

— Je ne me suis pas rendu compte de l'anormalité de la situation avant que tu m'aies raccompagnée.

— Si je m'étais aperçu qu'il se tramait quelque chose pendant que ça se passait, j'aurais pu détecter de qui il s'agissait, commenta Adam avec un grondement dans la voix. (Il prit une grande inspiration et la laissa échapper doucement. Quand il reprit la parole, son ton était plus calme.) Samuel saura comment les arrêter aussi. Puisqu'il va t'escorter, pourquoi ne lui demanderais-tu pas de t'apprendre à te protéger ? Même quand ce n'est pas délibéré… (Il s'interrompit encore une fois.) Les besoins et les désirs de la meute peuvent avoir une grande influence sur toi. Ce n'est pas très difficile de les bloquer quand on connaît la méthode. Samuel te montrera.

Je baissai les yeux vers le loup blanc étendu sur le sol de la cuisine, dont Médée était en train de lécher le museau. Sam me rendit mon regard de ses iris pâles cerclés de noir.

— Je le lui demanderai, promis-je à Adam.

— À bientôt, dit-il. (Puis il ajouta à toute allure :) Mardi, ce sera encore trop tôt ?

Nous étions samedi. Si Samuel n'allait pas mieux d'ici là, je pourrais toujours annuler.

— Mardi, ce serait parfait.

Il raccrocha et je demandai à Sam :

— Peux-tu m'apprendre à empêcher la meute de pénétrer dans mon esprit ?

Il émit un couinement triste.

— Pas si tu ne peux pas parler, évidemment, reconnus-je. Mais j'ai promis à Adam que je te le demanderais.

J'avais donc trois jours pour guérir Samuel. Et je me sentais l'âme d'une traîtresse car… Je n'avais pas *vraiment* menti à Adam, n'est-ce pas ? Ayant passé mon enfance au milieu des loups-garous, qui sont de véritables détecteurs de mensonges sur pattes, j'avais appris à mentir en disant la vérité, comme les faes.

J'avais peut-être le temps de faire des brownies, tiens.

Mon téléphone sonna de nouveau et je faillis y répondre, pensant qu'il s'agissait encore d'Adam. Heureusement, mon instinct me poussa à regarder le numéro affiché: c'était Bran.

— C'est le Marrok, informai-je Sam. Tu penses qu'il pourra patienter trois jours? Ouais, moi non plus. (Mais je pouvais gagner un peu de temps en ne répondant pas au téléphone.) Bon, il est l'heure d'aller réparer des voitures.

Sam s'assit sur le siège passager et me coula un regard de dépit. Il boudait depuis que je lui avais mis un collier. Mais ce collier, c'était surtout du camouflage: ça le faisait ressembler à un chien. Ou, en tout cas, à une créature assez domestiquée pour porter un collier et pas à une bête sauvage. La peur suscite des réactions violentes chez les loups, alors autant s'assurer qu'il y ait aussi peu de gens terrorisés sur son chemin que possible.

— Non, je ne baisserai pas la vitre, lui dis-je. De toute façon, cette voiture n'a pas de vitres électriques. Il faudrait que je me gare, que je me penche par-dessus toi et que je la baisse manuellement. De toute façon, il fait trop froid dehors, et contrairement à toi, je n'ai pas de fourrure.

Il retroussa ses babines dans un rictus pour rire et laissa tomber bruyamment son museau sur le tableau de bord.

— Tu salis le pare-brise, lui fis-je remarquer.

Il me coula un regard ironique et frotta délibérément sa truffe contre son côté de la vitre. Je levai les yeux au ciel.

— Qu'est-ce que c'est adulte, comme réaction! La dernière fois que j'ai vu une réaction aussi puérile, c'était chez ma petite sœur, et elle avait 12 ans.

En arrivant au garage, je me garai près de la camionnette de Zee, et dès que je sortis de la voiture, j'entendis le rythme bien reconnaissable d'un morceau de salsa. J'avais l'ouïe fine, ce n'était donc probablement pas assez fort pour déranger le voisinage, qui vivait dans des petites maisons éparpillées au milieu des entrepôts et autres lieux de stockage qui entouraient le garage. Une petite silhouette me salua par la fenêtre.

J'avais complètement oublié.

Comment avais-je pu oublier que Sylvia et ses filles allaient venir nettoyer mon bureau ? Dans des circonstances ordinaires, ça n'aurait pas été un problème : Samuel ne ferait jamais le moindre mal à un enfant. Mais ce n'était plus Samuel, en l'occurrence.

Je me rendis compte que je m'étais habituée à lui, que je le voyais simplement comme Samuel avec un problème. J'avais oublié à quel point il était dangereux. Après tout, il ne m'avait pas (encore) tuée.

Peut-être pourrais-je le garder avec moi au garage ?

Je ne pouvais pas prendre ce risque.

— Sam, dis-je au loup qui m'avait suivie hors de la voiture, il y a trop de monde ici. Et si on…

Je n'étais pas sûre de ce que j'allais lui proposer, peut-être d'aller courir dans un endroit isolé, mais il était déjà trop tard.

— Mercy ! piailla une voix aiguë, et je vis la porte du bureau s'ouvrir sur un rugissement de bongos et de guitares, et sur la sœur cadette de Gabriel, Maia, qui se précipitait vers nous en sautillant. Mercy, Mercy, tu sais quoi ? Tu sais quoi ? Je suis grande, maintenant, je vais à l'école mais-trop-belle et je…

C'est alors qu'elle aperçut Sam.

— Oooh ! dit-elle en continuant sa course.

Samuel est plutôt pas mal sous forme humaine, mais son loup était tout blanc et pelucheux. Il ne lui manquait qu'une corne de licorne pour en faire l'animal préféré de n'importe quelle petite fille.

— L'école mais-trop-belle ? demandai-je en me déplaçant de manière à me retrouver entre le loup-garou et Maia.

Celle-ci s'arrêta au lieu de me rentrer dedans, mais elle avait le regard braqué sur le loup.

Sa plus proche sœur, Sissy, qui avait six ans, avait émergé du bureau quelques secondes après Maia.

— *Mamá* dit qu'il ne faut pas que tu sortes du bureau en courant, Maia. Tu pourrais te faire écraser par une voiture qui ne t'aurait pas vue. Salut, Mercy. Elle parlait de l'école maternelle. Moi je suis au CP, cette année. Mais elle, c'est encore un bébé. C'est un chien ? Depuis quand t'as un chien ?

— L'école mais-trop-belle, répéta Maia, et je suis pas un bébé.

Elle me serra contre elle, puis se précipita sur Sam.

J'aurais essayé de la rattraper si Sam lui-même ne s'était pas avancé vers elle.

— Poney ! s'écria-t-elle, se jetant sur lui comme si ce n'était pas un loup terrifiant. (Elle saisit à pleines mains sa fourrure et lui grimpa sur le dos.) Poney, poney, poney !

Je tendis la main vers elle, mais me figeai en voyant le regard que me jetait Sam.

— Mon poney ! roucoula Maia, ravie et totalement inconsciente de ma peur. (Elle lui frappa les flancs de ses talons, assez fort pour que j'entende le son du choc.) Avance, poney.

La sœur de Maia sembla ressentir autant que moi le danger et se mit à crier :

— *Mamá ! Mamá !* Maia est encore en train de faire l'idiote !

Bon, peut-être pas autant que moi. Elle regarda sa sœur d'un air contrarié et, alors que j'étais paralysée, craignant que la moindre de mes actions fasse péter un câble à Sam, me dit :

— On l'a amenée à la foire et elle a vu les chevaux : depuis, elle grimpe sur tous les chiens qu'elle rencontre. Le dernier a failli la mordre.

De son côté, Sam émit un grognement lorsque Maia lui enfonça pour la quatrième ou cinquième fois ses talons dans les côtes, et me décocha un autre regard, où je devinai une pointe d'exaspération, avant de se diriger vers le garage, comme s'il avait effectivement été un poney, et non un loup-garou.

— Mercy ? s'inquiéta Sissy.

J'imagine qu'elle s'attendait que je réagisse, verbalement ou par un mouvement. Mais la panique me glaçait les doigts et faisait battre mon cœur… puis finit par s'estomper pour laisser place à autre chose.

J'avais déjà vu plusieurs loups-garous dont la part animale avait pris le pouvoir. En général, ça se passait en plein combat, et la seule chose à faire était de se plaquer au sol en attendant que l'humain reprenne les manettes. Cela arrivait aussi souvent aux loups récemment changés : c'étaient des bêtes vicieuses, imprévisibles et dangereuses même pour ceux qu'ils aimaient. Mais Sam ne s'était montré ni vicieux, ni imprévisible (enfin, si, dans le bon sens du terme) quand Maia lui avait sauté dessus en jouant les cow-girls.

Pour la première fois depuis que j'étais entrée dans cette fichue salle des radios, la veille au soir, j'eus une vraie lueur d'espoir. Si Sam le loup était capable de se comporter de manière civilisée durant plusieurs jours, alors peut-être pourrais-je convaincre Bran de lui laisser un peu de temps.

Sam était arrivé à la porte du garage et attendait patiemment que je la lui ouvre, pendant que Maia lui tapotait le sommet du crâne en lui disant qu'il était un bon poney.

— Mercy ? Ça va ?

Sissy jeta un coup d'œil dans la voiture, car j'apportais souvent des cookies. Et effectivement, j'avais pris ceux que j'avais cuits le matin même par pure habitude. Je préparais en général beaucoup trop de biscuits pour une seule personne ; du coup, quand je me faisais une séance pâtisserie, j'apportais le surplus au garage pour mes clients. Elle ne dit rien en voyant les sacs qui trônaient sur le grimoire que je devais toujours rendre à Phin, mais son sourire en disait long sur sa joie.

— Oui, Sissy, ça va. Tu veux un cookie ?

J'ouvris la porte du garage, qui était d'un rose orangé qui s'estompait et qui avait besoin d'être repeinte, et fus accueillie par un concert de « Mercy ! » et de « Oh ! Un chien ! » qui recouvrait presque la forte musique. J'eus l'impression qu'une centaine de corps enfantins se jetaient sur nous.

Sissy mit ses petits poings sur les hanches et cracha un « Barbares ! » qui la fit ressembler comme deux gouttes d'eau à son frère. Puis elle prit une bouchée du cookie que je lui avais donné.

— Cookie ! hurla une petite voix. Sissy a un cookie !

Le silence se fit et tout le monde dans la pièce me regarda comme un lion pourrait regarder une gazelle dans la savane.

— Vous voyez ce qui se passe ? demanda la mère de Gabriel sans même lever les yeux du comptoir qu'elle était en train de nettoyer.

Sylvia avait une dizaine d'années de plus que moi, mais ne faisait pas du tout son âge. C'était un délicat petit bout de femme. Mais Napoléon aussi était petit, paraît-il.

— Vous les gâtez, poursuivit-elle d'un ton dédaigneux, alors c'est votre problème. Vous devez en payer le prix.

Je sortis les deux sacs de cookies que j'avais cachés sous mon blouson.

— Tenez, dis-je en les tendant à Sylvia par-dessus une mer de petites mains avides. Prenez ça, vite, avant que les monstres les attrapent. Protégez-les au péril de votre vie.

La mère des petites accepta les sacs et retint un sourire en me voyant lutter contre une myriade de petites filles vêtues de rose qui couinaient et piaillaient. OK, il n'y en avait pas vraiment cent : Gabriel n'avait que cinq petites sœurs. Mais elles faisaient autant de bruit que si elles avaient été dix fois plus nombreuses.

L'aînée, Tia, dont le vrai prénom était Martina, nous considéra tous d'un regard critique. Assis à côté d'elle, Sam avait été abandonné, à la perspective d'un cookie. Il avait l'air amusé, et d'autant plus lorsqu'il croisa mon regard méfiant.

— Hé, nous laissez pas tout le boulot, s'écria Rosalinda, la deuxième sœur. Allez, *chicas*, on se remet à frotter ! Vous savez très bien que vous n'aurez pas de cookies tant que *Mamá* ne l'aura pas décidé.

— Mais Sissy en a déjà eu un, fit remarquer Maia.

— Et ce sera tout tant que cet endroit ne sera pas impeccablement propre, répliqua Tia d'un air sentencieux.

— T'es vraiment pas drôle, dit Sofia, la sœur du milieu.

— Pas drôle, renchérit Maia en laissant saillir une lèvre boudeuse. (Mais elle ne semblait pas si contrariée que ça, vu qu'elle s'éloigna de moi en sautillant et grimpa de nouveau sur le dos de Sam en s'accrochant à son collier.) Mon chien-chien a besoin d'un cookie.

Sylvia jeta un regard dubitatif à Sam, puis me demanda :

— Vous avez un chien, maintenant ?

— Pas vraiment, lui répondis-je. Je m'en occupe pour un ami.

Pour Samuel.

Le loup regarda Sylvia et remua la queue de manière délibérée. Il garda la gueule fermée, ce qui était tout aussi bien. Si elle voyait ses crocs, elle risquait de ne pas apprécier : ils étaient bien plus gros que ceux de n'importe quel chien.

— De quelle race est-il ? Je n'ai jamais vu un tel monstre.

Sam plaqua légèrement ses oreilles en arrière.

Mais c'est ce moment précis que Maia choisit pour l'embrasser sur le sommet du crâne.

— Il est trop mignon, *Mamá* ! Je suis sûre que je pourrais le monter à la foire et qu'on aurait une médaille. Et si on prenait un chien ? Ou un poney ? Il pourrait dormir dans le parking.

— Euh, je crois que c'est un mélange de Montagne des Pyrénées, expliquai-je. Enfin, un gros truc, en tout cas.

— L'abominable chien des neiges, suggéra Tia d'un air ironique en le grattant sous l'oreille.

Sylvia poussa un soupir.

— J'imagine que, s'il ne les a toujours pas mangées, c'est bon signe.

— Je crois aussi, approuvai-je d'un ton prudent.

Je jetai un regard à Sam qui me semblait bien, plus détendu qu'il l'avait été depuis que j'étais venue le chercher dans la salle des radios à l'hôpital.

Sylvia soupira de nouveau et me décocha un regard pétillant d'humour.

— Dommage. Ma vie serait tellement plus simple avec quelques enfants de moins, vous ne pensez pas ?

— *Mamá* ! s'exclamèrent les petites en chœur.

— Elles ne semblent pas aussi nombreuses quand elles s'arrêtent de courir partout en poussant des petits cris aigus, la rassurai-je.

— J'ai bien remarqué ça. Quand elles dorment, elles sont même plutôt mignonnes. C'est une bonne chose, parce que, sinon, aucune n'aurait survécu jusqu'à aujourd'hui, je pense.

Je regardai autour de moi. Elles étaient visiblement au travail depuis un bon moment.

— Vous savez, les gens vont faire demi-tour en arrivant : cet endroit est méconnaissable. Gabriel et Zee sont à l'atelier ?

— *Si*, oui, ils sont là. Merci de m'avoir prêté cette voiture.

— Pas de problème, la rassurai-je, je n'en ai pas besoin pour le moment. Et vous me rendrez un fier service si vous notez tout ce qui cloche avec elle.

— À part le volant qui me reste dans les mains ?

Je fis la grimace.

— Ouais.

— J'y penserai. Maintenant, vous et votre… éléphant, filez donc dans l'atelier, que ces petits monstres se remettent au boulot !

Je m'exécutai et soulevai Maia du dos du loup.

— Au boulot, lui dis-je.

Sam fit deux pas, puis se laissa tomber au milieu du bureau avec un grognement d'aise. Il s'allongea sur le côté et ferma les yeux.

— Allez, S… (Quel était le nom sur son collier, déjà ? Ah ! Oui !) Allez, Snowball.

Il ouvrit un seul œil blanc et me considéra d'un air vide. Je déglutis. Se disputer avec un loup dominant pouvait avoir des conséquences désagréables.

— Je vais surveiller le chien-chien, déclara Maia. On va jouer aux cow-girls et je vais lui apprendre à ramener des bâtons. Et puis après, on prendra le thé ! (Elle fronça le nez.) Comme ça, il se salira pas en jouant avec les voitures toutes graisseuses. Lui, il aime pas se salir.

Sam referma son œil et elle lui tapota gentiment le museau.

Il n'allait lui faire aucun mal.

Je pris une grande inspiration.

— Je crois qu'il apprécie la musique, dis-je à Sylvia.

Elle souffla d'un air exaspéré.

— Je crois surtout que vous ne voulez pas l'avoir dans vos pattes, oui !

— Maia a visiblement envie de jouer les baby-sitters, remarquai-je. Ça l'occupera.

Sylvia regarda Sam d'un air pensif. Elle secoua la tête à mon intention, mais ne protesta pas quand je le laissai là où il avait décidé de se coucher.

Zee avait fermé la porte de séparation entre le bureau et l'atelier : il n'était pas très amateur de musique latine. Je refermai donc la porte derrière moi en arrivant dans le garage.

Chapitre 4

La première chose que j'entendis en émergeant de la salle de bains, vêtue de mon bleu de travail, ce fut Zee qui poussait des jurons en allemand. C'était de l'allemand moderne, cela étant, puisque je comprenais à peu près un mot sur quatre, et c'était bon signe.

La Buick se trouvait sur le premier emplacement. Je ne pouvais pas voir Zee, mais à en juger par la direction d'où me parvenait sa voix, il devait être sous la voiture. Gabriel était debout de l'autre côté du véhicule. Il leva les yeux en m'entendant arriver et une expression de soulagement éclaira son visage.

Il savait très bien que Zee n'était pas… enfin, si, il *était* dangereux. Mais jamais il ne lui ferait le moindre mal. Mais Gabriel était trop poli, et du coup devait supporter le Zee grincheux beaucoup plus souvent que moi.

— Salut, Zee, dis-je. J'en conclus que tu peux la réparer, mais que ça va être un enfer et que tu préférerais encore la mettre à la casse et en rebâtir une nouvelle de zéro ?

— Saloperie, maugréa Zee. Quand c'est pas bouffé de rouille, c'est tordu. Si je devais faire un tas des pièces en bon état, je pourrais sûrement le transporter dans ma poche. (Il s'interrompit brièvement.) Et pourtant, c'est une petite poche.

Je tapotai la carrosserie.

— Ne l'écoute pas, murmurai-je à la voiture. Tu vas bientôt sortir d'ici comme neuve.

Zee jaillit de sous la voiture et sa tête apparut près de mes pieds.

— Ne promets rien que tu ne sois pas sûre de tenir, aboya-t-il.

Je haussai les sourcils et répliquai d'un ton doucereux :

— Tu veux dire que tu ne peux pas la réparer ? Je suis désolée. Je me souviens pourtant clairement de t'avoir entendu dire être capable de tout réparer. Mais je dois me tromper, ça devait être quelqu'un d'autre.

Le grondement qu'il émit aurait fait honneur à Sam et il se propulsa de nouveau sous le châssis en marmonnant :

— *Deine Mutter war ein Cola-Automat !*

— Sa mère était peut-être un distributeur de boissons… (J'avais saisi la remarque même si Zee l'avait crachée à une allure étourdissante : les « Ta mère » ont tendance à sonner pareil dans toutes les langues.), mais dans sa jeunesse, c'était une beauté. (Je décochai un sourire à Gabriel.) Un peu de solidarité féminine, ça ne fait pas de mal.

— Pourquoi considère-t-on que les voitures sont des femmes ? demanda-t-il.

— Parce qu'elles sont capricieuses et exigeantes, répondit Zee.

— Parce que, si c'étaient des hommes, elles passeraient leurs journées à se plaindre au lieu d'agir, répliquai-je.

C'était un soulagement de retourner à une activité normale. Dans mon garage, j'avais la maîtrise des événements… Bon, dans les faits, quand Zee était là, c'était lui qui l'avait. Même si je lui avais racheté son garage et que je le payais pour travailler pour moi, nous savions tous deux qui était le meilleur mécanicien… et il avait longtemps été mon patron. Et peut-être que c'était justement ça qui était un soulagement, pensai-je en lui tendant des douilles de 10 et de 13. Ici, j'avais un boulot que je savais faire et je faisais confiance à celui qui me donnait des ordres, et le résultat était toujours une victoire du bien et de l'ordre. Car oui, réparer les voitures, c'était lutter contre le chaos, contrairement à ce qui se passait dans le reste de ma vie. Si on faisait le bon mouvement, ça marchait. Sinon, ça ne marchait pas.

— *Verdammte Karre*, grogna Zee. *Gib mir mal…*

Le dernier mot fut coupé par le bruit de quelque chose de lourd tombant à grand fracas.

— Tu veux que je te donne quoi ? demandai-je.

Il y eut un long silence.

— Zee ? Tout va bien ?

La voiture se souleva d'environ 20 centimètres au-dessus des crics, les envoyant valser sur le côté, et fut agitée de tremblements qui n'auraient pas déparé chez un épileptique. Une vague de magie s'échappa de la Buick et je reculai précipitamment en entraînant Gabriel par son tee-shirt, et la voiture retomba par terre avec un crissement de pneus et un couinement scandalisé des amortisseurs.

— Je me sens mieux, maintenant, dit Zee d'une voix particulièrement énervée, mais je serais encore plus heureux si je pouvais pendre le dernier mécanicien qui a travaillé dessus.

Je comprenais parfaitement son sentiment. Ah ! La frustration des boulons de la mauvaise taille, des branchements hasardeux et des pièces mal filetées que je ressentais si souvent ! C'était le genre de petits détails qui transformaient une réparation dont la durée n'aurait pas dû excéder la demi-heure en une journée entière de travail.

Gabriel essayait de se dégager de ma prise comme s'il voulait s'éloigner encore plus de la voiture. Il avait les yeux exorbités, leur blanc visible tout autour des iris. Je me rendis compte un peu trop tard que c'était probablement la première fois qu'il voyait Zee travailler pour de vrai.

— C'est bon, le rassurai-je en lâchant son tee-shirt et en lui tapotant l'épaule, je crois qu'il est calmé, maintenant. Zee, je crois bien que le dernier à avoir travaillé dessus, c'était toi. Tu te souviens ? Tu avais remplacé le faisceau électrique.

Zee sortit tête la première de sous la voiture et je vis qu'il avait une trace de cambouis tout le long de son visage, là où quelque chose lui était tombé dessus. Il avait une tache de sang au-dessus du sourcil et une bosse au menton.

— Si t'as envie de la fermer, surtout, ne te prive pas, *Kindlein*, dit-il sur un ton d'avertissement, avant de froncer les sourcils. Ça sent les cookies et tu as l'air crevé. Que se passe-t-il ?

— J'ai fait des cookies. Il y en a un sac pour toi, mais les autres ont été réquisitionnés par la horde.

— Bien, commenta-t-il, mais qu'est-ce qui t'empêche de dormir ?

Il fut un temps où il me laissait tranquille. Mais depuis que Tim… depuis mon agression, lui aussi me dorlotait, à sa façon.

— Quelque chose à propos duquel tu ne peux rien.

— Problèmes d'argent ?

— Non.

Il fronça ses gros sourcils blancs et m'observa de son regard gris acier.

— Les vampires ? cracha-t-il.

Zee n'appréciait pas particulièrement les vampires.

— Non, m'sieur, répondis-je. Tu ne peux rien y faire, je t'assure.

— T'as un sacré culot, ma petite, répliqua-t-il en me fusillant du regard. Je…

L'une des sœurs de Gabriel poussa un hurlement perçant. J'eus l'horrible vision de Sam dévorant l'une des gamines et me précipitai en courant vers le bureau.

J'avais presque ouvert la porte quand Tia cria :

— *¡ Mamá, Mamá, una pistola ! Tiene una pistola.*

Il y avait des enfants partout dans le bureau : accrochés aux étagères, debout sur le rebord des fenêtres, sur le sol, sur Sam.

Dans l'encadrement de la porte menant vers l'extérieur, un homme gigantesque tenait fermement à deux mains un automatique à l'air vicieux, gardant le battant ouvert de son pied chaussé de cuir noir. Le reste de ses vêtements était noir aussi, avec une sorte de motif jaune vif sur l'épaule de sa veste pseudo-militaire en cuir. Le seul élément qui ne collait pas avec son apparence de soldat de fortune, c'étaient ses cheveux roux mêlés de gris qui lui arrivaient aux épaules, une crinière qui n'aurait pas déparé sur un héros de roman à l'eau de rose.

Juste derrière lui, j'aperçus un autre homme, vêtu d'une chemise et d'un pantalon de toile. Rien qu'en le voyant, je sus qu'il n'était pas une menace, contrairement à l'autre, celui qui portait une arme. L'homme avait quelque chose sur l'épaule, mais comme il ne s'agissait pas d'une arme, je décidai de consacrer mon attention exclusive à celui qui représentait un véritable danger.

Sylvia brandissait un balai, mais était paralysée parce que le canon de l'arme était braqué sur la benjamine des Sandoval. Maia était accrochée à Sam et hurlait en espagnol d'une manière qui aurait pu sembler hystérique s'il n'y avait pas eu un automatique pointé sur elle.

J'espérai que c'était l'inquiétude qu'il ressentait pour elle qui était la cause de son immobilité absolue. Il ne quittait pas l'arme de ses yeux plissés et avait retroussé ses babines en un rictus silencieux.

Si j'avais trouvé le temps d'être effrayée, ç'aurait été là, en voyant Samuel. Sam. Je pouvais voir ses pattes arrière se contracter, annonçant une attaque imminente. Pistolet ou pas, Maia ou pas, il n'allait pas attendre longtemps pour bondir.

Je vis tout cela en un éclair, en ouvrant la porte, et agis dans le même temps. Je saisis le balai de Sylvia, passai derrière le comptoir et abattis mon arme improvisée sur les poignets de l'agresseur avec un bruit de craquement. L'homme lâcha son arme sans que personne dans la pièce ait pu vraiment réagir à mon arrivée.

En dehors de ma capacité à me transformer en coyote quand je le désirais, mes super pouvoirs se limitaient à une relative résistance à la magie et à une vitesse qu'on pouvait aisément qualifier d'inhumaine. Entre le moment où j'avais entendu le hurlement de Maia et mon attaque, il ne s'était pas écoulé plus de quelques secondes.

Je frappai une nouvelle fois l'homme, en visant son torse comme si j'avais été armée d'une batte de base-ball, et m'écriai d'un ton sans réplique :

— Sam, tu restes *couché* !

Tous ces cours de karaté avaient leur utilité, pensai-je lorsque l'homme saisit le manche à balai et tenta de me désarmer. Je le lâchai. Comme il s'attendait à une résistance, il se retrouva déséquilibré, trébucha en arrière et j'en profitai pour lui envoyer un coup de pied dans le ventre, l'envoyant valdinguer au bas de l'escalier. Il s'écrasa lourdement sur le bitume, entraînant par la même occasion l'autre homme dans sa chute.

Espérons que le loup-garou obéira.

Je ramassai vivement l'arme que l'intrus avait laissé tomber et me précipitai vers la porte en la maintenant ouverte comme il l'avait fait, d'un pied stratégiquement placé. Je braquai le flingue vers le visage de l'homme et me figeai en redoutant que la situation devienne vraiment terrifiante.

Mais il n'y eut aucun rugissement dans mon dos, aucun hurlement qui aurait signifié que Sam avait laissé tomber son masque civilisé qui le faisait passer pour un animal de compagnie, et non pour le monstre qu'il était.

Je pris une grande inspiration, à moitié étourdie par le contrôle que Sam exerçait sur lui-même. Il me fallut un moment pour m'adapter à cette situation bien meilleure que je l'avais redouté.

J'entendis du bruit dans mon dos, mais n'y prêtai pas attention. Zee était là : aucun ennemi ne pourrait m'attaquer par l'arrière. Les sanglots et les murmures terrifiés se calmèrent avant de cesser. Sam ne grondait pas. J'ignorais si c'était bon ou mauvais signe, mais décidai que c'était positif.

— Sylvia, appelez la police, dis-je après un bref instant de réflexion.

Nous étions dans notre bon droit. Et grâce aux caméras dont Adam avait truffé mon garage, nous en aurions la preuve incontestable. De plus, nous avions l'avantage certain qu'il ne se soit produit aucune attaque de loup-garou. Sam n'aurait pas besoin d'être impliqué dans tout ça.

— Dites-leur ce qui s'est passé et de se dépêcher, poursuivis-je.

— Hé, madame, il vaut mieux pas, intervint le deuxième homme d'une voix essoufflée. (Il essayait de se dégager de sous l'homme qui avait tenu l'arme, celui-ci m'évaluant de son regard clair pendant que son complice continuait à parler :) Il ne faut pas impliquer la police. Tout se passera mieux si on reste discrets.

S'il n'avait pas eu ce ton condescendant, je pense que je n'aurais pas tiré.

Je visai sur le côté, assez loin pour être certaine de n'atteindre aucun d'entre eux, mais assez près pour que les bouts de bitume projetés par la balle leur retombent dessus.

— Je serais vous, je ne bougerais pas d'un pouce, avertis-je d'une voix rendue tremblante par l'adrénaline… mais mes mains, elles, tenaient fermement le pistolet.

— J'appelle Tony, murmura Sylvia dans mon dos, assez doucement pour que les intrus au bas des marches ne puissent l'entendre. Comme ça, il n'y aura pas d'accident.

Elle parlait d'un ton tranquille. Toutes ces années passées au standard de la police l'aidaient probablement à garder son calme. Tony était mon ami, celui de Sylvia, aussi, et nous lui faisions toutes deux entière confiance.

Maintenant que les deux intrus avaient été maîtrisés, je me rendis compte qu'il y avait d'autres personnes à l'extérieur. Ce n'étaient pas des clients. Ils se tenaient près d'un imposant van noir personnalisé qui semblait à la fois louche et plutôt classe.

Ils étaient trois : un homme et une femme habillés comme le tireur, avec le même genre de crinière, et une seconde femme, vêtue d'un tee-shirt gris, avec un micro-casque sur la tête. Le van portait une inscription jaune rappelant celle qui se trouvait sur la veste de notre agresseur.

« KELLY HEART », déchiffrai-je une fois que j'en eus le loisir, « CHASSEUR DE PRIMES ». Sous ce logo jaune, en plus petit, était précisé : « TOUS LES SAMEDIS, 20 heures. IL ARRÊTE LES CRIMINELS UN PAR UN. »

— Souriez, dis-je d'un ton sinistre à ceux qui protégeaient mes arrières, Zee, Sylvia et ses filles ainsi que Sam. On est filmés.

Je devais informer Zee et Sam qu'on braquait une caméra hostile sur eux.

— OK, OK, on se calme, intervint la femme vêtue de noir, qui avait de longs cheveux jaune vif et les lèvres peintes en rouge sang. (Elle s'approcha d'un pas rapide tout en parlant :) Baissez cette arme, madame. C'est seulement la télé, pas de quoi s'exciter.

Je déteste qu'on me donne des ordres. Surtout s'ils viennent de gens envahissant mon territoire. Je logeai une balle à quelques dizaines de centimètres de ses pieds.

— Tanya, *arrête* ! cria la technicienne. Ne la pousse pas à tirer. Tu sais combien ça coûte, ces balles en argent ?

— Elle a raison, arrêtez-vous où vous êtes ! (Je réfléchissais à toute allure : l'argent, c'était pour les loups-garous. Ces gens chassaient les loups-garous !) J'ai été élevée dans les forêts du Montana. Je peux atteindre un canard à cent mètres. (Peut-être. Probablement. Je n'avais jamais tiré de canard de ma vie : je préférais chasser à quatre pattes.) Là d'où je viens, les pistolets sont des armes, pas des accessoires de film. Et si tous les méchants sont morts, alors il n'y aura que notre version qui sera donnée à la police. Alors, ne m'encouragez pas à croire que c'est le meilleur choix.

Tanya se figea et je tournai de nouveau l'arme vers l'homme dont le visage me semblait familier, à présent que je savais qu'il était une vedette de la télévision. Je luttai contre l'envie de plus en plus pressante d'appuyer sur la détente pour en terminer avec toute cette histoire.

Les coyotes, comme les loups-garous, sont des animaux territoriaux... Et ce crétin avait débarqué chez moi avec son flingue comme s'il en avait eu le droit.

— La police arrive ? demandai-je à Sylvia en l'entendant raccrocher.

J'avais la voix tremblante à cause de l'adrénaline, mais mes mains tenaient toujours aussi fermement l'arme.

— Tony a dit qu'il arriverait dans cinq minutes. Il a aussi dit qu'il valait mieux prévoir des renforts. D'autres policiers sont sur le chemin.

Je décochai un grand sourire au chasseur de primes, lui montrant les dents comme un bon prédateur.

— Tony est agent de police. Il connaît ces gamines depuis qu'elles sont nées. Il sera furieux quand il découvrira ce que vous avez fait.

Tony était aussi désespérément amoureux de Sylvia, mais je crois qu'elle l'ignorait.

Il y eut un mouvement sur ma droite et je coulai un regard par-dessus mon épaule pour voir Zee et Gabriel sortir par la porte du garage. Ils devaient avoir fait le tour. Zee brandissait un pied-de-biche comme si c'était une épée. Gabriel, lui, tenait…

— Zee, m'étranglai-je, dis à Gabriel de poser cette clé dynamométrique et d'attraper quelque chose qui ne me coûtera pas 500 dollars s'il frappe quelqu'un avec.

— Oh, ça ne coûterait pas 500 dollars, répondit Zee, mais il fit quand même un signe de tête à Gabriel, qui était tout pâle et qui regarda ce qu'il tenait comme si c'était la première fois qu'il le voyait. (Le garçon retourna dans le garage et Zee ajouta :) Elle ne se casserait pas. Il faudrait juste la recalibrer.

— Ce garage est rempli d'outils, nom d'une pipe, des leviers, des démonte-pneus, et même un ou deux marteaux. Il aurait pu choisir n'importe quoi d'autre !

— Écoutez, madame, intervint Kelly Heart d'un ton apaisant. Respirons un grand coup et discutons de tout ça. Cette petite fille était sur le point d'être attaquée par un loup-garou.

Il ne mentait pas.

Je ne fus pas vraiment surprise. Mon échange avec Zee m'avait permis de trouver le temps de réfléchir à la situation.

Une vedette de la télévision n'aurait jamais eu l'idée de braquer une arme sur une adorable petite fille devant des caméras. Or, l'homme derrière lui était cadreur, si l'on devait en croire la caméra qui s'était écrasée au sol quand les cent kilos de muscles de Heart avaient atterri sur lui.

S'il était venu chasser le loup-garou, alors il devait avoir deviné que Sam en était un au premier regard. La magie lycanthrope a pour effet d'encourager les humains à voir plus un chien qu'un loup, mais ce n'est pas une magie très puissante, et si on regarde vraiment, le déguisement ne tient pas.

Bien. Que pouvais-je admettre? Il était déjà trop tard pour nier la vraie nature de Sam: j'avais trop hésité.

— Il aime les enfants, protestai-je. Il est doux comme un agneau.

Sylvia s'arrêta de murmurer des paroles apaisantes à ses filles en entendant mes paroles. Il y eut un bref silence, puis la plus petite des gamines se mit à hurler comme un camion de pompier dont la sirène aurait été réglée vers les aigus. Je devinai que Sylvia venait d'arracher sa fille des griffes du grand méchant loup.

— J'ai un mandat d'arrêt contre lui, poursuivit Heart en rentrant la tête dans les épaules.

Je me demandai si c'était le volume sonore qui le dérangeait, ou alors la fréquence du cri qui approchait l'ultrasonique.

Je haussai les sourcils et désignai le pistolet du menton.

— Mort ou vif?

Samuel n'avait pas fait son *coming out*. Et la seule personne qui aurait pu vouloir le capturer n'aurait certainement pas envoyé un chasseur de primes. Bran serait celui qui le tuerait, quand… si ça s'avérait nécessaire. Le mandat de Heart ne pouvait donc pas concerner Samuel.

Il ne fallait pas être un génie pour deviner quel autre loup-garou Heart pouvait s'attendre à trouver dans mon garage. Adam.

Comment un chasseur de primes pouvait avoir un mandat d'arrêt contre Adam, qui était un citoyen parfaitement respectueux des lois, je l'ignorais. Je n'étais pas experte en matière de chasseurs de primes, mais je savais que la plupart du temps ils étaient financés et mandatés par les garants de personnes ayant fui alors qu'elles étaient en liberté sous caution.

La police de Kennewick ne se trouvait pas très loin du garage. Pourtant, la première voiture qui arriva sur le parking fut celle d'Adam. Il se gara devant le van, empêchant celui-ci de repartir.

— Vous devez faire erreur, dis-je à Kelly Heart, chasseur de primes, en gardant les yeux sur lui, même si j'aurais préféré regarder l'homme qui venait de claquer la portière de son 4 x 4 flambant neuf. Il n'y a aucun loup-garou dans les environs qui soit sous le coup d'un mandat d'arrêt.

— J'ai bien peur que vous vous trompiez, répondit gentiment Kelly.

Je ne pus m'empêcher d'être impressionnée par son calme, alors même qu'il était coincé sur le dos comme une tortue, écrasant son cameraman qui, lui, flippait comme un malade et ne quittait pas le canon de l'arme de ses yeux paniqués.

Un autre bruit de portière : Adam n'était pas venu seul. Le vent ne soufflait pas dans ma direction et je ne pus déterminer de qui il s'agissait. Et je n'allais pas faire la bêtise de détourner le regard. Non pas parce que je pensais que le chasseur de primes représentait toujours une menace… en tout cas, pas pour les enfants qui se trouvaient derrière moi.

J'entendis la femme au tee-shirt gris dire d'une voix frénétique :

— Ne la force pas à tirer, Kelly. Quarante dollars. C'est ce qu'elles coûtent. Chacune.

— Ne vous en faites pas, lui répondis-je. Vous pourrez les récupérer, elles ne se seront quasiment pas déformées. Vous pourrez même probablement les réutiliser.

L'argent ne se déforme pas aussi facilement que le plomb, ce qui en fait des munitions assez nulles… enfin, sauf quand on chasse le loup-garou, bien sûr.

— Elle n'a pas trop l'air de s'inquiéter pour vous, fis-je remarquer d'un ton de fausse sympathie alors qu'Adam arrivait vers nous. J'imagine qu'il est plus difficile de trouver des balles en argent que des chasseurs de primes qui ont l'air classe en cuir noir.

Il sourit.

— C'est effectivement ce qu'elle pense. Écoutez, puis-je me relever ? Je vous promets de ne rien tenter. Je dois faire 50 kilos de plus que ce pauvre Joe et, si je continue à l'écraser, je crains qu'il ne puisse plus respirer.

— Allez-y et, Mercy, baisse cette arme, intervint Adam. Il vaudrait mieux la mettre hors de vue avant que la police arrive. Ce sera plus simple. On pourrait même faire en sorte que personne ne soit arrêté.

Toute ma détermination s'évapora au son de sa voix et je tournai la tête vers lui aussi inévitablement qu'un tournesol suit le soleil.

Adam portait un costume trois-pièces avec une cravate Mickey Mouse que sa fille lui avait offerte à Noël… et il avait pourtant l'air infiniment plus dangereux que l'homme au sol. Je savais qu'il viendrait, même après notre conversation de ce matin.

Je lui avais fait du mal, et pourtant, il était quand même venu lorsque les caméras qu'il avait fait installer au garage lui avaient montré que j'avais des ennuis. Je n'en avais pas douté une minute : Adam est loyal comme le soldat de plomb du conte pour enfants. Plus loyal que moi, qui l'avais repoussé pour protéger Samuel.

— Sylvia a prévenu Tony. La police est probablement déjà au courant pour le flingue.

— Même, répliqua Adam. Les gens font souvent des erreurs quand il y a des armes.

Kelly n'avait pas envie de me quitter du regard tant que je pointais son arme sur lui, mais il était victime du même sortilège que tous ceux qui se retrouvaient dans la sphère d'influence d'Adam. Du coin de l'œil, je vis le chasseur de primes tourner la tête vers Adam, qui était arrivé par le côté, de manière à ne pas se retrouver dans ma ligne de tir si Kelly avait essayé de fuir.

— Bien, souffla le chasseur de primes. Baissez cette arme, madame Thompson. Comme vous le suggère le monsieur.

Il pensait peut-être qu'Adam était plus raisonnable que lui. Kelly Heart ne pouvait pas comprendre ce que signifiaient les paillettes dorées dans les iris d'Adam.

— Je suis venu arrêter un loup-garou contre lequel j'ai un mandat d'arrêt, expliqua-t-il à Adam, et je devinai qu'il croyait ce qu'il racontait. J'ai vu ce loup-garou avec la gamine et j'ai pensé qu'elle était en danger.

Il disait la vérité, et il ne m'avait pas menti non plus. J'enclenchai maladroitement le cran de sûreté sur l'arme que je connaissais mal. Avec Adam dans le coin, qui avait besoin d'un flingue ?

Zee approcha et tendit la main :

— Je vais le faire disparaître, me dit-il.

Heart se dégagea de sur son cameraman en gardant les mains en l'air. Il prêtait toujours plus attention à moi, comme si c'était moi, la plus grande menace, et non Adam. Je réévaluai du coup son intelligence à la baisse.

Adam chaussa une paire de lunettes fumées, mais garda les yeux braqués sur le chasseur de primes qui se relevait. Il recula d'un pas lorsque Heart tendit la main au cameraman pour l'aider à se relever, et son pied écrasa quelque chose.

Il s'agenouilla dans un mouvement fluide. Quand il se releva, il tenait la caméra à la main.

— Je crains qu'elle n'ait pas survécu à la chute.

Le cameraman poussa un gémissement, comme si on l'avait frappé. Il arracha la caméra des mains d'Adam et la serra contre son cœur, comme s'il pouvait la réparer ainsi.

Adam regarda le cameraman, puis le groupe de gens en pleine réunion de crise près du van. Il lança un coup d'œil à Ben. Une fois qu'il eut capté l'attention de l'autre loup-garou, il désigna le van d'un léger mouvement du menton. Sans un mot, il avait réussi à dire à Ben de surveiller l'équipe de Heart. Adam n'aimait pas confier les choses au hasard et n'allait certainement pas négliger la possibilité d'une autre attaque venant d'eux.

— Je suis désolé de vous avoir fait peur, reprit Kelly avec un air de sincérité. (Mais là, il mentait.) Et aux enfants, aussi.

Il mentait aussi à ce propos. Je me demandai combien de gens se laissaient piéger par cette fausse sincérité.

Deux voitures de police, suivies par la voiture de Tony, arrivèrent sur le parking.

— Pas de sirène, fit remarquer Adam. Tony ne doit pas leur avoir parlé du pistolet.

Sam, en essayant de me contourner, me poussa contre la porte. Je posai ma main sur sa nuque (je n'allais certainement pas prendre le risque d'attraper son collier). Mon geste était une requête, pas un ordre… mais Sam s'était assis de lui-même à côté de moi. Du haut de l'escalier – en position de supériorité –, il contempla les policiers qui arrivaient.

Là, Heart braqua son attention sur lui. Il lança un regard de regret à Zee (qui avait fait disparaître l'arme comme promis) et s'éloigna légèrement du loup-garou.

— C'est un malentendu, dit-il à l'intention de la police. Entièrement ma faute.

Je vis le moment exact où le premier policier le reconnut : ses yeux s'arrondirent et il y avait de l'admiration dans sa voix lorsqu'il dit à ses collègues plus âgés :

— C'est bon, Holbrook et Monty. C'est Kelly Heart, le chasseur de primes de la télé.

« Monty » était probablement Tony, dont le nom de famille était Montenegro. Le policier plus âgé devait donc être Holbrook.

— Non, Green, répondit celui-ci à mi-voix. (Je pense que nous n'étions pas censés l'entendre.) Ça n'est pas bon tant qu'on ne sait pas ce qui se passe. Ça pourrait même être le président que ça ne changerait rien.

Puis il nous regarda, chacun de nous debout, les mains bien visibles, détendus comme si nous n'avions pas été prêts à nous entre-tuer cinq minutes plus tôt. Nous étions tous plutôt doués pour mentir avec notre corps.

— Bon, tu peux aller leur dire que la situation est sous contrôle, conclut Holbrook de son examen.

Green tourna les talons sans protester, laissant Tony et Holbrook s'approcher de nous.

— Mercy ? Que s'est-il passé ?

Contrairement aux autres policiers, Tony n'était pas en uniforme. Il portait un blouson foncé et un jean noir et les lobes de ses oreilles étaient percés de clous en diamant, évoquant plus un dealer qu'un agent de police.

— Il a déboulé dans le bureau et vu mon ami ici présent, répondis-je en posant la main sur la tête de Sam.

Je ne pouvais pas l'appeler par son nom. Tony connaissait le docteur Samuel Cornick, savait que c'était mon colocataire et ne mettrait pas longtemps à faire le rapprochement entre lui et un loup nommé Sam. Et si je l'appelais Snowball dans l'état actuel des choses, ça ne ferait que souligner que j'essayais de dissimuler son identité.

— Et il a cru que tout loup-garou représentait un danger, conclus-je.

— C'est un loup-garou ? intervint le flic le plus âgé, d'un ton soudain plus méfiant.

Il rapprocha légèrement la main de son holster.

— Oui, répondis-je d'un ton ferme. Et comme vous pouvez le constater, malgré l'entrée fracassante de Heart… (je ne dis rien de plus à ce propos, mais à voir l'expression de Tony, il devait être au courant pour l'arme), mon ami ici présent a réussi à garder son calme. Si ça n'avait pas été le cas, croyez-moi, on aurait des morts sur les bras. (Je me tournai vers Heart d'un air accusateur.) Certaines personnes devraient prendre exemple sur lui en matière de *self-control* et de sagacité.

— Il est dangereux, protesta Kelly. Je n'aurais jamais tir… (Il s'interrompit et décida lui aussi de laisser le flingue en dehors de tout ça. Du coup, il changea de tactique, ne prenant même pas la peine de terminer sa phrase :) J'ai un mandat qui m'autorise à appréhender ce loup-garou.

— Non, pas du tout, lui assurai-je.

J'étais persuadée que le mandat qu'il avait n'était pas au nom de Sam.

— Pardon ? intervint Tony.

— Un loup-garou ? répéta l'autre policier. Je n'ai rien entendu à propos d'un mandat contre un loup-garou.

Il poussa un sifflement et fit un signe de la main à l'adresse du jeune flic qui revenait vers nous d'un pas vif.

— Green, dit-il, t'as entendu parler d'un mandat contre l'un des loups-garous du coin ?

Celui-ci écarquilla les yeux. Il me regarda, puis regarda Sam et arriva à la conclusion qui s'imposait. Sam remua la queue et le policier se raidit, adoptant une posture très professionnelle. Je reconnus l'expression impersonnelle sur son visage : il avait fait ses classes dans l'armée.

— Non, chef, répondit-il. (Il n'avait pas peur, mais surveillait Sam d'un œil attentif.) Je m'en serais souvenu.

— J'en ai la preuve, protesta le chasseur de primes en montrant le van de la tête. Le mandat se trouve dans le camion.

Tony leva un sourcil et jeta un regard à ses collègues.

— Je peux vous assurer que nous n'avons arrêté aucun loup-garou que nous aurions laissé en liberté sous caution. Depuis quand nos services confient-ils leurs mandats à des chasseurs de primes ? J'ai tendance à croire Mercy quand elle dit que vous devez faire erreur.

Holbrook continuait à regarder fixement Sam, mais Green et Tony, eux, avaient eu le bon sens de détourner les yeux.

— Sergent Holbrook, lui dis-je, ce serait beaucoup plus facile pour mon ami si vous évitiez de le regarder dans les yeux. Il ne fera rien. (Enfin, je l'espérais.) Mais pour son instinct de loup, ça constitue un défi.

Holbrook se tourna vers moi.

— Merci, m'dame, répondit-il. C'est une bonne chose à savoir.

— Le mandat est dans le camion, répéta Heart. Je peux demander à mon assistante de nous l'apporter.

Pendant que Heart et moi discutions avec la police, Adam, Zee et Gabriel avaient fait de leur mieux pour ne pas se faire remarquer. Je surpris néanmoins un mouvement du coin de l'œil : Zee, qui essayait d'attirer l'attention d'Adam. Quand il y parvint, il inclina la tête en direction des entrepôts de l'autre côté de la rue.

Comme Adam, je tournai mon regard dans cette direction et vis immédiatement ce qu'il voulait nous montrer. Sur l'un des entrepôts se trouvait quelque chose qui se confondait avec la tôle rouge du toit. Avec beaucoup de glamour, un fae peut prendre l'apparence de n'importe quel être vivant, mais en ce qui concernait les objets inanimés, c'était plus délicat. J'étais incapable de deviner de quoi il s'agissait, je savais juste qu'il y avait *quelque chose*. Tout cela, je le vis en un éclair et je m'empressai de porter le regard ailleurs pour ne pas avertir la créature qu'elle avait été démasquée.

— Ben, dit Adam, très doucement.

— Pardon ? demanda Tony.

Ben était appuyé contre le van et papotait avec Tanya-La-Femme-Du-Chasseur-De-Primes, le Mec-En-Cuir (le trop séduisant complice de Heart) et la Technicienne. Ces trois-là devaient avoir un instinct déplorable, parce qu'ils étaient tous souriants et joyeux. Quand Adam prononça son nom, Ben s'interrompit et tourna la tête vers son Alpha. Le van se trouvait entre lui et le fae sur le toit, il ne pouvait donc pas voir ce dernier.

— Rien d'important, répondit Adam en faisant quelques gestes discrets de la main droite à hauteur de sa hanche.

Ben répondit par un autre geste, et Adam ferma le poing avant de le rouvrir.

— Vous êtes qui, vous, d'abord ? demanda Heart.

— Vous parliez de nous montrer ce mandat ? intervint Tony en changeant de sujet.

Près du van, Ben sourit. Il pencha la tête, dit quelque chose à ses interlocuteurs qui les fit regarder dans notre direction, puis passa de l'autre côté du camion d'un air dégagé. Je ne pus le voir traverser la rue, étant donné qu'il était caché par le van, mais le fae, lui, le remarqua et se laissa glisser le long du mur de l'entrepôt.

— Apporte-le-moi, chérie, dit Heart.

Je compris soudain qu'ils étaient équipés d'une sorte d'oreillette-micro qui permettait à l'assistante d'entendre tout ce que nous disions. Et de l'enregistrer, probablement. Ça ne me posait pas vraiment de problème.

Ben sauta par-dessus la haute clôture sans même la toucher : si un simple humain avait pu le voir, il n'aurait eu aucun doute quant à sa nature lycanthrope. Mais tous les policiers, même Tony, avaient les yeux braqués sur la vedette de télévision.

Pour ce que je pouvais en juger, personne en dehors d'Adam, de Zee et de moi-même n'avait remarqué ce qui se passait. Gabriel avait disparu. Je me rendis compte qu'il était retourné dans le garage lorsque sa petite sœur avait poussé un hurlement perçant, quand sa mère l'avait arrachée au loup-garou.

En tendant l'oreille, je l'entendis se disputer avec sa mère en espagnol. Il semblait furieux, et j'entendis plusieurs fois mon nom dans la conversation.

Je reportai mon attention sur la technicienne du chasseur de primes qui s'approchait en courant, un épais porte-documents sous le bras qu'elle tendit à Heart. Celui-ci feuilleta les pages qui se trouvaient à l'intérieur et en sortit un document à l'aspect officiel qu'il présenta à Tony.

— Il a bien un mandat, commenta Tony en évitant soigneusement de regarder Adam. Et tu avais raison. Ce n'est pas pour ce loup-ci, poursuivit-il en passant la feuille à Holbrook.

Celui-ci n'eut besoin que d'un regard et toussota.

— C'est un faux, décréta-t-il avec une certitude absolue. Si vous m'aviez donné le nom qui y figure, j'aurais pu vous le dire, sans même parler de cette élégante signature qui ressemble encore moins à celle du juge Fisk que la mienne. Il est impensable qu'il puisse y avoir un mandat d'arrêt contre Hauptman sans que tout le commissariat soit au courant.

— C'est bien ce que je pensais, approuva Tony. La signature de Fisk est à peine lisible.

— Quoi ?

Le ton de Kelly était plein d'une surprise indignée qu'il ne feignait pas, j'en étais certaine.

Tony, qui surveillait attentivement le chasseur de primes, sembla avoir la même opinion. Il donna le mandat au plus jeune flic.

— Green, va demander au central si ce truc est vrai, dit-il, pour rassurer monsieur le chasseur de primes.

Comme Tony, Green évita soigneusement de regarder Adam.

— Je n'en ai absolument pas entendu parler, fit-il remarquer. Et je m'en souviendrais, s'il y avait un mandat contre lui. On le connaît, c'est l'Alpha du coin. Je peux vous assurer qu'il n'est pas en liberté surveillée. (Il se tourna vers Tony.) Mais je vais quand même vérifier, ajouta-t-il en retournant à petites foulées vers la voiture.

— Ma productrice m'a dit que la police locale ne voulait pas avoir à affronter un loup-garou et avait demandé notre aide, dit Heart d'un ton où transparaissait l'incertitude.

Holbrook émit un reniflement indigné.

— Si on avait un mandat d'arrêt contre un loup-garou, on l'appréhenderait. C'est notre boulot.

— Votre productrice vous a dit que nous ne voulions pas affronter un loup-garou, répéta Tony d'un air songeur. Est-ce que c'est elle qui vous a fourni le mandat ?

— Oui.

— Elle a un nom ? On aimerait pouvoir la contacter, elle aussi.

— Bien sûr, répondit Heart. Elle s'appelle Daphné Rondo.

Je me demandai s'il se rendait compte de l'intensité qu'il avait mise dans ces deux mots. Il glissa lentement la main dans sa poche arrière, récupéra son portefeuille et en sortit une carte de visite.

— Voilà. (Il ne la lâcha pas immédiatement lorsque Tony la saisit.) Vous connaissez le gars en question, pas vrai ? C'est pour ça que vous saviez que ce n'était pas le bon loup, pas vrai ? (Il comprit soudain et il lâcha la carte en se tournant vers Adam.) Adam Hauptman ?

Adam acquiesça de la tête.

— J'aimerais vous dire que je suis ravi de faire votre connaissance, mais je goûte peu le mensonge. Qu'est-ce que je suis censé avoir fait ?

Le jeune flic revenait de la voiture en secouant la tête. Kelly le vit et poussa un soupir.

— Quel boxon… J'imagine que vous n'avez pas tué de jeunes femmes dont vous auriez abandonné les cadavres à moitié dévorés dans le désert ?

Adam était furieux. Je le devinais, même s'il donnait l'image d'un homme d'affaires parfaitement calme. Le caractère d'Adam était la raison majeure pour laquelle il ne faisait pas partie des loups modèles de Bran. Quand il était en colère, il se laissait aller à des impulsions qu'il aurait maîtrisées dans son état normal.

— Désolé de vous décevoir, susurra Adam, mais je préfère les lapins. Les humains ont le goût de porc, ajouta-t-il avec un sourire.

Kelly recula involontairement d'un pas. Tony jeta un regard perçant à Adam.

— N'aggravons pas les choses si on peut l'éviter, messieurs, avertit-il en sortant son téléphone portable et en composant le numéro qui se trouvait sur la carte. (Il tomba sur le répondeur vocal et ne laissa pas de message.) OK, reprit-il, j'aurais besoin d'une déposition à propos de ce mandat. S'il y a un petit malin qui s'amuse à falsifier des mandats, ce serait bien de le savoir. On peut faire ça ici ou au poste de police.

Je laissai Tony et ses collègues s'occuper des suites de l'histoire et retournai dans le bureau en laissant la porte se refermer sur moi. Je laissai aussi Sam dehors. S'il n'avait encore tué personne jusqu'à présent, il n'allait probablement pas changer d'avis.

J'avais d'autres problèmes à régler.

Gabriel portait sa benjamine sur la hanche, le visage mouillé de larmes de la petite reposant contre son épaule. Les autres gamines étaient assises sur les chaises réservées aux clients et leur mère me tournait le dos.

Elle seule parlait, en espagnol, ce qui faisait que je ne comprenais pas un traître mot de ce qu'elle disait. Gabriel me décocha un regard désespéré et elle fit volte-face. Les yeux de Sylvia Sandoval étincelaient d'une fureur plus incandescente que celle de n'importe quel loup-garou.

— Vous, dit-elle avec un fort accent mexicain, avez des amis que je n'apprécie pas, Mercedes Thompson.

Je ne répondis rien.

— Nous allons rentrer chez nous. Et ma famille n'aura dorénavant plus rien à faire avec vous. À cause de vous, à cause de votre loup-garou, ma fille verra un homme braquer une arme sur elle dans ses cauchemars. Elle aurait pu être blessée ! On aurait pu blesser n'importe lequel de mes enfants. J'enverrai une dépanneuse pour ma voiture.

— Pas besoin, lui répondis-je, Zee l'a quasiment réparée.

Enfin, c'est ce que je croyais. Inutile de lui dire quelle part la magie avait jouée là-dedans.

— Elle fonctionne, intervint Zee.

Je ne m'étais pas aperçue qu'il venait d'entrer dans le bureau. Il avait dû arriver du garage. Il se tenait près de la porte communicante, l'air lugubre.

— Vous me direz combien je vous dois une fois retranché le dernier salaire de Gabriel.

Ce dernier émit un gémissement de protestation.

Elle lui jeta un regard menaçant et il ravala ce qu'il était sur le point de dire, les yeux étrangement brillants.

— Mon fils pense que, parce qu'il est presque un homme, il peut prendre n'importe quelle décision. Tant qu'il vivra sous mon toit, ce ne sera pas le cas.

J'étais certaine que Gabriel pouvait très bien se débrouiller seul, mais, sans lui et son salaire supplémentaire, ce serait Sylvia qui aurait du mal à joindre les deux bouts. Et Gabriel le savait très bien, lui aussi.

— Gabriel, lui dis-je, je dois donc te laisser partir. Ta mère a raison. Ce garage n'est pas un endroit sûr. Et même si ta mère n'était pas ici, je te licencierais quand même. Je t'enverrai ton dernier salaire par la poste. Pour ton prochain travail, n'hésite pas à leur dire de m'appeler pour une recommandation.

— Mercy, protesta-t-il d'un ton désolé, le visage pâle.

— Je ne sais pas comment j'aurais pu vivre s'il était arrivé quelque chose à l'un d'entre vous aujourd'hui, lui expliquai-je.

— Oh, pauvre Mercy, intervint Sylvia d'un ton moqueur, la colère rendant son accent encore plus prononcé. Pauvre Mercy, sa vie est trop dangereuse et elle se sentirait tellement mal si mon fils se prenait une balle perdue. (Elle pointa l'index sur moi.) Ce n'est pas seulement ça. Si c'était seulement le tireur, je dirais : « Non, Gabriel, tu ne peux plus travailler ici », mais nous resterions amies. Mais vous m'avez *menti*. Je demande : « C'est quoi ce gros chien ? » et vous, vous me répondez : « Une espèce de bâtard. » C'est vous qui avez pris la décision de laisser ma fille jouer avec un loup-garou. C'est vous qui avez mis la vie de mes enfants en danger. Ne nous rendez plus jamais visite. Ne parlez même pas à mes enfants si vous les croisez dans la rue, ou je préviens la police.

— *Mamá*, la coupa Gabriel, tu exagères.

— Non, protestai-je d'un ton las, elle a raison.

Je savais que j'avais fait le mauvais choix depuis le moment où j'avais entendu le premier cri de Maia. Ça n'avait pas été la faute de Sam, mais ça aurait pu être le cas. Le simple fait que j'en aie été persuadée avant de voir Kelly Heart et son arme me confirmait que c'était le mauvais choix. J'avais mis les enfants de Sylvia en danger.

— Zee, tu veux bien sortir la voiture du garage, s'il te plaît ?

Il opina du chef et tourna les talons. J'ignorais s'il était en colère contre moi, lui aussi. Il n'avait probablement pas idée du risque que j'avais pris. Ce n'était pas un loup et il n'avait pas vécu parmi eux. Il ne saurait pas ce qu'était Sam.

— Mercy, répéta Gabriel d'un ton suppliant.

— Va, lui ordonnai-je. (Je l'aurais bien serré dans mes bras, mais j'avais peur que nous nous retrouvions tous deux en larmes. Moi, ça ne me dérangeait pas, mais Gabriel, du haut de ses dix-sept ans, était l'homme de la maison.) *Vaya con Dios.*

Vous voyez ? Je parle quand même un peu espagnol.

— Toi aussi, répondit-il solennellement.

Sa sœur choisit cet instant pour se remettre à pleurer.

— Je veux mon chien-chien, gémit-elle d'un ton désespéré.

— On s'en va, dit sa mère.

Ils s'en allèrent tous, les filles suivant Gabriel, et leur mère assurant leurs arrières.

Chapitre 5

Sam sur les talons, Adam fit irruption dans le bureau alors que Sylvia et sa famille étaient encore dans le garage, attendant que Zee en sorte la Buick. À voir sa tête, il avait entendu chacun des mots échangés entre Sylvia et moi. Il posa la main sur mon épaule et m'embrassa sur le front.

— Pas la peine de me réconforter, lui dis-je. J'ai déconné.

— Ce n'est pas ta faute si ce garçon si enthousiaste a débarqué en braquant son flingue à tort et à travers, me contredit Adam. Quelqu'un lui a fait avaler un sacré paquet de mensonges. Tony et moi essayons d'entrer en contact avec la productrice, mais elle ne répond pas au téléphone. J'imagine qu'elle voulait quelque chose de spectaculaire pour son émission : un duel homme contre loup-garou.

— Peut-être, reconnus-je. Peut-être que *lui* n'était pas ma faute. Mais si ce n'avait pas été Kelly Heart, ça aurait pu être un vampire ou un fae. Et ce genre de créature n'aurait aucun scrupule à tuer Gabriel et ses sœurs s'ils se trouvaient sur son chemin.

La main sur mon épaule glissa dans mon dos et me tira dans une étreinte affectueuse. Je m'y laissai aller, bien consciente que ce réconfort m'était procuré pour de mauvaises raisons : je me rendais compte à son attitude qu'il ne s'était pas précisément rendu compte de l'étendue de mes erreurs. Il devait avoir été trop occupé pour vraiment regarder Sam… Et par miracle, ce dernier avait évité de se faire remarquer. Pour le moment. La journée n'était pas finie.

Je m'emplis les poumons de l'odeur d'Adam et savourai ce réconfort que je ne méritais pas. Sylvia avait raison. Je m'apitoyais beaucoup trop sur moi-même et je n'en avais aucun droit.

Je m'écartai de lui et me hissai sur le comptoir, non loin de l'arme, avant de me décider à lui dire la vérité : je ne supporterais pas qu'il soit en train de me toucher au moment où il déciderait qu'il ne voulait plus rien avoir à faire avec moi. Comme Sylvia venait de le faire.

Le restant de colle noircie laissé par un papier qui avait été scotché sur le comptoir à l'âge de pierre avait disparu, et je passai le doigt sur la zone à présent impeccable. Sylvia n'avait pas emporté les cookies.

— Mercy ?

Je l'avais trahi. Pour une bonne raison, certes, mais j'étais sa compagne. Et j'avais choisi Samuel. J'imagine que j'espérais qu'il n'en remarquerait rien, mais à la lumière des événements de ce matin, je me rendais compte à quel point j'avais eu tort. Et si Heart n'était pas passé par le garage avant tout ? Et s'il avait croisé le chemin d'Adam et l'avait tué ? Et s'il s'était d'abord rendu à son bureau et qu'il avait eu une photo ? D'ailleurs, en y repensant, c'était très étrange. Adam avait admis sa lycanthropie et était très photogénique.

Quelqu'un n'avait pas voulu que Heart sache à quoi ressemblait Adam.

— Mercy ?

— Désolée, répondis-je. J'essaie de me distraire l'esprit. Il faut que tu jettes un coup d'œil à Samuel.

Je rivai mes yeux sur une tache rebelle de mon bleu de travail, ne supportant pas d'affronter le regard d'Adam.

Si Bran décidait que la mort de Samuel était nécessaire, il devrait me passer sur le corps ; ce qu'il pouvait faire sans problème. Mais j'en avais assez de mentir à Adam, ne serait-ce que par omission, simplement pour empêcher Bran d'apprendre la vérité.

Sam avait traversé le bureau en trottinant et s'était assis dans l'encadrement de la porte communicante, tourné vers le garage. J'entendais Maia continuer à réclamer son « chien-chien » entre deux sanglots.

— « Chien-chien » ? répéta Adam d'un air amusé.

Sam tourna la tête et le regarda. Adam se figea.

Décidément, j'avais largement dépassé le stade de l'idiotie pour atteindre la débilité profonde, me rendis-je compte en le voyant s'immobiliser. J'aurais pu me douter que ce n'était peut-être pas la meilleure idée du monde de montrer à l'Alpha de la meute du bassin de la Columbia qu'il avait un problème avec Sam dans un endroit aussi confiné que mon bureau.

C'est Sam qui grogna le premier. La colère fit flamber les joues d'Adam. Sam était plus dominant, mais ce n'était pas un Alpha, et Adam n'allait certainement pas reculer sur son propre terrain sans violence.

D'un bond, je m'interposai entre eux.

— Du calme, Sam, criai-je avant de me rendre compte à quel point c'était une mauvaise idée.

Je passais mon temps à l'oublier. Pas que Samuel avait un problème : ça, je n'avais aucun mal à m'en souvenir. Mais que le loup, ce n'était pas Samuel. Ce n'était pas parce qu'il ne s'était pas transformé en cette bête féroce que devenaient les loups incapables de se contrôler qu'il n'était pas dangereux. Mon cerveau le savait, mais je continuais à agir comme si c'était toujours lui. Parce qu'il se comportait comme l'aurait fait Samuel. En grande partie.

Sam éternua et nous tourna le dos… et je m'autorisai à respirer de nouveau.

— Je suis désolée, m'excusai-je auprès d'eux deux. C'était idiot de ma part.

Je ne voulais pas regarder Adam. Je refusais de voir s'il avait l'air furieux, blessé ou déçu. J'avais eu ma dose de tout ça pour la journée.

Une belle réaction de lâche.

Alors, je me forçai à me tourner vers lui, les yeux braqués sur son menton, à un niveau où je pouvais déchiffrer son expression sans le défier du regard.

— Tu es dans une sacrée merde, dit-il d'un ton pensif.

— Je suis désolée de t'avoir laissé penser que…

— Quoi donc ? m'interrompit-il. Que tu avais besoin d'un peu de temps loin de la meute, loin de moi ? Quand tout ce que tu voulais, c'était éviter que l'un d'entre nous voie Samuel ?

Il semblait très raisonnable, mais la ligne blanche qui courait le long de son maxillaire trahissait la force avec laquelle il serrait les dents et la tension de sa nuque.

— Oui, répondis-je simplement.

Ben fit irruption dans le bureau et, en voyant le tableau que nous formions, freina brusquement. Adam tourna la tête, le consultant du regard, et Ben se tassa visiblement en courbant la tête.

— Je ne l'ai pas attrapée, dit-il. C'était une femelle. Une femelle fae. Mais elle était armée, et elle a abandonné son arme sur place.

Il portait un blouson dans ses bras et dévoila un fusil construit avec très peu de métal. Si le design avait été un peu plus mignon, on aurait pu penser que c'était un jouet, car il était presque entièrement fait de plastique.

— Fusil Kel-Tec, commenta Adam, en reprenant une contenance toute professionnelle. Conçu pour tirer des balles de pistolet en utilisant des chargeurs de pistolet.

Ben le lui tendit et Adam en éjecta le magasin. Quand celui-ci lui tomba dans la paume, il poussa un sifflement et le lâcha sur mon comptoir en secouant la main.

— Neuf millimètres, dit-il. Balles en argent. (Il me regarda.) Je suis quasiment sûr que c'était un 9 mm ou un .38 que tu braquais sur Heart.

Le sujet de mes mensonges n'était pas oublié, juste mis de côté au profit d'affaires plus urgentes. J'aurais encore préféré qu'on en finisse.

— Neuf millimètres, approuvai-je. Elle aurait pu tirer sur quelqu'un et on aurait accusé le chasseur de primes. Quelle aurait été la probabilité que quelqu'un se doute de quelque chose, pratique des tests balistiques et se rende compte que la balle ne provenait pas de la bonne arme ?

— On avait prévu de tuer quelqu'un, approuva Ben. En tout cas, c'est ce que je pense.

— Et je suis d'accord, renchérit Zee de la porte du garage.

Samuel se poussa, un peu à contrecœur, mais il le laissa nous rejoindre dans le bureau.

— Même avec des tests balistiques, ils n'y auraient vu que du feu, poursuivit-il. C'est enfantin de faire correspondre une balle à une autre arme s'il s'agit d'argent. Même ceux qui n'ont pas de grands pouvoirs peuvent le manier. Le fer, c'est impossible pour la plupart des faes, le plomb, ça n'est pas beaucoup mieux, mais l'argent… ça absorbe facilement la magie.

Ma canne avait une tête ornée d'argent.

Zee poursuivit.

— La balle aurait pris l'apparence de celles de Heart. Une pointe de glamour supplémentaire, et la balle en trop disparaissait. Ce n'est pas l'œuvre d'un fae mineur. Elle puait la Horde. La Horde Sauvage.

— Je ne sais pas ce que ça signifie.

Mais ce qui était clair, c'est que notre assassin fae avait l'intention de chasser le loup-garou. Et plus particulièrement Adam. Il fallait que j'en apprenne le plus possible.

— Dans le cas qui nous intéresse, de la violence gratuite, expliqua Zee. Le genre qui laisse un homme regardant les cadavres qui l'entourent d'un air totalement ahuri, se demandant pour quelle raison il a tiré alors que tout ce qu'il voulait, c'était s'expliquer. Si je n'avais pas été ici pour la contrecarrer… (Il haussa les épaules et regarda Adam.) Quelqu'un voulait votre mort, et un coupable idéal pour éviter qu'on se pose trop de questions.

Adam reposa le pistolet sur le comptoir, près du chargeur, attrapa le blouson de Ben et s'en servit pour recouvrir le tout.

— Je ne pense pas avoir contrarié les faes, ces derniers temps. Je me trompe ?

Zee secoua la tête.

— Ce serait plutôt le contraire. Je pense plus à un acte isolé. (Il fronça les sourcils et poursuivit à contrecœur.) Il est aussi possible que quelqu'un l'ait engagée.

Ben intervint :

— C'est la première fois que je vois un fae utiliser une arme moderne. (Il se tourna vers Adam.) Je sais bien que c'était une fae, tout ça, mais… et si c'était une autre de ces chasseurs de trophées ?

— Des chasseurs de trophées ? demanda Zee avant que j'aie pu le faire.

— Cette année, David a capturé deux hommes et en a tué un troisième, qui le pourchassaient, expliqua Adam. L'un était un chasseur de gros gibier. Un autre s'est révélé être un tueur en série qui s'était lassé des soldats de la base marine voisine, et voulait s'attaquer à une proie plus grosse. Et le dernier était un chasseur de primes… sauf que la tête de David n'est pas plus mise à prix que la mienne. On aurait dit qu'il voulait simplement se faire la main dans le domaine de la chasse au garou.

— David Christiansen ? demandai-je.

Christiansen était un mercenaire qui menait une petite troupe spécialisée dans les libérations d'otages. Je l'avais rencontré avant qu'il devienne célèbre. Lorsqu'il avait porté secours à des enfants prisonniers d'un camp de terroristes en Afrique du Sud, un photographe avait pris toute une série de clichés où il apparaissait comme héroïque et profondément bon. Les photos avaient fait le tour du pays, le Marrok avait alors décidé que David serait le premier loup-garou à révéler sa véritable nature au public, et c'était ainsi qu'il était devenu le lycanthrope le plus célèbre au monde.

— Oui, approuva Adam.

— Genre *La Chasse du comte Zaroff* [1], murmurai-je.

Vous voyez ? Ça pouvait toujours servir à une mécanicienne, un peu de culture, malgré ce qu'en disait ma mère.

— Ça n'y ressemble pas exactement, observa Adam. Ce n'était pas personnel. Heart ne me chassait pas pour le plaisir, ou tout du moins, pas seulement pour le plaisir. Quelqu'un l'a manipulé.

— Et pas très bien, ajoutai-je. Il ne savait pas à quoi tu ressembles, alors qu'il aurait suffi à sa productrice de faire une recherche sur internet pour avoir ta photo. On pourrait penser que quelqu'un voulant l'envoyer à tes trousses s'assurerait qu'il sache exactement qui est sa cible.

---

1. Nouvelle de Richard Connell publiée en 1924 dont le personnage principal est un chasseur de gros gibier. (*NdT*)

Adam tapa du pied d'un air préoccupé.

—On dirait quand même du travail de professionnel. Beaucoup de préparation, beaucoup de travail pour tuer quelqu'un de la manière la plus publique possible. Et surtout, quand le plan ne s'est pas déroulé comme prévu, elle s'est empressée de se replier.

—Pas seulement « quelqu'un », fis-je remarquer. Toi. C'est logique : elle ne voulait pas qu'il te tue, elle voulait s'en charger elle-même.

—Non, répliqua Ben. J'ai eu tort de parler de chasseur de trophées. Ça ne colle pas. Ce n'était pas personnel. Une femme assoiffée de sang, en partant du principe que les femelles faes sont comme le reste de ces con…

—Il y a une dame dans l'assistance, gronda Adam. Attention à ton langage.

Ben me sourit d'un air ravi.

—Avec plaisir. Partant du principe que les *dames* faes sont pareilles aux *dames* non-faes, celle-ci aurait dû être excitée, exaltée par la chasse… et enragée quand je lui ai gâché son plaisir. Elle n'a même pas hésité en me voyant : elle a laissé tomber l'arme et s'est enfuie en courant sans autre forme de procès.

—Bien entraînée, suggéra Adam, ou simplement la tête froide. (Il me regarda.) Et même si je dois admettre que j'étais probablement la cible, peut-être en fait était-ce Zee, ou toi. Heart avait des balles en argent, alors l'assassin devait utiliser des munitions identiques. Mais ça ne signifie pas qu'elle chassait le loup-garou, même si c'était bien le cas pour Heart.

Tony ouvrit la porte du bureau.

—Ça va, Mercy ?

—Impec', mentis-je, mais je ne m'attendais pas que quelqu'un me croie, de toute façon.

Tony fronça les sourcils, puis tourna son attention vers Adam.

— Vous avez des ennemis dont vous voudriez nous parler ? Il semble que la productrice de Heart ait voulu un peu de publicité, mais nous ne pourrons en être sûrs tant qu'on n'aura pas réussi à la joindre. Il avait tous les papiers nécessaires, sauf que, bien sûr, c'étaient des faux. Il y avait aussi des photos des victimes. On lui demandera comment elle a mis la main dessus.

— Sur internet, intervint Ben. Il y a un site dédié aux photos de cadavres.

Nous nous tournâmes tous vers lui et il eut un sourire embarrassé.

— Hé, me regardez pas comme ça, c'est mon boulot. (En voyant l'air dubitatif de Tony, il expliqua :) Je travaille dans l'informatique, les ordinateurs, tout ça. Quand on s'ennuie, au bureau, on se lance des défis, genre celui qui tombe sur le site web le plus horrible gagne un déjeuner gratuit. J'ai gagné de justesse contre le gars qui avait proposé le site des cadavres. Quand je discutais avec l'équipe de Heart, ils m'ont montré les photos du dossier. Le site avait une section consacrée aux attaques d'animaux sauvages. J'ai reconnu une de ces photos-là.

— Tu es vraiment complètement taré, commentai-je.

— Merci, répondit Ben en baissant les yeux d'un air modeste.

— Quelqu'un en veut à votre peau, dit Tony à Adam.

— Tu vois ? remarquai-je. Tony aussi pense que c'est toi, la cible.

Adam haussa les épaules.

— Je vais être prudent.

Les loups-garous étaient des créatures coriaces, et Adam était plus coriace que la moyenne. Mais j'en avais déjà vu mourir beaucoup.

— Oui, bon, mémorisez mon numéro et évitez de tuer quelqu'un si vous le pouvez, maugréa Tony avant de se tourner vers moi. Dis-moi, Mercy, tu as parlé à Sylvia ? Elle avait l'air furax en partant. Tout va bien pour eux ?

Il ne pouvait pas dissimuler ses sentiments. Il était intéressé par Sylvia et avait tenté sa chance. Elle lui avait dit qu'elle ne sortait pas avec ses collègues, et en ce qui la concernait, ça s'était arrêté là.

— Elle n'a pas vraiment apprécié que Heart braque son flingue sur Maia, expliquai-je. Mais c'est contre moi qu'elle est le plus en colère. Ce n'est pas Heart qui a amené un loup-garou et l'a laissé jouer avec ses gamines.

Il prit une expression froide de policier.

— Pardon ?

— Ouaip, dis-je. Je ne pense pas qu'elle reviendra faire entretenir sa voiture ici. Et Gabriel ne travaille plus pour moi, non plus.

— Tu as fait *quoi* ?

— Oh ! Ça suffit, gronda Adam en montrant Sam, ce loup ne ferait pas de mal à une mouche, et Mercy le savait très bien.

— Les circonstances sont un peu spéciales, aujourd'hui, lui rappelai-je d'un ton sec. (Comment pouvait-il avoir oublié que ce n'était pas à Samuel que nous avions affaire, mais à son loup ?) Elle avait toutes les raisons d'être furieuse. Si je m'étais souvenue que Sylvia et les filles allaient venir, jamais je ne l'aurais amené.

— Ont-elles couru le moindre danger ? demanda Tony.

— Non, répondit Adam avec la force de la certitude.

— Mercy le savait-elle ?

— Oui, répéta Adam en couvrant mon « Non ». Elle se sent juste coupable parce qu'elle pense qu'elle aurait dû prévenir Sylvia.

Tony me considéra d'un regard apaisant.

— Sylvia est raisonnable, dit-il avec un petit sourire. En grande partie, en tout cas… Si tu lui expliquais…

— Ils sont partis, l'interrompis-je. Et ça vaut mieux. Maintenant que je fréquente les loups (et les faes, et les vampires), cet endroit n'est plus sûr.

— Et toi, tu y es en sécurité ? demanda-t-il.

Avant que j'aie pu répondre, la porte s'ouvrit une nouvelle fois et Kelly Heart entra. Mon bureau n'était pas bien grand, et nous y étions déjà bien nombreux, entre Zee, Sam, Adam, Ben, Tony et moi. Kelly, c'était la personne et demie de trop. Sam grogna en direction du chasseur de primes, mais il lui aurait fallu passer par-dessus Zee, Adam et moi pour pouvoir l'attaquer, à moins d'escalader le comptoir.

— Monsieur Heart ? demandai-je.

— Mes cameramen me disent que quelqu'un a trafiqué les caméras dans le van.

Il jeta un regard accusateur à Ben, qui ricana. Les grondements de Sam devenaient de plus en plus forts. Au bout d'un moment, Heart haussa les épaules.

— Ce n'est vraiment pas sympa. Tout ce qui nous reste, ce sont les images de Joe, jusqu'au moment où Mme Thompson m'a désarmé. Enfin bon, on ne me retirera pas le prix de ces caméras de mon salaire. (Il me regarda.) Vous avez été sacrément rapide.

— Non, je ne suis pas un loup-garou, lui dis-je d'un ton las en me glissant à côté de Ben de manière à me retrouver dos au comptoir.

Ça ne changeait pas grand-chose : Sam pouvait toujours sauter dessus, puis bondir par-dessus moi, mais au moins j'arriverais peut-être à le ralentir.

— Je suis juste venu récupérer l'arme, dit Heart avec un sourire. Mon équipe est extrêmement inquiète à l'idée de perdre ces balles en argent.

— Mercy, intervint Tony, si ça ne te dérange pas, mieux vaut que je ne sache rien au sujet d'une arme sinon je devrais le mentionner dans mon rapport.

— C'est bon, Tony, répondis-je. Adam est ici, à présent.

— Oui, approuva Tony en lançant un regard narquois à Adam, je pense que tu es à peu près en sécurité. Je vais retourner travailler. (Il ouvrit la porte.) Tu es sûre de ne pas vouloir que je parle à Sylvia ?

— Certaine, lui répondis-je. C'est plus simple ainsi.

— D'accord, acquiesça-t-il en sortant.

Il y avait toujours beaucoup trop de monde dans cette pièce.

— Maintenant que les flics sont partis, vous pouvez m'expliquer exactement ce qui s'est passé ce matin ? demanda Heart. Pourquoi est-ce qu'on nous enverrait de Californie dans le seul but de nous impliquer dans cette sale plaisanterie qui aurait pu faire des morts ?

— Non, se contenta de répondre Adam.

Heart s'avança vers lui et le défia de toute sa hauteur.

— Qu'est-ce que votre garçon de courses est allé faire de l'autre côté de la rue ?

Avant que j'aie pu lui faire remarquer qu'il était légèrement imprudent de menacer un loup-garou, Adam le cloua contre la porte d'un bras collé en travers de la gorge. Heart avait beau être plus grand, plus costaud et plus musclé, ce n'était pas un loup-garou.

— Ce ne sont pas vos affaires, gronda Adam d'un air affamé.

— Ce n'est pas l'ennemi, rappelai-je à Adam. Ne le tue pas. Et Monsieur Heart, si vous tenez vraiment à chasser le loup-garou, vous devriez vous documenter un peu mieux. On ne menace pas un Alpha. Ils n'aiment pas ça.

Adam augmenta la pression sur la gorge de Heart qui, après quelques efforts inutiles, abandonna toute résistance.

Adam recula d'un pas en ouvrant puis fermant les poings plusieurs fois de suite, peut-être pour évacuer l'envie de coller un pain au chasseur de primes. Quand il finit par lui tourner le dos, il y eut un soupir de soulagement collectif.

— Je suis aussi contrarié que vous, assura Heart à Adam. Daphné... ma productrice, elle a disparu. C'est quelqu'un de bien. Quelqu'un lui a transmis ce dossier pour qu'elle m'envoie après vous. Elle n'est pas au bureau, elle ne répond pas au téléphone et sa femme de ménage ne l'a pas vue depuis trois jours. Et je ne sais même pas où commencer à chercher.

Adam poussa un soupir et s'étira les épaules pour les détendre.

— Je ne sais pas où elle peut être. Je n'ai aucune idée de qui a pu manigancer tout ça, et même si j'étais la vraie cible. Donnez-moi votre carte. Si je découvre quelque chose d'utile, je vous préviendrai.

— Votre productrice, c'est une fae ? demandai-je.

Adam posa sa main sur mon épaule, clairement pour me dire de la fermer. Il ne voulait pas que j'éveille la curiosité de Heart. Moi, ce qui me semblait important, c'était qu'il savait peut-être quelque chose qui pouvait nous être utile, quelque chose qui nous dirait si c'était bien Adam qui était visé.

— Non, répondit Heart, pourquoi ? Les faes ont quelque chose à voir avec cette histoire ?

— Pas à notre connaissance, répondit Adam.

— Alors pourquoi cette question ?

— Vous m'avez l'air bien certain que votre productrice n'est pas fae, remarqua Ben.

— Elle fait partie de plusieurs groupes anti-faes, ce qui est assez courageux, de nos jours à Hollywood. Elle adore se lancer dans de grandes tirades déplorant que notre pays tombe entre les griffes des Petites Gens.

— Quand avez-vous appris qu'on vous envoyait ici ? demandai-je.

Heart me regarda d'un air pensif.

— Hier matin. Et oui, ça signifie que Daphné avait déjà disparu depuis deux jours. (Il me sourit.) Vous étiez censée être la copine super canon de l'Alpha.

Adam laissa échapper un éclat de rire.

— Quoi ? protestai-je. Tu ne me trouves pas super canon ?

Je baissai les yeux sur mon bleu de travail et mes mains pleines de cambouis. Je m'étais encore cassé un ongle.

— Honey, c'est un super canon, dit Ben sur un ton d'excuse. Toi… c'est toi.

— Mienne, gronda Adam en s'interposant entre Heart et moi. Mienne, c'est ce qu'elle est.

Heart sortit une autre carte de visite et me la tendit.

— Appelez-moi si vous avez d'autres questions. Ou si vous apprenez quelque chose à propos de Daphné. C'est vraiment une chic fille. Je ne la vois pas faire un truc pareil juste pour un peu de publicité.

Il salua Adam d'un signe de tête et sortit. Ben le suivit et Sam se glissa par la porte qui se refermait.

Zee nous regarda, Adam et moi.

— Je vais garder un œil sur Samuel, OK ? Comme ça, je pourrai prendre part au festin s'il décide de massacrer quelqu'un.

— Profites-en pour rendre son pistolet à Heart, lui rappelai-je.

Il sourit et fit apparaître un morceau de métal informe et plutôt mignon, mélange d'acier et d'argent.

— Je vais m'assurer qu'il ne parte pas sans.

Il referma la porte derrière lui et je me retrouvai seule avec Adam.

— Mercy, commença Adam, avant d'être interrompu par son téléphone.

Il le sortit de son étui de ceinture d'un geste agacé. Il regarda le nom qui s'affichait, prit une grande inspiration et répondit.

— Ici Hauptman, grogna-t-il.

— Adam, le salua la voix chaleureuse du Marrok, tu ne saurais pas où se cachent Mercy et mon fils ?

— Je sais où ils sont, lui répondit Adam en croisant mon regard.

Impossible d'avoir une conversation privée, avec moi ou n'importe quel loup dans les environs. Adam aurait très bien pu décider de répondre à l'extérieur, où il aurait pu parler tranquillement à Bran.

Il y eut un léger flottement.

— Ah. Cela te dérangerait-il de me passer l'un d'eux ?

— Je pense, répondit Adam d'un air hésitant, que c'est peut-être un peu prématuré.

Une autre longue pause, puis Bran reprit la parole d'une voix plus froide.

— Je vois. Sois très prudent, Adam.

— Je crois que je le suis, répliqua celui-ci.

— Je peux lui parler, intervins-je en sachant que Bran m'entendrait.

Adam essayait de s'interposer entre Samuel et son père. En cas de problème, Bran le tiendrait pour responsable.

J'aime Bran. Il m'a élevée, autant que mes parents adoptifs. Mais je ne suis pas aveugle à son propos. Sa première directive est de protéger les loups. Si pour cela il devait tuer son fils, il n'hésiterait pas… et encore moins à punir Adam.

Adam répondit :

— Non. C'est mon territoire, c'est ma responsabilité.

— Très bien, commenta le Marrok. Si je peux aider, ou un de mes loups, n'hésite pas à m'appeler.

— Oui, approuva Adam. Je vous appellerai à la fin de la semaine pour vous dire ce qu'il en est.

— Mercy, reprit Bran, j'espère vraiment que c'est la meilleure solution.

— Pour Samuel, oui, répondis-je, ainsi que pour toi et moi. Je n'en suis pas si certaine concernant Adam.

— Adam a toujours eu… une certaine tendance à l'héroïsme.

Je touchai le bras de mon compagnon.

— C'est mon héros.

Il y eut un autre silence. Face à face, Bran ne réfléchit pas tant à ce qu'il va dire. Le téléphone, c'est toujours un peu délicat pour les loups, qui dépendent tellement du langage corporel.

— C'est la chose la plus romantique que je t'aie jamais entendue dire, observa Bran. Fais gaffe, Adam, tu risques de la transformer en vraie fille.

Adam me regarda avec affection.

— Je l'aime exactement comme elle est.

Et il était sincère : même avec mes bleus de travail pleins de cambouis et mes ongles cassés, il m'aimait. Bran eut un bref rire.

— Prends soin de mon fils. Et n'attends pas qu'il soit trop tard pour m'appeler.

Puis il raccrocha.

— Merci, dis-je à Adam.

Il rangea son téléphone.

— Ce n'est pas pour toi que je l'ai fait, rectifia-t-il. Il a beau avoir laissé les commandes à son loup, Samuel ne semble pas aussi dangereux que la plupart d'entre nous le serions. Il y a des avantages à être très vieux. Mais Bran doit suivre la loi au pied de la lettre. S'il savait exactement ce qui se passe, il serait obligé de faire exécuter la sentence.

— Et pas toi ?

Adam haussa les épaules.

— J'imagine qu'on peut dire que je privilégie l'esprit de la loi à sa lettre.

Je ne l'avais jamais vu ainsi. Mais j'aurais dû m'en souvenir : c'était lui qui décidait où s'arrêtait le noir et où commençait le blanc.

Je baissai les yeux.

— J'imagine qu'il est trop tard pour te présenter mes excuses.

— De quoi veux-tu t'excuser ? « Cher Adam, je suis désolée de ne pas t'avoir dit que Samuel avait pété les plombs » ? « Je suis désolée d'avoir pris pour prétexte des problèmes entre nous pour t'éloigner et m'occuper de la situation » ? Ou, mon préféré, je crois, « Je n'ai pas pu t'en parler, car je ne te faisais pas confiance pour gérer la situation de la façon dont je voulais le faire » ?

Il avait commencé d'une voix amusée, mais la fin de sa tirade claqua comme un fouet cruel.

Je restai silencieuse. Je sais le faire, des fois. Quand je sais que j'ai tort.

Il soupira.

— Je ne pense pas que des excuses seront suffisantes, Mercy. Parce que ça impliquerait que tu ne le referais pas. Or, dans une situation similaire, est-ce que tu t'abstiendrais ?

— Non.

— Et tu n'as pas à présenter tes excuses alors que tu as tout à fait raison, poursuivit-il avec un autre soupir. Même si ça m'en coûte de le reconnaître. (Je relevai la tête, surprise, et vis qu'il était tout à fait sérieux.) Si tu m'avais appelé pour me dire que Samuel avait perdu le contrôle, je serais immédiatement venu le tuer. Une balle dans le crâne, parce que je ne suis pas certain que j'aurais pu le vaincre en combat singulier. J'en ai déjà vu, des loups incontrôlables, et toi aussi. (Je déglutis en opinant du chef.) Mais ce que je sais, et que toi tu ignores, c'est combien le loup meurt d'envie de partir à la chasse, de sentir le sang sur ses crocs. La traque... (Il détourna le regard un bref instant.) Seul aux commandes, mon loup n'aurait jamais laissé le chasseur de primes repartir vivant après avoir braqué son arme sur moi. Je doute qu'il puisse même supporter de se faire grimper dessus par une bande de gamines. (Il se rembrunit.) Même avec Jesse, ma propre fille... je ne lui ferais pas confiance. Mais le loup de Samuel a réussi à garder ses esprits. Alors, on va lui donner une chance. Une semaine. Et tu iras expliquer au Marrok comment son fils est resté calme toute une semaine. Et peut-être réussiras-tu à négocier un nouveau sursis.

— Je suis désolée, murmurai-je, désolée de m'être servie de ton sentiment de culpabilité pour tenter de t'éloigner de moi.

Il se laissa aller contre le comptoir et croisa les bras sur sa poitrine.

— Mais tu n'as pas menti, pas vrai, Mercy ? Le lien de meute te dérange, et… le nôtre aussi.

— J'ai seulement besoin d'un peu de temps pour m'y habituer.

Il me lança un regard sévère et je réagis exactement comme sa fille devant cette expression : en me tortillant d'un air malaisé.

— Ne me mens pas, Mercy. Pas à moi. Pas de mensonges entre nous.

Je m'essuyai les yeux… Non, je ne pleurais pas. Sérieusement. C'étaient juste les nerfs qui lâchaient après que j'avais dû affronter un homme armé, avec un loup-garou incontrôlable pour assurer mes arrières.

Adam me tourna le dos. Je crus que c'était pour que je ne puisse pas voir son expression. Sauf qu'il agrippa le comptoir de toutes ses forces et le brisa en deux, envoyant ma caisse et un tourbillon de paperasse sur le sol.

Bizarrement, ma première réaction à cette manifestation de violence fut une prise de conscience : celle, consternée, que, sans Gabriel, ce serait à moi de me débrouiller pour ranger ces paperasses et éviter un redressement fiscal.

Puis Adam se mit à hurler à la lune. C'était un son totalement étranger dans la gorge d'un homme, et je ne l'avais entendu qu'une seule fois. C'était le jour où mon père adoptif avait vu sa femme, sa compagne, mourir dans ses bras.

Je m'avançai vers lui… et retrouvai Sam entre nous, la tête baissée.

La porte qui séparait le bureau du garage était en acier, ainsi que le cadre. À la suite de l'entrée de Sam, elle pendouillait à présent lamentablement sur l'un de ses gonds.

Je ne l'avais même pas entendu l'enfoncer : le hurlement d'Adam avait tout occulté.

Je me rendis soudain compte que ce dernier n'avait émis aucun son. Son cri m'avait atteinte d'une autre manière, par le lien qui avait été noué entre nous.

Adam resta le dos tourné.

— N'aie pas peur de moi, murmura-t-il. Ne me quitte pas.

Pas de mensonges entre nous.

Je laissai échapper l'air de mes poumons, reculai de quelques pas et me laissai tomber sur l'une des chaises alignées contre le mur, essayant, par mon attitude dégagée, de désamorcer la situation explosive.

— Adam, je n'ai même pas la jugeote d'avoir peur de Sam dans l'état dans lequel il se trouve. Tu crois vraiment que je serais assez intelligente pour avoir peur de toi ?

En tout cas, ce serait nettement plus raisonnable de craindre un loup-garou contrarié au point de détruire un comptoir construit par Zee que quelques paperasses et l'éventualité d'un contrôle fiscal.

— Demande à Samuel de partir.

— Sam ? demandai-je.

Il avait entendu Adam. Il poussa un grondement, et Adam le lui rendit, avec encore plus d'agressivité.

— Sam, répétai-je d'un ton exaspéré. C'est mon compagnon. Il ne va pas me faire de mal. Va-t'en.

Il me consulta des yeux, puis regarda le dos d'Adam. Je vis celui-ci se tendre comme s'il pouvait sentir le regard de Sam. Peut-être était-ce vraiment le cas.

— Pourquoi n'irais-tu pas voir ce que fabrique Zee ? demandai-je. Tu n'aides pas vraiment, là.

Sam poussa un couinement et fit un pas vers Adam.

— S'il te plaît, Sam.

Je ne le supporterais pas s'ils décidaient de se battre. L'un d'eux n'y survivrait pas.

Le grand loup-garou blanc fit demi-tour à contrecœur et se dirigea vers la sortie d'un pas raide, s'arrêtant à intervalles réguliers pour vérifier qu'Adam ne bougeait pas. Puis il se décida enfin à sauter par-dessus les débris de la porte et à disparaître.

— Adam ? demandai-je.

Il ne répondit rien. S'il avait été humain, j'aurais insisté, juste pour crever l'abcès. Je l'avais blessé, et j'attendais d'être punie pour ça. J'avais appris que tous mes choix avaient des conséquences bien avant d'étudier Kant à la fac.

Mais il n'était pas humain. Et à l'instant précis, si je ne m'abusais, il était en train de combattre son loup. Le fait d'être Alpha et très dominant ne rendait pas la tâche plus aisée, peut-être même exactement l'opposé. Le fait d'être têtu, si, et Adam avait de l'obstination à revendre.

Ce qui aida le plus, ce fut d'avoir réussi à convaincre Sam de quitter la pièce. Tout ce que je pouvais faire à présent, c'était rester assise et attendre, en laissant Adam absorbé dans la contemplation morose des vestiges de mon bureau.

Mais pour Adam, lien dysfonctionnel ou pas, j'étais prête à attendre jusqu'à la fin des temps.

— Vraiment ? demanda-t-il d'un ton que je ne lui avais jamais entendu : doux et vulnérable.

Or la vulnérabilité, ce n'était pas vraiment le truc d'Adam.

— Vraiment quoi ? demandai-je.

— Malgré ce lien qui te terrifie, malgré la meute qui joue avec ton esprit, tu veux toujours de moi ?

Il avait entendu mes pensées. Cette fois-ci, ça ne me dérangea pas.

— Adam, lui répondis-je, je marcherais pieds nus sur des braises pour toi.

— Tu n'as pas profité de la situation avec Samuel pour mettre de la distance entre nous, observa-t-il.

Je pris une brusque inspiration : je comprenais ce qui pouvait lui avoir laissé penser ça.

— Tu connais ce moment, dans la Bible, où Jésus dit à Pierre que celui-ci le trahira trois fois avant le lendemain ? Pierre répond : « Certainement pas ! » Mais évidemment, quand on lui demande s'il est l'un des disciples de Jésus, il nie. Quand, après la troisième fois, il entend le chant du coq, il comprend ce qu'il a fait. Je me sens exactement comme Pierre en ce moment.

Adam se mit à rire. Il se retourna et je vis ses yeux dorés me traverser comme seuls les yeux de loup le peuvent. Pire, il avait légèrement commencé à changer : une ligne maxillaire trop longue, l'angle de ses pommettes légèrement différent.

— Tu me compares à Jésus ? Comme ça ? s'écria-t-il avec un geste des doigts devant son visage. Tu n'as pas peur d'être un peu sacrilège, là ?

Il cracha cela d'un ton amer.

— Pas plus que je suis saint Pierre, lui répondis-je. Mais je suis passée par le même sentiment que lui : « Oh ! Mon Dieu ! Mais qu'ai-je donc fait ? » Sauf que le sien a été une révélation brutale, tandis que pour moi, ça a été plus long. Ça a commencé quand Maia a crié alors que je travaillais à l'atelier et continué en gros jusqu'au moment où tu as réussi à négocier un sursis avec Bran. Marrant comme des décisions qu'on croit bonnes peuvent se révéler… (Je m'interrompis et secouai la tête.) Pierre pensait sûrement que nier de faire partie des disciples de Jésus était la meilleure solution. Déjà, ça le maintenait en vie. De mon côté, j'ai pensé que maintenir Samuel en vie, vu qu'il n'avait attaqué personne… pas encore, tout du moins… Bref, j'ai trouvé que c'était une bonne idée. J'ai cru que te dire que j'avais besoin d'un peu d'espace était une bonne idée. Que ça me laisserait un peu de temps pour m'habituer à avoir des gens qui s'insinuent dans mon esprit, sans que la peur que je ressens à ce propos te blesse.

— Pardon ? demanda Adam d'un air incrédule.

Je baissai la tête et avouai :

— Ça me fiche la trouille. Une trouille de tous les diables.

Il secoua la tête.

— Non, pas ça. C'est quoi, cette histoire de me blesser ?

— Tu n'aimes pas être un loup-garou, expliquai-je. Oh, tu réussis à vivre avec, mais tu détestes ça. Tu penses que ça fait de toi un monstre. Je ne voulais pas que tu saches que j'avais quelques problèmes avec certains trucs de loups-garous, moi aussi. (J'avalai ma salive.) OK, pas seulement avec l'aspect « Je dois diriger ta vie parce que tu m'appartiens » qu'on retrouve chez un grand nombre de loups.

Il me dévisagea de ses yeux jaunes luisant au milieu de son visage bizarrement allongé. Sa bouche était légèrement ouverte parce que ses mâchoires inférieure et supérieure ne s'alignaient plus exactement. Je m'aperçus que ses dents étaient devenues pointues et plus irrégulières que dans leur forme purement humaine.

— Je *suis* un monstre, Mercy.

Je laissai échapper un ricanement de dérision.

— Tu parles d'un monstre, le rabrouai-je. C'est probablement parce que tu es monstrueux que je bave sur toi depuis des années alors que j'avais juré de ne plus jamais fréquenter de loups-garous après Samuel. Je savais que, si je te disais que le fait de faire partie de la meute et toutes ces histoires de lien magique me dérangeaient, ça te blesserait. Et tu dois déjà faire avec… (je ne réussis pas à prononcer l'horrible mot « viol », alors j'utilisai un euphémisme, comme d'habitude) les conséquences de Tim. J'ai cru qu'avec un peu de temps je pourrais trouver une manière d'empêcher la meute de faire de moi ta nouvelle ex-femme et épargner encore un peu Samuel.

Adam s'appuya contre le mur près de la porte (celui qui était jusque-là occupé par le comptoir) et croisa les bras sur sa poitrine.

— Ce que j'essaie de te dire, repris-je, c'est que je suis désolée. Ça semblait une bonne idée à ce moment-là. Et non, ça n'était pas pour mettre de la distance entre nous deux.

— Tu voulais éviter de me faire du mal, répéta-t-il avec le même ton étrange.

— Oui.

Il secoua lentement la tête… et je remarquai que, pendant notre discussion, il avait perdu ses traits lupins et son visage était redevenu totalement humain. Un rayon de lumière qui filtrait par la fenêtre fit luire ses yeux de nouveau bruns et la commissure de ses lèvres se releva.

— Est-ce que tu as idée d'à quel point je t'aime ?

— Assez pour bien vouloir de mes excuses ? suppliai-je d'une toute petite voix.

— Bon sang, non, dit-il en se redressant et en s'avançant à grands pas vers moi.

Quand il arriva devant moi, il leva les mains et toucha le côté de mon cou du bout des doigts, comme si j'étais un objet fragile.

— Pas d'excuses de ta part, me dit-il d'une voix si douce que mes genoux se transformèrent en coton avant que je fonde complètement. Déjà, comme je l'ai fait remarquer : tu ferais le même choix si tu y étais de nouveau confrontée, pas vrai ? Alors les excuses, ça ne sert à rien. Deuxièmement, tu n'aurais jamais pu agir autrement, avec ta personnalité. Et comme je t'aime comme tu es, pour cette personnalité entre autres, ça ne serait pas logique que je t'en veuille parce que tu te comportes normalement. Compris ?

— Tout le monde ne voit pas les choses ainsi, dis-je en me collant contre lui, hanches contre hanches.

Il rit doucement, et le son fit courir un frisson d'aise tout le long de mon corps.

— Ouais, bon, je ne promets pas que mes réactions seront toujours logiques, non plus.

Il jeta un regard penaud à mon comptoir défoncé et à la caisse qui reposait sur son flanc.

— Surtout au premier abord, poursuivit-il en cessant de sourire. J'ai cru que tu essayais de me quitter.

— Je suis peut-être idiote, lui répliquai-je en collant le nez sur la cravate de soie, mais pas à ce point. Tu es à moi et je ne vais certainement pas te laisser m'échapper, à présent. (Il me serra presque douloureusement contre lui.) Alors, pourquoi n'as-tu pas dit à Bran ce qu'il en était exactement de Samuel ? lui demandai-je. J'étais certaine que tu étais obligé de le lui dire. Tu n'as pas prêté serment avec ton sang à ce propos ?

— Si tu m'avais appelé hier soir pour me dire ce qu'il en était, j'aurais prévenu Bran… et moi-même exécuté Samuel. Mais… vu ce qui s'est passé ce matin, il semble à même de se maîtriser. Il mérite un sursis. (Il avait légèrement desserré son étreinte et il la raffermit encore plus qu'avant.) Si quelque chose comme ça m'arrive… appelle Bran et éloigne-toi de moi aussi vite que possible. Mon loup n'est pas comme celui de Samuel. (Il jeta un autre regard lugubre au comptoir.) Si je pète les plombs… contente-toi de rester loin de moi jusqu'à ce qu'on me tue.

Chapitre 6

Une fois tout le monde parti, Adam posa le fusil fae sur la banquette arrière de son 4x4.

—Je vais voir si je ne peux pas trouver une piste grâce au numéro de série, dit-il. La manière dont elle l'a laissé derrière elle laisse entendre qu'elle ne craint pas d'être retrouvée à cause de lui, mais ce serait idiot de ne pas vérifier.

—Sois prudent, lui répondis-je.

—Ma douce, répliqua-t-il en se penchant pour m'embrasser, je suis toujours prudent.

—Qu'est-ce que tu me donnes pour que je veille à sa sécurité ?

Ce n'était pas tant ce que Ben avait dit que la manière dont il l'avait dit : je ne sais comment, mais il avait réussi à rendre sa question suggestive. Adam lui décocha un regard perçant auquel Ben répondit par un sourire impénitent avant de grimper sur le siège passager du 4x4.

—J'étais sur le chemin d'un chantier quand j'ai été averti que quelque chose se passait, reprit Adam. Il faut que j'y retourne.

—Pas de problème, le rassurai-je. Je vais fermer. Je ne pense pas pouvoir faire quoi que ce soit ici aujourd'hui, de toute façon.

Il ouvrit sa portière et détourna le visage.

—Je suis désolé pour ton comptoir.

J'avançai de quelques pas jusqu'à ce que mon nez se retrouve collé contre son dos et l'entourai de mes bras.

— Je suis désolée pour plein de choses. Mais je suis heureuse de t'avoir.

Il posa ses mains sur les miennes et les serra.

— Moi aussi.

— Oh, prenez une chambre ! s'exclama Ben de l'intérieur du véhicule.

— Va te faire voir, répliqua Adam en se tournant pour m'embrasser, avant de se mettre au volant.

Sam et moi les regardâmes s'éloigner.

Je fis un arrêt pour acheter dix sandwichs avec double dose de rosbif et de fromage. Puis je pris la Golf et allai manger dans le parc au bord de la rivière, du côté de Kennewick. Il ne neigeait pas encore, mais c'était une journée morne et froide et, en dehors de quelques coureurs qui passaient au loin et d'un cycliste à l'air motivé, nous étions seuls. Je mangeai la moitié d'un sandwich, arrosé d'une bouteille d'eau, et Sam dévora le reste.

— Bon, Sam, dis-je quand nous eûmes tous deux terminé notre repas, qu'est-ce que tu as envie de faire, aujourd'hui ?

Il me jeta un regard brillant d'intérêt, ce qui ne m'aida pas vraiment.

— On pourrait aller courir, proposai-je en jetant les restes de notre pique-nique dans la poubelle qui se trouvait à côté de la Golf.

Il secoua la tête d'un air insistant.

— C'est pas une bonne idée, de chasser ? m'étonnai-je. J'aurais cru que ça t'aiderait à te détendre.

Il retroussa les babines et montra les crocs, puis claqua des mâchoires cinq fois, de plus en plus vite, de plus en plus sauvagement. Puis il s'interrompit et redevint parfaitement calme, en dehors du fait qu'il était essoufflé et que je voyais luire dans son regard une faim profonde alors même qu'il venait de descendre neuf sandwichs et demi.

— OK, finis-je par dire après un moment d'hésitation, le temps de m'assurer que ma voix ne tremblait pas, c'est pas une bonne idée. Je comprends le message. On va faire quelque chose de calme.

J'ouvris la porte passager pour le laisser entrer dans la voiture et aperçus le colis enveloppé d'une serviette sur la banquette arrière.

— Et si tu m'aidais à rapporter un bouquin à quelqu'un ? demandai-je.

Le quartier grouillait de monde venu faire son shopping du week-end, et je dus me garer à bonne distance de la librairie. Je laissai Sam descendre de la voiture et il s'immobilisa à peine sur le sol. Au bout d'une seconde, il colla sa truffe au bitume... mais ne sembla pas trouver ce qu'il cherchait, puisqu'il releva la tête et prit une grande inspiration.

Mon odorat est plus fin que celui d'un humain ordinaire, même s'il n'est pas aussi aiguisé que quand je suis sous forme de coyote. J'inspirai à mon tour, mais il y avait trop de gens, trop de voitures pour que je puisse détecter ce qui avait fait tiquer Sam.

Celui-ci s'ébroua et me jeta un regard que je ne pus déchiffrer avant de remonter dans la Golf. Il s'aplatit entre les deux sièges avant, posant son museau sur le côté conducteur.

— J'imagine que ça veut dire que tu restes ici ? demandai-je.

Ça ne devait pas être quelque chose de dangereux, car il ne me laisserait pas y aller seule : Sam le loup avait toujours été encore plus protecteur que Samuel envers moi.

Peut-être y avait-il un autre loup-garou dans les environs. Ce serait logique que Sam veuille éviter d'en croiser. Je pris une nouvelle inspiration mais une fois de plus ne décelai aucune odeur connue ; de toute façon Samuel avait un meilleur odorat que moi.

Je poussai sa queue et refermai la portière, avant de récupérer le livre à l'arrière… et de changer d'avis. Le voisin de Phin avait beau être un fae un peu bizarre, ça ne signifiait pas qu'il y avait vraiment quelque chose qui clochait. Mais c'était néanmoins possible, et avec Sam à l'avant, le livre serait en sécurité dans la voiture. Si Phin était bien à la librairie, alors je retournerais le récupérer. Et si j'y trouvais son voisin ou qui que ce soit d'autre, j'aviserais.

— Je laisse le bouquin à l'arrière, dis-je à Sam. Je reviens tout de suite.

Depuis que nous avions quitté le parc, la température avait substantiellement baissé et le vent s'était levé. Mon léger blouson n'était pas adapté à ce temps humide. Je jetai un coup d'œil au ciel gris : s'il pleuvait ce soir et que la température descendait encore un peu, on serait bons pour du verglas. Le Montana a beau avoir des routes escarpées particulièrement traîtresses par temps de neige, ça n'était rien comparé aux Tri-Cities, quand le verglas transformait les pavés en véritable patinoire.

Je traversai le parking au petit trot et manquai de me faire renverser par une Subaru reculant sans que son conducteur juge utile de regarder dans le rétroviseur. Je gardai l'œil ouvert à la recherche d'autres imbéciles du même genre et de ce fait ne me rendis pas compte avant d'arriver en sécurité sur le trottoir qu'une femme aux cheveux gris se trouvait derrière le comptoir de la librairie. J'eus un soupir de soulagement : ce n'était pas le voisin bizarre.

Je levai la main vers la poignée et m'aperçus que le panneau « Fermé » était toujours dans la vitrine, mais avec un détail supplémentaire : quelqu'un y avait scotché un morceau de papier et ajouté au feutre noir : « Jusqu'à nouvel ordre ».

J'hésitai un instant et la femme leva la tête, sourit, et s'approcha de la porte, qu'elle déverrouilla avant de l'ouvrir.

— Bonjour, ma chère, dit-elle. Je crains que nous soyons fermés aujourd'hui. De quoi aviez-vous besoin ?

C'était une fae. Je le sentais : une odeur de forêt, de terre et de magie, avec une touche de brûlé, d'air et d'eau salée. Je n'avais jamais rien senti de tel, et j'avais pourtant rencontré deux des Seigneurs Gris qui gouvernaient les faes.

La plupart des faes sentaient l'un ou l'autre des éléments qui, selon les alchimistes, constituaient l'univers : terre, air, feu et eau. Jamais plus d'un. Sauf pour cette femme.

Elle me regarda avec un sourire dans ses yeux noisette pâle.

— Phin est-il dans le coin ? demandai-je. Qui êtes-vous ? Je ne crois pas vous avoir jamais vue ici.

Je n'étais pas une habituée. Si ça se trouvait, elle travaillait tous les jours avec Phin. Mais j'étais prête à parier que ce n'était pas le cas. Si elle travaillait ici, alors j'aurais senti son odeur la première fois où j'étais venue. C'était le genre d'empreinte qu'on n'oubliait pas.

Il y a beaucoup de choses qui me terrifient, les vampires, par exemple. Et depuis que je les connais un peu mieux, ils me fichent la trouille encore plus qu'avant. Je sais qu'ils peuvent me tuer. Mais j'en ai moi-même tué un et j'ai aidé à en tuer deux autres.

Les faes, eux…

Dans les films d'horreur les plus terrifiants, on ne voit jamais ce qui tue les gens. Je pense que c'est parce que l'inconnu est bien plus effrayant que tout ce que n'importe quel maquilleur ou spécialiste des effets spéciaux peut inventer. Les faes étaient ainsi, dissimulant leur vrai visage sous une apparence différente, conçus pour se fondre dans la race humaine et cacher leur véritable nature.

Par exemple, cette dame aux allures de gentille grand-mère était peut-être une créature qui se nourrissait d'enfants perdus dans les bois ou des jeunes hommes qui pénétraient dans sa forêt. Bien sûr, elle pouvait aussi être la fae inférieure et douce dont elle avait l'air. Mais je n'y croyais pas vraiment.

J'étais moins idiote que Blanche-Neige : si elle me proposait une pomme, je la refuserais.

Elle ne prit pas la peine de répondre à mes questions (les faes ne donnent jamais leur véritable nom) et dit :

— Êtes-vous l'une de ses amies ? Oh ! Vous tremblez ! Je pense que ça ne poserait aucun problème si vous entriez vous réchauffer un peu. Je suis juste venue mettre un peu d'ordre dans la comptabilité en l'absence de Phin.

— Son absence ?

Je n'avais nulle intention d'entrer seule avec elle dans cette boutique. Au lieu de cela, je la bombardai du genre de questions que n'importe quel client… OK, n'importe quel client légèrement obsessionnel, poserait.

— Où est-il ? Savez-vous comment je peux le contacter ? Pourquoi le magasin est-il fermé ?

Elle sourit.

— J'ignore où il se trouve en ce moment.

Nouvelle manœuvre d'évitement : elle pouvait par exemple savoir qu'il se trouvait dans la cave, mais pas l'endroit exact où il se tenait.

— Il me le dira probablement quand il trouvera le temps de m'appeler, poursuivit-elle. Quel nom devrai-je lui donner quand je lui parlerai de vous ?

Je croisai son regard candide et sus que Tad avait raison d'être inquiet. Tout ce que j'avais, c'était le numéro de Phin qui ne répondait pas, un voisin antipathique et la librairie fermée... mais tous mes instincts me hurlaient que quelque chose clochait. Sérieusement.

Je ne le connaissais pas très bien, mais je l'aimais bien. Et, si je devais me fier au coup de fil reçu par Tad, ce qui lui était arrivé avait un lien avec le livre que je lui avais emprunté. Ce qui impliquait que c'était ma faute. Peut-être que, si je n'avais pas gardé ce livre pendant tout le mois passé, il serait actuellement sain et sauf au comptoir de sa librairie.

Je décochai un sourire poli à la vieille femme.

— Ne vous en faites pas. Je repasserai une autre fois.

Elle claqua des doigts.

— Attendez un instant ! Mon petit-fils m'a dit qu'il avait prêté un livre de grande valeur à une charmante jeune femme qui devait le lui rapporter ces jours-ci.

Je haussai les sourcils.

— Ah ! Moi, je suis à la recherche d'un premier tirage britannique de *Harry Potter à l'école des sorciers*.

Ce n'était pas vraiment un mensonge. Ce serait intéressant de voir l'objet, et je n'avais rien dit quant à mon intention de l'acheter. J'ignorais si les faes étaient aussi forts que les loups-garous pour savoir si l'on mentait, mais le simple fait qu'il y ait une telle prohibition envers le mensonge parmi les faes laissait supposer qu'il existait un moyen de le détecter à coup sûr quand cela se produisait.

— Il ne m'a rien dit à ce propos, répondit-elle d'un ton soupçonneux, comme s'il était évident qu'il lui en aurait parlé.

Mais en ne contestant pas mon observation sur le fait que je ne l'avais jamais vue auparavant, elle avait confirmé mes soupçons : elle ne travaillait pas ici d'ordinaire.

— J'imagine que ça va lui prendre un certain temps, reconnus-je. Je suis juste passée voir où il en était. Je repasserai un autre jour.

Je réussis de justesse à retenir le « merci » qui avait failli m'échapper et au lieu de ça, conclus par un « À bientôt ! » accompagné d'un salut de la main.

Je sentis son regard planté dans mon dos alors que je m'éloignais entre les rangées de voitures et me félicitai d'avoir garé la voiture assez loin du centre commercial. Sam releva la tête juste assez pour que je puisse m'asseoir, mais resta aplati sur le siège, totalement invisible de l'extérieur. Il se cachait.

Je lui décochai un regard intrigué, puis, alors que je passais devant la librairie, jetai un coup d'œil dans la vitrine. La femme était retournée derrière le comptoir et s'était plongée dans ce qui ressemblait bien à un livre de comptes.

Les coïncidences se produisaient beaucoup moins souvent dans la vie réelle que dans les films.

— Sam, est-ce que tu essaies de te cacher d'une fae ? demandai-je. Une fae qui sent tous les éléments à la fois ?

Il releva brièvement le menton avant de le baisser légèrement.

— C'est une gentille ?

Il fit un mouvement qui pouvait aussi bien vouloir dire oui que non.

— On peut s'attendre à des ennuis ?

Il eut un grognement décidément affirmatif.

— Flûte.

Je m'arrêtai à une station essence, garai la voiture et appelai Warren, le second lieutenant d'Adam et un très bon ami.

— Salut Warren, dis-je quand il répondit. Kyle a-t-il un coffre-fort dans la monstruosité où il vit ?

J'aurais toujours pu mettre le livre dans le coffre d'Adam, et si ce n'était pas des faes qui le cherchaient, me sentir relativement en confiance de le savoir bien caché parmi les loups-garous. Mais le coffre du petit ami humain de Warren me semblait encore plus sûr du simple fait que personne ne s'attendrait à l'y trouver.

— Plusieurs, répondit Warren sur un ton ironique. Je suis certain qu'il serait ravi de t'en prêter un. Tu as des documents compromettants à dissimuler, Mercy ?

J'entendais du bruit derrière lui, des voix et le genre de sons qui résonnaient dans un très grand bâtiment.

— Ce serait génial, non ? remarquai-je. Combien penses-tu qu'Adam serait prêt à payer pour éviter qu'une vidéo porno de lui finisse sur internet ?

Warren s'esclaffa.

— Ouais, répondis-je tristement, je pense pareil. Bon, je renonce donc à devenir riche ainsi ; le chantage, ça ne paie pas avec certaines personnes. Est-ce que toi ou Kyle pourriez être chez lui, si on passait d'ici à un quart d'heure ?

— Je suis de garde pour le moment, mais je pense que Kyle est chez lui. Tu as son numéro de portable ?

Warren travaillait pour son petit ami… Oui, je sais, c'est un peu délicat, comme situation, mais on ne pouvait pas dire que Warren gagnait bien sa vie quand il travaillait au supermarché. Kyle avait fait appel à certains contacts, probablement glissé un billet à qui de droit et peut-être même fait chanter certaines personnes, et obtenu une licence de détective privé pour Warren. Depuis, celui-ci menait de discrètes enquêtes et protégeait les clients du cabinet d'avocats de Kyle.

— Oui, je l'ai, répondis-je. T'es où, là, à Wal-Mart ?

— Non, chez le primeur. Wal-Mart, c'était il y a une heure.

— Mon pauvre chéri, compatis-je.

— Non, répondit-il d'une voix douce. Je fais quelque chose d'utile. Cette femme mérite de pouvoir se sentir en sécurité… le problème, c'est que la plupart des gens sont convaincus que c'est moi qui lui ai fait son œil au beurre noir.

— Tu es fort, répondis-je, cette fois d'un ton moins compatissant. Ce ne sont pas quelques regards méchants qui vont te faire peur.

En tant que loup-garou homosexuel âgé d'une bonne centaine d'années, Warren avait eu le temps de se bâtir une sacrée cuirasse. Pas grand-chose ne l'atteignait en dehors de Kyle.

— J'en suis presque à espérer que son futur ex se montrera, me confia-t-il à mi-voix, probablement pour que sa protégée ne l'entende pas. J'aurais très envie de faire plus amplement sa connaissance, si tu vois ce que je veux dire.

La maison de Kyle Brooks se trouvait sur les hauteurs de Richland Ouest, dans les beaux quartiers. Elle était énorme et pourtant sa conception était étrangement subtile : au milieu des autres villas, elle donnait l'impression d'un félin agile au milieu d'une meute de caniches. Question taille, elle n'avait rien à envier à ses voisines, mais elle s'intégrait de manière beaucoup plus convaincante à son environnement désertique. La carrière d'avocat spécialisé dans les divorces était très lucrative, tout du moins celle de Kyle.

Je garai la Golf dans la rue, ouvris la portière pour Sam et me penchai pour récupérer le livre… et la canne qui était apparue à côté de lui.

— Coucou, lui murmurai-je.

Je ne ressentis ni magie ou ni même chaleur quand je l'attrapai, mais elle semblait parfaitement à sa place au creux de ma paume.

Je refermai la portière de la Golf d'un coup de hanche et me dirigeai d'un pas vif vers la porte de Kyle. L'existence du livre avait pris une tout autre dimension du moment où la vieille femme de la librairie l'avait mentionnée. Je décidai donc de le tenir à deux mains et, pour cela, glissai la canne sous mon bras.

Mais arrivée devant la porte, je me retrouvai donc dans l'incapacité de sonner.

Sam vit le dilemme auquel j'étais confrontée et glissa une de ses griffes dans l'anneau de la sonnette. Kyle devait être à la porte, comme il me l'avait promis lorsque nous avions parlé au téléphone un peu plus tôt, parce que, quand il ouvrit, il se retrouva face aux crocs de Sam.

Il n'eut même pas un mouvement de recul. Au lieu de ça, il se déhancha, avança ses lèvres en une esquisse de baiser, réussissant à transformer son jean et un simple débardeur violet en véritable tenue de courtisane.

— Salut, chéri, susurra-t-il à Sam. Je suis certain que tu es super canon sous forme humaine, pas vrai ?

— C'est Sam, intervins-je d'un ton sarcastique. (Et même si je savais que ça ne ferait que créer des problèmes, je ne pus m'empêcher lui glisser un autre avertissement, parce que je l'appréciais vraiment :) Il faut vraiment faire attention avec qui tu flirtes, quand il s'agit des loups-garous. Tu risques d'obtenir des résultats bien au-delà de tes attentes.

Kyle pouvait être extrêmement revendicatif : normal, pour un homosexuel, quand on a été déshérité par ses parents et qu'on a vécu toute sa vie dans un milieu particulièrement conservateur. Il pouvait devenir un véritable artiste en matière de malveillance et d'injure quand il pensait que ça déstabiliserait ceux qui désapprouvaient son style de vie. Heureusement pour moi, il ne se méprit pas quant au sens véritable de mon avertissement.

D'une voix totalement différente, il me répondit :

— Moi aussi, je t'aime, Mercy. (Il abandonna totalement son personnage séducteur avec une rapidité qui aurait rendu jaloux un acteur oscarisé.) Salut, Samuel. Désolé, je ne t'avais pas reconnu avec tous ces poils. (Il jeta un regard à ce que je tenais.) Tu veux mettre une serviette de toilette au coffre ?

— Ce n'est pas n'importe quelle serviette, répliquai-je en me glissant entre lui et la porte. C'est celle qui a servi à essorer les cheveux d'Elvis lors de son dernier concert.

— Oooh ! commenta-t-il en s'effaçant pour laisser le passage à Sam. (Il ferma la porte puis, après une légère hésitation, tourna le verrou.) Dans ce cas, il faut vraiment la mettre en lieu sûr. Que penses-tu du coffre principal avec un système de protection dernier cri ? Ou préfères-tu quelque chose de plus discret ?

— La discrétion, c'est très bien.

Je ne pensais pas qu'un système de surveillance hyper sophistiqué puisse repousser un fae.

Kyle ouvrit le chemin, gravissant l'escalier, et traversa sa bibliothèque, dont un côté était rempli de beaux livres de droit reliés de cuir et l'autre de vieux livres de poche, avec en particulier les œuvres complètes de Nora Roberts. J'avançai de deux pas, puis m'immobilisai devant la bibliothèque.

Si les faes étaient effectivement à la recherche du livre et qu'ils avaient un moyen de déceler l'endroit où il se trouvait, ils l'auraient déjà récupéré. Au lieu de ça, il venait de passer près de deux jours dans ma Golf, simplement enveloppé d'une serviette de toilette.

Kyle aussi revint sur ses pas et regarda la bibliothèque.

— C'est un livre, c'est ça ? Et tu penses à le cacher à l'endroit le plus visible possible ? (Il secoua la tête.) On peut faire ça, mais si quelqu'un est à la recherche d'un livre, le premier endroit où il cherchera, en dehors du coffre principal, c'est justement la bibliothèque. J'ai une meilleure idée.

Je le suivis dans une chambre. Les murs étaient peints d'un bleu foncé éclaboussé de taches noires, et les lits jumeaux étaient recouverts d'un duvet à l'effigie de Thomas le Petit Train roulant vaillamment sur ses rails. Pas le genre de chose que je m'attendais à voir chez Kyle. Je savais qu'il ne recevait jamais de visites de sa famille : ça ne pouvait donc pas être pour un neveu. Kyle traversa la chambre et alla dans la salle de bains. Je l'imitai, suivie par le bruit des griffes de Sam sur le sol en ardoise.

Thomas était aussi le roi dans la salle de bains. Un support de brosses à dents en forme de locomotive trônait sur le lavabo et des serviettes à l'effigie du Petit Train et de ses amis pendaient de barres murales en forme de rails.

Kyle ouvrit un placard à côté du lavabo et révéla deux étagères vides et une pleine de serviettes de couleurs assorties.

— Donne-moi ça, dit-il, et je lui tendis le livre.

Il s'agenouilla par terre, déplia la serviette, remit le livre bien droit, et replia la serviette à l'identique de celles dans le placard. Il me le rendit et je le glissai au bas d'une des piles.

Kyle jeta un regard critique à mon œuvre et redressa la pile. La serviette du livre se confondait parfaitement avec les autres.

Une chose qui prétendait en être une autre.

Pour une raison inconnue, je repensai à l'incident du matin avec le chasseur de primes. Le chasseur de primes… et la fae armée d'un fusil chargé de balles en argent, exactement comme l'était le pistolet de Kelly Heart. Parce que ce dernier chassait le loup-garou.

Peut-être… Peut-être que ce n'était pas ce que la fae chassait, elle. Adam avait suggéré que ces munitions d'argent n'avaient peut-être été utilisées que pour correspondre à celles de Heart et que la cible pouvait être n'importe lequel d'entre nous, pas nécessairement un loup-garou. J'avais d'abord pensé qu'il disait ça pour détourner mon attention de lui et faire en sorte que je ne m'inquiète pas. Et s'il avait eu raison ? Si c'était après moi que les faes en avaient ?

J'étais probablement en pleine crise de paranoïa. Le monde ne tournait pas autour de moi, après tout. Ce n'était pas parce que, dans la dernière année, des vampires, des loups-garous et des faes en avaient voulu à ma peau que c'était le cas actuellement. La vieille femme de la boutique ne savait pas qui j'étais. Or, j'imaginais que, si les faes voulaient ma mort, elle m'aurait reconnue. Peut-être les faes étaient-ils prêts à tuer pour récupérer le livre que je venais de cacher dans la maison de mon ami. Warren n'était pas toujours là et Kyle n'était qu'humain. Peut-être était-ce une erreur de le laisser ici. Ou peut-être étais-je parano, à voir des conspirations là où il n'y en avait pas.

— Hé, Kyle ? le hélai-je.

Il se tourna vers moi.

— Ne prends aucun risque pour ce livre, lui ordonnai-je. Si on vient te le réclamer sous la menace, donne-le sans protester.

Il haussa un sourcil parfaitement épilé.

— Pourquoi ne le donnes-tu pas directement à ce « on », qui que ça puisse être ?

J'envisageai un certain nombre de réponses et finis par dire :

— C'est bien le problème : je ne sais pas qui est ce « on » et pourquoi il veut ce livre. J'ignore même s'ils le veulent vraiment.

J'étais probablement en train de réagir de manière un peu exagérée. Phin m'appellerait peut-être dans deux ou trois jours pour récupérer son livre. Et l'histoire avec le chasseur de primes était probablement ce qu'elle semblait être au premier abord : le coup d'une productrice avide de publicité. Et la fae armée était… Là, mon imagination me trahissait. Mais il pouvait tout à fait exister une explication qui n'avait rien à voir avec moi ni avec le livre.

Je n'arrivais pas à m'imaginer qu'on puisse me tuer sans autre forme de procès pour ce livre. N'essaierait-on pas de me contacter avant ? De me le demander ? Et éventuellement, de me menacer de tuer Phin si je refusais de le donner ?

À moins qu'on l'ait déjà tué.

— Ça va, Mercy ? s'inquiéta Kyle.

— Oui. Oui, ça va.

Nous étions en train de redescendre quand je cédai enfin à ma curiosité.

— Bon, OK. Qui de vous deux est le fan de Thomas le Petit Train : toi ou Warren ?

Kyle rejeta la tête en arrière et éclata de rire.

— On aurait peut-être dû le cacher dans la salle de bains de la chambre de la Princesse. Comme ça, tu m'aurais demandé lequel d'entre nous appréciait de dormir sous un baldaquin rose bonbon. (Il redevint sérieux.) J'ai souvent des invités, Mercy. Les divorces, ça peut vraiment tourner au vinaigre pour toutes les personnes concernées. La souffrance peut frapper ceux qui ne le méritent pas. Parfois, ces gens-là ont juste besoin de se sentir en sécurité… et s'il y a une piscine et un bain bouillonnant dans le jardin, c'est encore mieux.

Kyle cachait des gens chez lui, des gamins qui avaient besoin d'aide.

Sam poussa un grognement.

Je posai ma main sur son crâne, mais Kyle ne sembla pas s'apercevoir que la réaction de Sam était un peu exagérée, même de la part d'un loup qui adorait les enfants. Après tout, aucun d'entre eux n'était en danger à l'heure actuelle.

— Oui, approuva Kyle en reprenant sa descente, je suis d'accord, Samuel. C'est un vrai plaisir de les faire payer au tribunal, ce genre de mecs. (Il hésita un instant.) Ou de femmes, parfois. La violence n'a pas de sexe. Je t'ai déjà parlé de cette cliente qui avait mis à prix la tête de son mari ?

— Tu veux dire qu'elle avait engagé un tueur à gages ?

Il acquiesça.

— C'était une première pour moi aussi. Qui aurait cru que ça se passerait dans notre petite ville ? Le tueur a réussi du premier coup. Ils étaient mariés depuis trente-deux ans quand le mari s'est barré avec la copine de leur petit-fils. Apparemment, sa femme ne parvenait pas à se contenter d'un divorce et de la confortable pension que je lui avais obtenue. Elle s'est livrée à la police le jour même. Elle n'avait pas l'air de regretter quoi que ce soit. (Il s'arrêta devant la cuisine.) Tu veux manger un bout ?

— Je ferais mieux d'y aller, répondis-je. Je préfère éviter qu'on sache que je suis venue ici.

— Tu n'avais pas ta canne avec toi ? Tu l'as oubliée dans la salle de bains ?

Elle avait une fois de plus disparu. J'avais beau la porter à ce moment-là, je ne m'étais même pas rendu compte qu'elle s'était évaporée.

— Ne t'inquiète pas pour ça, le rassurai-je. Elle reviendra quand elle en aura envie.

Il me décocha un sourire ravi.

— Oh ! Oui, c'est vrai, Warren m'en a parlé. Ce truc te suit partout comme un petit chien, c'est ça ?

Je haussai les épaules.

— C'est plutôt cool.

Une fois arrivés à la porte, nous nous étreignîmes et il m'embrassa sur le front. Sam leva très sérieusement la patte comme un chien bien dressé et Kyle serra sans hésiter cette extrémité qui aurait pu appartenir à un lion vu sa taille.

— Prends soin de Mercy, dit-il à Sam. Je ne sais pas dans quoi elle se retrouve encore mêlée cette fois-ci, mais on dirait bien qu'elle a décidé de se faire surnommer miss Danger.

— Hé ! protestai-je.

Kyle me toisa de toute sa hauteur.

— Un bras cassé, un traumatisme crânien, une cheville foulée, des points de suture, un enlèvement… (Il laissa retomber sa voix.) Et ce n'est qu'une partie de la liste, n'est-ce pas ? Arrange-toi pour garder Samuel ou n'importe qui d'autre à tes côtés jusqu'à ce que tout s'arrange. Je n'ai aucune envie d'assister à tes funérailles, chérie.

— D'accord, lui dis-je en espérant qu'il se trompait. Je ferai attention.

— N'hésite pas à nous dire, à Warren et moi, si tu as besoin de quoi que ce soit d'autre, d'accord ?

Je me dirigeai vers le grand centre commercial de Kennewick tout simplement parce que je n'avais pas la moindre envie de me retrouver dans un endroit isolé… et que je voulais appeler Tad. Je dus me garer au diable vauvert parce que c'était le seul endroit où il y avait des places en ce samedi après-midi. Mais j'étais aussi peu isolée qu'il était possible de l'être. Je composai le numéro de Tad.

— Salut, Mercy, dit-il. Papa m'a dit que tu avais failli être impliquée dans un règlement de comptes à OK Corral.

— En effet, répondis-je, mais je vais te raconter toute ma journée, je suis curieuse de voir ce que tu en penses.

Je lui rapportai donc les événements les uns après les autres, me contentant de laisser de côté le moment où j'avais caché le livre.

Quand j'en eus terminé, il y eut un silence pendant lequel Tad réfléchissait à ce que je venais de lui dire. Puis il demanda :

— Mais de quoi il parle, ce bouquin, exactement ?

— C'est un livre à propos des faes, écrit par un auteur fae, répondis-je. Je ne pense pas qu'il ait quoi que ce soit de magique, ou en tout cas, je ne ressens rien, et en général j'ai tendance à y être sensible. Il y a beaucoup d'informations dedans, et pas mal de contes de fées réécrits d'un point de vue différent. (Je ne pus m'empêcher de rire.) J'ai une tout autre vision du *Nain Tracassin* à présent, et je pense ne plus jamais pouvoir relire *Hansel et Gretel*.

— Rien de choquant ?

— Pas dans ce que j'ai lu. La plupart des histoires font déjà partie du folklore, même si c'est mieux organisé ici. En particulier, il y a des détails intéressants concernant les diverses espèces de faes et leurs artefacts. J'imagine qu'il peut y avoir quelque chose de choquant dans la partie que je n'ai pas encore lue… ou dissimulé par un sort, un code secret. De l'encre invisible, peut-être ?

Mon imagination m'abandonna.

— Laisse-moi en parler à papa, dit Tad. Je n'arrive pas à croire que ce vieux bouquin éveille tant de convoitise. Certes, il a une grande valeur… et je pense qu'on doit vouloir à tout prix le garder hors de portée des humains. Mais ça ne serait pas si désastreux, si tout ce qu'il comporte, ce sont des contes de fées disponibles un peu partout…

Attends un instant. (Il hésita.) La vieille dame, dans la librairie, ça n'aurait pas pu être la grand-mère de Phin ?

— Sa grand-mère ? Elle était plus âgée que lui, mais pas tant que ça, non plus. Phin doit avoir… (Je me rendis compte que j'étais incapable de lui donner un âge. Mais c'était un adulte, au moins trentenaire, qui aurait même pu être un quinquagénaire bien conservé.) Enfin, cette femme devait avoir la soixantaine, pas plus.

Tad toussota.

— Si c'est une fae, Mercy, son âge apparent n'a aucune importance.

— Phin n'a pas beaucoup de sang fae, rétorquai-je, car j'en étais certaine. Or cette femme était une fae du genre traditionnel, avec la puissance d'un Seigneur Gris.

Tad éclata de rire.

— Celle qu'il appelle sa grand-mère est plus probablement son arrière, arrière, arrière… ajoutes-en encore une bonne poignée et on approchera de la vérité. Il m'a raconté une fois que, lorsqu'il était enfant, elle a fait fuir une bande de faes qui le trouvaient trop humain… ou peut-être qui trouvaient insupportable que cet humain ait un peu de sang fae. Après cet épisode, elle lui a régulièrement rendu visite jusqu'au moment où elle s'est contentée de prendre des nouvelles par téléphone.

— C'est donc une gentille ? Tu penses qu'il faudrait que je lui parle du livre et que je lui demande où se trouve Phin ?

— J'ignore s'il y a des gentils et des méchants dans cette histoire, Mercy, répondit-il. Et je ne sais si la femme que tu as vue est bien la grand-mère de Phin ou un des Seigneurs Gris. Et même si c'était bien elle… rien ne garantit qu'il soit prudent de lui parler. Les faes ne sont pas humains, Mercy. Certains pourraient manger leurs enfants sans une once de colère ou de regret. Le pouvoir les motive beaucoup plus que l'amour… et je ne sais même pas s'ils sont capables d'amour. Certains sont si seuls… tu n'as pas idée. Je vais appeler papa, puis je te rappelle.

Il raccrocha.

— Eh bien, demandai-je à Sam, tu as eu ta dose de sensations pour la journée ? Tu veux rentrer à la maison ?

Il leva les yeux vers moi et je m'aperçus que lui aussi était fatigué. Plus fatigué qu'il aurait dû l'être après une journée passée en voiture. *Il est triste*, pensai-je soudain.

— Ne t'en fais pas, le rassurai-je en plaquant mon front sur sa nuque. Ne t'en fais pas, on va trouver des réponses pour toi aussi.

Il poussa un soupir et se tortilla jusqu'à ce que son museau se retrouve sur mes cuisses. Je conduisis dans cette position jusqu'à la maison.

Je nous concoctai un pain de viande avec plein de piments *jalapeños* et des tonnes de poivrons. Après une nuit de repos au réfrigérateur, ce truc pouvait causer des cloques au palais si on ne faisait pas attention.

Mon téléphone sonna et je regardai le numéro affiché. Je pris le temps de régler la minuterie du four et finis par céder.

— Salut, Bran.

— Tu joues avec le feu, dit-il d'un air las.

— Comment as-tu deviné que j'étais en train de faire le pain de viande de Samuel ?

— Mercedes.

— Tu es censé nous laisser du temps, lui rappelai-je.

Mon estomac fit un bond. J'avais besoin de plus de temps pour prouver que Sam pouvait garder son calme.

— J'aime mon fils, répondit Bran, mais je t'aime aussi, toi.

J'entendis tout ce qu'il n'avait pas formulé. Il avait déjà choisi son fils à mon détriment, ou en tout cas, c'est ainsi qu'il voyait les choses. Et c'est probablement ainsi que je les avais vues à l'époque.

—Il ne me fera aucun mal, lui assurai-je en regardant Sam droit dans les yeux.

Il se raidit et je m'empressai de baisser le regard, même s'il ne m'avait pas contrainte à le faire depuis hier. En général, une fois que le loup savait que vous le considériez comme le chef, ce genre d'affrontement ne se produisait que quand le dominant était contrarié.

—Tu ne peux pas le savoir.

—J'en suis certaine, répliquai-je. Un mec est arrivé dans le garage, a braqué son flingue sur lui, et il n'a pas attaqué, tout simplement parce que je le lui avais demandé, et parce qu'un enfant aurait pu prendre une balle perdue.

Il y eut un long silence.

—J'ai besoin que tu me dises exactement ce qui ne va pas, dit-il.

—Non, vraiment pas, l'interrompis-je. Parce que, si je te dis que c'est le loup de Samuel qui est aux commandes, alors tu seras obligé de le tuer.

Il ne répondit rien.

—Peut-être que tu pourrais te permettre d'être plus clément si ce n'était pas ton fils. Ou si, en tant que Marrok, tu n'avais pas obligé certains loups qui auraient probablement préféré rester cachés à révéler leur véritable nature. Cette décision t'a fait perdre pas mal de soutiens et tu ne t'en es pas encore totalement remis. Si tu te permets d'assouplir les règles… eh bien, tu ne perdras probablement pas ton titre, mais il risque d'y avoir pas mal de cadavres dans la bataille. Trop de cadavres pour pouvoir les cacher aux humains.

J'avais longuement réfléchi à tout ça.

Je laissai les implications de mes paroles flotter dans l'air un instant. Nous avions besoin de cette période d'essai d'une semaine pour justifier le sursis de Sam aux yeux des autres loups.

— Reste près de ton téléphone, ordonna Bran avant de raccrocher.

Sam me regarda et poussa un soupir, avant de s'allonger sur le flanc telle une grosse descente de lit.

Quand la sonnerie retentit de nouveau, c'était Charles, le frère de Samuel et le bourreau de Bran.

— Mercy ?

— C'est bien moi, répondis-je.

— Parle-moi de Samuel.

— Je ne risque rien ?

— Je ne peux pas te le dire tant que tu ne m'auras pas parlé, pas vrai ?

Est-ce qu'il essayait de faire de l'humour ? Avec Charles, je ne savais jamais sur quel pied danser. De tous les loups du Marrok, c'était son fils cadet le plus intimidant, en tout cas à mes yeux.

— Je voulais dire : pour Samuel.

— J'ai pour ordre, précisa-t-il avec un sourire froid dans la voix, de garder le contenu de cette conversation pour moi.

— D'accord, acquiesçai-je avant de m'éclaircir la voix et de raconter à Charles tout ce qui s'était passé, du moment où j'avais compris que Samuel avait tenté de se suicider à celui où Kelly Heart avait essayé d'arrêter Adam.

— Il a joué avec les gamines ? demanda Charles.

— Oui, je te l'ai dit. Maia lui a grimpé dessus comme sur un poney. C'est une bonne chose pour lui qu'elle n'ait pas eu d'éperons.

Toujours aplati au sol, Sam remua deux fois la queue. En dehors de ça, on aurait pu croire qu'il était endormi.

— C'est bon, ça, pas vrai ? demandai-je à Charles. Ça signifie qu'il a un peu de temps devant lui.

— Peut-être, répondit-il. Mercy, en ce qui concerne les loups-garous... nous avons tous des relations différentes avec notre loup.

D'habitude, Charles n'était pas très bavard, et quand il s'exprimait, c'était avec précision, comme s'il réfléchissait à deux fois à chaque mot qu'il prononçait. Bran donnait le même genre d'impression au téléphone, mais avec Charles, c'était aussi le cas en personne.

— Il faut voir les loups-garous un peu comme des frères siamois. Certains sont presque complètement séparés, ne partageant quasiment rien avec leur loup : deux entités dans le même corps. C'est comme ça que nous commençons tous. Quand le côté humain parvient à prendre le contrôle des opérations, le loup et l'humain arrivent à une sorte de trêve... non, ce n'est pas le mot exact. Une sorte d'équilibre, plutôt. Et de la même manière que notre âme humaine perd certaines qualités humaines, notre loup perd une partie de ce qui faisait de lui un loup.

— Alors, le loup de Samuel n'est pas vraiment dangereux ?

— Non ! s'empressa-t-il de me corriger, et je vis Sam relever la tête, se remettre sur le ventre et adopter une posture de sphinx. Ne pense jamais ça. Son être n'est plus complet : il n'a pas les capacités nécessaires pour diriger les opérations. Comme des frères siamois, lui et Samuel partagent le même cœur et le même cerveau. Et s'il réussit à arracher le contrôle complet à Samuel, ou si ce dernier le laisse vaincre, alors son cœur cessera de battre.

Je tombai à genoux et posai la main sur l'encolure de Sam, car la tristesse qui faisait vibrer la voix de Charles m'avait frappée en plein cœur.

—Je doute qu'il survive bien longtemps dans ces conditions, reprit-il. Tu m'entends, loup ?

Sam retroussa les babines et montra les crocs.

—Il t'entend, dis-je.

—Il se fatiguera plus rapidement que d'habitude, il aura plus souvent faim. Peu à peu, les chaînes que Samuel a forgées pour le maîtriser sauteront, et tout ce qu'il restera, ce sera une bête sauvage et affamée. Un jeune loup-garou entièrement contrôlé par son loup tue facilement et souvent, mais en général il y a une raison, même si c'est parce qu'il ne supportait pas l'odeur de sa victime. Ce qui restera de Samuel tuera et détruira tout ce qui l'entoure jusqu'à ce qu'il tombe raide mort.

—Comment le sais-tu ?

Charles n'avait pas plus de quelques centaines d'années. Il n'avait jamais vécu ailleurs que sous l'autorité du Marrok, et ce dernier tuait les loups qui perdaient les pédales. Mais il avait dit cela avec une certitude absolue.

—Disons que, comme toi, j'ai autrefois eu un ami que je souhaitais aider, et je l'ai caché dans un endroit où il ne pouvait rien faire de mal, loin des yeux de mon père. Et disons qu'il aurait été plus charitable de le tuer dès le début.

J'enfonçai mes doigts dans la fourrure de Sam.

—On a combien de temps devant nous ?

—Mon ami était vieux, mais pas autant que Samuel. Il a perdu toute humanité en l'espace de quelques jours, devenant léthargique et malade. J'ai cru qu'il était en train de nous quitter… mais c'est alors qu'il est devenu fou… (Il s'interrompit un instant.) Et puis il est tombé raide mort. Ça a duré moins d'une semaine. Je n'ai aucune idée de combien ça durera pour Samuel.

— Et s'il avait perdu les pédales au moment où le loup a pris les commandes, comme les jeunes loups, ç'aurait été plus encourageant, en fait ?

J'avais été si heureuse qu'il réagisse différemment.

— Alors, il aurait survécu jusqu'à ce que notre père lui mette la main dessus… mais tu n'y aurais pas survécu, pas plus que toutes les personnes qui se trouvaient à l'hôpital ce jour-là. C'est bien mieux ainsi, Mercedes. Mais ne lui fais pas confiance. Pas complètement.

— Est-ce que tu as une idée de comment je pourrais l'aider ?

— La première chose à faire, c'est de le convaincre de laisser Samuel reprendre les commandes, même un bref instant.

— Il veut survivre, dis-je à l'adresse des deux frères. C'est la raison pour laquelle il a fait son petit putsch. Si, pour ça, il doit laisser Samuel reprendre les commandes, il le fera.

Mon ton était empli d'une conviction que je ne ressentais pas vraiment, mais Sam poussa un soupir et geignit doucement.

— Alors, il faudra convaincre Samuel qu'il a envie de vivre.

— Et si je n'y parviens pas ? Si le loup le laisse reprendre les manettes, et qu'il veut toujours mourir ?

— Alors, le loup devra de nouveau lutter pour reprendre le pouvoir… sinon, mon frère mourra. (Charles laissa échapper un soupir étranglé.) Tout le monde finit par mourir, Mercedes. Cela prend juste plus de temps pour certains.

Chapitre 7

J'emmenai Sam avec moi lorsque je me rendis à la librairie ce soir-là, ce qui n'était pas très pratique.

J'imagine qu'on aurait très bien pu rester tous les deux à la maison, mais je voulais jeter un coup d'œil au magasin de Phin de l'intérieur. La femme m'avait semblé chercher quelque chose. Peut-être que je pouvais trouver de quoi il s'agissait. Peut-être que j'y trouverais Phin, en parfaite santé physique et morale. Et peut-être que ça m'éviterait de passer la nuit entière à me ronger les sangs à propos de quelque chose que je ne pouvais pas changer.

Je ne pouvais pas laisser Sam seul, pas après ma conversation avec Charles. Mais ce n'était pas le partenaire idéal pour une entrée par effraction.

Les gens ne remarqueraient pas une femme qui se baladait dans le centre commercial après l'heure de fermeture de la plupart des boutiques. Il n'était pas si tard que ça, à peine plus de 21 heures. La criminalité est assez négligeable à Richland, et la plupart des délits sont commis par des ados ou des membres de gangs. Sam…

Au volant de ma voiture, j'imaginai une hypothétique conversation.

Agent : « Dites-moi, vous avez vu quelque chose d'inhabituel hier soir ? »

Témoin : « Oh, oui, il y avait ce gros chien blanc, un truc énorme, vraiment d'un blanc éclatant, on aurait dit un phare dans la nuit. »

Ouaip. Sam ne facilitait pas vraiment les choses. Je me contenterais donc de faire comme si j'avais de très bonnes raisons de me trouver où j'étais et de croiser les doigts pour que personne n'appelle la police.

— J'ignore ce que j'espère trouver à la librairie, dis-je tout haut. Il y a peu de chances que j'y dégote un petit mot me disant où se trouve Phin, hein ? Mais bon, il faut bien commencer par quelque chose. Si on ne découvre rien, on pourra éventuellement tenter d'entrer dans son appartement. C'est mieux que de rester bêtement à la maison, pas vrai ?

En outre, la meute se réunissait chez Adam ce soir-là. Je savais pourquoi il avait organisé cette réunion : il voulait découvrir qui avait joué avec mon esprit. Il m'avait appelée pour m'en parler, et pour me conseiller de rester éloignée de la maison, vu qu'il n'avait pas eu l'occasion de m'apprendre à me défendre contre les invasions mentales des membres de la meute.

J'aurais dû lui désobéir et aller affronter mes ennemis. Mais ce genre de réaction n'était valable que face à des ennemis pouvant au pire me tuer : là, c'était différent.

— Je ne veux pas rester à la maison, à penser combien je suis lâche, expliquai-je à Sam. J'aurais dû aller chez Adam dès que je les ai vus arriver.

Il poussa un grognement.

— Mais la simple pensée qu'ils puissent me contraindre à faire quelque chose que je ne ferais jamais…

J'étais persuadée que ce n'était pas seulement le manque d'occasion qui avait empêché Adam de m'apprendre à protéger mes pensées. Il avait dit que, s'il avait su ce qui était en train de se passer, il aurait été en mesure de découvrir qui était derrière ces manipulations mentales. Je pense qu'il avait l'intention de pousser quelqu'un à la confession ce soir, mais que, s'il échouait, il attendrait de prendre le ou les coupables la main dans le sac... ou plutôt dans ma tête. Si c'était bien le cas, j'approuvais totalement l'intention, mais en même temps, je n'avais pas la moindre envie d'attendre que quelqu'un tente de me manipuler une nouvelle fois.

Je me garai dans une zone du parking où se trouvait un restaurant ouvert toute la nuit. Il n'y avait pas beaucoup de voitures, mais c'était suffisant pour que la Golf ne semble pas totalement isolée.

J'ouvris la portière pour Sam et il renifla l'air avec attention.

— Tu essaies de voir si tu sens la fae que j'ai vue aujourd'hui ?

Il ne me répondit rien et se contenta de s'ébrouer en me regardant avec des yeux pleins d'espoir, comme s'il était vraiment le chien pour lequel il se faisait passer. Était-il plus lent ? Portait-il sa queue plus bas qu'à l'habitude ? Ou est-ce que les paroles de Charles m'avaient rendue paranoïaque ?

Je l'observai attentivement et décidai qu'il s'agissait un peu des deux. Ce n'était pas parce qu'on était paranoïaque qu'on avait nécessairement tort. Il n'était plus aussi réactif, comme s'il lui fallait un peu plus de temps pour comprendre la signification des mots.

Je ne vis personne nous observer alors que nous traversions le parking, mais nous étions néanmoins parfaitement visibles. Tout ce que je pouvais faire, c'est prétendre que je n'étais pas en train d'entrer par effraction. Il me fallut deux longues minutes pour ouvrir le verrou, ce qui était à peu près une minute trente de trop à mon goût, surtout en tournant le dos au parking et à la rue très passante qui le longeait.

Je ne pouvais qu'espérer, que de loin, on penserait que j'étais en train de me battre contre une serrure récalcitrante plutôt que contre des crochets de serrurier. Il y avait un bar encore ouvert à trois boutiques de là, mais personne n'entra ni ne sortit pendant que je me débattais. Un coup de chance, le genre auquel je n'étais pas du tout habituée. Il allait vraiment falloir que je m'entraîne un peu en matière de crochetage de serrures.

La poignée tourna et je commençai à travailler le verrou du haut quand je me rendis soudain compte que la porte s'était ouverte lorsque j'en avais actionné la poignée. On n'avait pas fermé le verrou.

Je tins la porte à Sam et me glissai à sa suite par l'entrebâillement. Il ne pouvait pas refermer derrière lui et, si quelque chose d'inamical nous attendait à l'intérieur de la boutique, il était mieux armé que moi pour s'en occuper.

Je tournai le verrou et regardai autour de moi. Je vois très bien dans le noir, il n'était donc pas nécessaire d'attirer plus l'attention en allumant la lumière. Il faisait plus sombre dans le magasin qu'à l'extérieur, et les vitrines étaient teintées, il serait donc difficile à d'éventuels témoins extérieurs d'y voir autre chose que le reflet des lampadaires.

Au premier abord, je ne vis qu'une boutique bien rangée qui dégageait une odeur d'encens et de livres anciens. Le papier absorbe les odeurs les plus fortes, il n'était donc pas rare, dans une librairie, de percevoir des effluves de nourriture, de café ou de parfum. Je pris une profonde inspiration pour déterminer si des odeurs sortaient de l'ordinaire.

On pouvait dire que c'était le cas pour celles que je sentis : sang, rage et peur.

Je me figeai et emplis mes poumons plusieurs fois à la suite. Chaque fois, les odeurs devenaient de plus en plus fortes.

Le glamour des faes, une sorte d'illusion, est très efficace sur la vue, l'ouïe, le goût et le toucher. Il semble qu'il soit suffisant pour tromper un odorat humain, mais pas le mien. Au bout de trois inspirations, je perçus l'odeur âcre de bois brisé et celle proche de l'ammoniaque qui trahissait souvent l'usage de magie fae.

Je fermai les yeux, baissai la tête et laissai mon nez mener la danse. Mes oreilles se débouchèrent avec un « pop ! » et, quand je rouvris les yeux, les étagères emplies de livres parfaitement rangés avaient laissé place au chaos.

— Sam, chuchotai-je, même si je pense que personne ne m'aurait entendue si j'avais crié. (C'était un réflexe : nous n'étions pas censés être là, alors je parlais doucement.) Tu sens cette odeur de sang ? Il y a un glamour sur ce magasin. Tu peux voir au travers ? L'état dans lequel les faes ont laissé cet endroit ?

Il me regarda en tendant l'oreille, et parcourut la pièce des yeux. Puis, dans un mouvement soudain, il fit volte-face et planta ses crocs dans mon bras.

Si j'avais pensé qu'il pouvait m'attaquer, j'aurais peut-être pu l'esquiver ou me défendre d'une manière ou d'une autre. Au lieu de ça, je le contemplai fixement d'un air stupide alors que ses dents s'enfonçaient dans ma chair. Il me lâcha presque immédiatement, ne laissant derrière lui que deux trous bien nets, similaires à ceux qu'un vampire aurait pu me laisser, sauf qu'ils étaient trop gros et trop éloignés l'un de l'autre. Les vampires ont de plus petits crocs.

Une goutte de sang s'échappa de la première blessure, puis l'autre suivit, et le liquide rouge dégoulina le long de mon poignet. Sam en lécha toute trace, ne prêtant pas la moindre attention à mon couinement de protestation et à mon mouvement de recul.

Il parcourut de nouveau la boutique du regard pendant que je collais ma bouche à ma blessure : je ne voulais pas saigner en territoire ennemi. Les sorcières, par exemple, utilisaient sang, cheveux et autres parties du corps pour lancer leurs vilains sorts. Je ne pensais pas que ce soit le cas pour les faes, mais je ne voulais pas prendre de risque.

Je regardai sous le comptoir à la recherche de mouchoirs en papier et trouvai mieux : un kit de premiers secours. Pas aussi sophistiqué que le mien, mais assez pour avoir des compresses de gaze et du sparadrap.

Bien pansée et ne risquant donc plus de laisser tomber des gouttes de moi par terre, je revins vers Sam. Celui-ci se trouvait toujours là où je l'avais laissé, le regard braqué sur quelque chose que je ne parvenais plus à voir.

La morsure n'avait pas été très forte et je décidai de ne pas céder à la peur que Sam pouvait m'inspirer. J'avais le SIG de mon père adoptif dans mon étui d'épaule, plein de balles ordinaires très efficaces sur les faes… mais qui ne feraient rien d'autre qu'enrager un loup-garou. Je fis taire la voix de Charles dans ma tête et posai la main sur le cou de Sam. Je refusais d'admettre qu'il était en train de régresser au stade de tueur vicieux. Une morsure ne suffisait pas pour ça.

— Bon sang, Sam, pourquoi m'as-tu mordue ?

Si je lui criais dessus, c'est que je n'avais pas peur. Alors, je lui criai dessus.

Sam me coula un regard avant de faire glisser d'un mouvement de patte l'un des livres tombés des étagères. C'était une édition en tissu des *Enfants de Bambi*, de Felix Salten. Dans la version glamour de la boutique, il n'y avait eu aucun livre par terre. Il m'avait mordue pour une bonne raison : ne lui avais-je pas demandé s'il était lui aussi capable de voir au travers du glamour ? Visiblement, sa réponse, c'était cette morsure. Mon sang devait lui avoir permis de voir ce que je voyais, une sorte de magie par procuration ou un truc du genre.

— D'accord, me ravisai-je, c'est bon.

Je fis mon possible pour oublier que ni Samuel, ni Sam, mon ami, ne m'auraient mordue avec si peu de scrupules et me concentrai sur la librairie.

J'avais une assez bonne mémoire des odeurs, et j'isolai aisément celle de Phin. Si j'avais été à la recherche d'un agresseur humain, j'aurais été bien embêtée. C'était une librairie, et par définition, beaucoup de personnes différentes y passaient. Peu de faes en dehors de Phin, qui lui-même l'était à peine pour mon odorat. Néanmoins, il y avait eu récemment plusieurs faes ici, dont l'odeur n'avait pas été brouillée par le passage des clients.

— Je détecte Phin, la vieille femme de cet après-midi et trois autres faes, dis-je à Sam.

Celui se dressa sur l'une des bibliothèques qui s'étaient écroulées comme des dominos et en flaira l'arrière jusqu'à trouver ce qu'il cherchait. Il recula en m'invitant visiblement à jeter un coup d'œil à sa découverte.

Sans la toucher, j'approchai mon nez de la paroi en bois. Je sentis comme Sam l'endroit où quelqu'un avait posé une main chargée de magie et poussé le meuble.

— C'est l'un des trois, informai-je Sam. Un fae de forêt, je pense, il sent l'air et les plantes qui poussent.

Je suivis Sam et flairai, rampai sous des étagères, flairai de nouveau jusqu'à ce que nous obtenions une idée à peu près cohérente de ce qui s'était passé. Ça aurait certainement été plus facile si je m'étais transformée en coyote. Mais si quelqu'un arrivait, je parviendrais probablement mieux à m'expliquer et à faire en sorte que tout le monde reste calme.

Or, si je voulais éviter que Sam dévore quelqu'un, il nous faudrait beaucoup de calme.

J'avais de bonnes raisons de garder forme humaine, mais je savais que la vraie raison, c'était que, à cause de la morsure, je craignais que Sam ne se souvienne plus que j'étais son amie si je prenais l'apparence d'un coyote et non celle d'un humain capable de le lui rappeler.

— Bon, alors, dis-je en examinant une flaque de sang appartenant à Phin, ils sont arrivés par la porte, et le dernier a fermé le verrou derrière lui. On va l'appeler Petit Poisson, parce que c'est un fae aquatique. Ce doit être lui qui donne les ordres, parce que tous les dégâts ont été causés par les deux autres.

Le regard glacial de Sam me transperça et je détournai le regard, dans un salut d'épéiste : une manière de reconnaître son statut de grand méchant loup sans m'y soumettre. Cela dut lui suffire puisqu'il ne manifesta plus aucun signe d'agressivité.

Mais une fois encore, ces histoires de dominance, ce n'était pas quelque chose qui tracassait ordinairement Sam, en dehors des moments où il était contrarié ou rencontrait un loup pour la première fois. Quand on a été aussi longtemps le plus dominant, j'imagine qu'on ressent moins le besoin de le prouver sans cesse à tout le monde.

S'il ne m'avait pas mordue, je me serais contentée de baisser le regard, mais je n'avais plus confiance. Pas après son attaque. Je devais lui rappeler que j'étais la compagne d'un Alpha, une prédatrice, pas une proie.

Une semaine, avait dit Charles en se basant sur l'exemple d'un loup bien plus jeune que Sam. Je commençais à craindre qu'il ait été trop optimiste, ce que je n'aurais jamais imaginé pouvoir penser un jour de Charles. Combien de temps restait-il à Sam ?

— Petit Poisson agrippe le col de Phin et lui dit « On sait qu'tu l'as, bonhomme », dis-je en imitant Humphrey Bogart de mon mieux, avant de continuer ma reconstitution. Là, il fait un signe à ses lieutenants, que j'appellerai Géant Vert Un et Géant Vert Deux, parce que leur odeur me rappelle celle des haricots verts. Géant Un, Géante, d'ailleurs, me semble-t-il, pousse une étagère qui en entraîne plusieurs autres dans sa chute. (Je ne pouvais pas toujours deviner le sexe à l'odorat, mais Géant Vert Un était indéniablement femelle, et pas nécessairement très grosse, non plus.) Géant Deux est plus costaud. Lui, son étagère, il l'envoie valdinguer à travers la pièce et il en fracasse deux autres de manière nettement plus violente.

La bibliothèque lancée par Géant Deux gisait, brisée, sur le sol. Les événements se déroulaient comme un film dans ma tête, comme si tout s'était produit sous mes yeux… ou plutôt sous mes narines, avec un petit coup de main de mon imagination. Je crois qu'un loup-garou n'aurait même pas pu soulever un rayonnage rempli de livres.

— Mais Phin refuse de parler, poursuivis-je. (Je pensai à Tad, à mon visiteur armé du matin et au sang séché par terre.) Petit Poisson continue à cuisiner Phin pendant que les jumeaux Géants fouillent la boutique. Ils semblent plutôt convaincus qu'il se trouve ici parce qu'ils ont vraiment regardé partout. Les livres déchirés, je pense que c'est plus de la frustration : ça n'a rien de méthodique. Mais j'imagine que ça peut aussi être dû au fait que, ce qu'ils cherchent, ce n'est pas un bouquin. (Je regardai autour de moi.) Mais peut-être que ça peut se cacher dedans, ou derrière un livre. Ils se sont arrêtés parce que Phin a fini par parler.

Sam eut une sorte d'éternuement approbateur, à moins que ce soit seulement la poussière. Je craignais que ce ne soit que la poussière.

— Est-ce qu'il savait qu'ils venaient et a appelé Tad pour me prévenir ? m'interrogeai-je. Ou est-ce que ce sont eux qui l'ont contraint à l'appeler et Phin s'est débrouillé pour faire passer un vague avertissement ? Quoi qu'il en soit, il est intéressant de constater qu'il n'a pas précisé la nature de ce que je lui avais emprunté.

Je tapotai du bout des doigts l'une des rares étagères encore debout et continuai à réfléchir à voix haute :

— Peut-être qu'ils ignorent qu'il s'agit d'un livre et que Phin craignait qu'ils l'entendent, ou écoutent le message qu'il a laissé à Tad.

Sam éternua de nouveau et, en le regardant, j'aperçus une lueur d'intelligence dans ses yeux qui me confirma qu'il m'écoutait… et que ce n'était pas le cas un peu plus tôt.

— Peut-être qu'ils sont à la recherche de tout autre chose. Si ça se trouve, Phin a eu l'intelligence de détourner leur attention sur moi. Il sait que je bénéficie d'un peu plus de protections que la personne lambda. (Je m'éloignai de l'étagère et commençai à faire des allers-retours.) Et c'est là que je vais additionner un et un pour arriver à cinquante, je m'en excuse d'avance. (Je fis deux fois le tour du magasin et revins à mon point de départ.) Imaginons qu'à un moment ou à un autre, hier, Phin ait craqué et balancé tout sur moi : qui je suis exactement, qui est mon petit ami et qui serait furieux s'il m'arrivait quelque chose. Ce qui suit, c'est vraiment le point faible de ma théorie, Sam, mais mon instinct me hurle que l'incident avec Heart ce matin et le sort de Phin sont étroitement liés : c'est cette fae sur le toit qui me le fait penser. En revanche, j'ignore pour quelle raison ils pouvaient bien vouloir ma mort.

Sam poussa un grondement.

— Réfléchis, lui répondis-je, persuadée que son grognement concernait la menace qui pesait sur moi. Ce ne sont certainement pas les Seigneurs Gris qui sont derrière tout ça : si c'était le cas, je serais déjà morte. Nous savons qu'il y a au moins trois faes impliqués là-dedans, quatre si la femme sur le toit n'était pas Géante Un… et cinq si la vieille que j'ai vue ici cet après-midi et qui est peut-être, ou peut-être pas, la grand-mère de Phin, fait partie de leur bande. Quoi qu'il en soit, je ne pense pas qu'ils soient très nombreux. Ils ne s'en sortiraient pas bien si les loups-garous se lançaient à leur poursuite. Alors, ils ont organisé ce petit incident, en convainquant la productrice, que ce soit par un charme ou par une arme, comme dirait Zee, d'envoyer Kelly arrêter Adam dans mon garage.

Je m'interrompis et regardai les phares des voitures qui circulaient sur la route qui longeait le parking.

— S'ils en avaient vraiment voulu à Adam, mon garage n'était pas l'endroit le plus évident où le chercher. Il n'est pas difficile à trouver : il travaille six jours par semaine et son adresse est publique. Je pensais que c'était simplement la productrice de Heart qui voulait faire de l'audience mais…

Je pris une grande inspiration, le temps de jauger la réaction de Sam. Sa posture trahissait l'intérêt qu'il portait à mes paroles, et je vis qu'il semblait me suivre dans mon hypothèse. Son loup, en tout cas. Mais cette partie de lui était-elle vraiment intelligente ?

— Mais les choses ne se sont pas déroulées comme prévu. J'ai désarmé Heart dès son arrivée. Ils ne pouvaient décemment pas me tirer dessus alors que je tenais l'arme avec laquelle on était supposé me tuer, n'est-ce pas ? Mais quand Adam, puis la police sont arrivés, ils ont décidé de créer le chaos en utilisant leur magie pour stimuler la prédisposition à la violence chez les loups présents. Heureusement, Zee a pu nous en protéger et a aperçu notre sniper. Celle-ci a donc dû précipitamment quitter les lieux quand Ben est parti à sa recherche. (Je frottai mes paumes humides sur mes cuisses.) Oui, je sais, ça semble un peu tiré par les cheveux. Mais le livre et l'appel que Phin a passé à Tad constituent le lien qui me connecte aux faes qui sont venus vandaliser cette boutique. Ils l'ont battu au point de le faire saigner, puis sont partis avec lui. De la violence et des faes : exactement comme ce matin. Or le seul point commun entre ces deux épisodes, c'est moi. Certes, les coïncidences existent. Peut-être est-ce de l'égocentrisme de ma part de penser que c'est moi qui suis à la cause de tout ça ?

Je me tus un instant et me rendis compte que j'attendais que Samuel me réponde. Sauf que Samuel n'était pas ici : il n'y avait que Sam et moi.

— Bon, OK, j'arrête avec mes conjectures tirées par les cheveux.

J'époussetai mon jean. J'avais espoir de me méprendre totalement, mais vu ma vie ces derniers mois, ça semblait presque minable. Après tout, ce n'étaient ni des vampires, ni des fantômes, n'est-ce pas ? Ni les Seigneurs Gris qui terrifiaient même les autres faes. En fait, j'avais peur qu'il se révèle que je n'avais tort que parce que la situation était encore plus grave que je le croyais.

— Continuons à chercher. Je me sentirais vraiment bête si Phin se trouvait en fait ligoté dans la réserve.

Sam découvrit une porte cachée derrière trois des étagères qui étaient tombées. Heureusement, elle s'ouvrait dans l'autre sens et nous n'eûmes donc qu'à ramper pardessus les débris pour pouvoir atterrir sur le palier. Il y avait un mur de briques en face de nous et, à notre droite, des marches étroites qui descendaient vers un puits d'un noir d'encre. La librairie avait bien une réserve souterraine.

Je décidai que personne n'était susceptible de voir si j'allumais la lumière ici, étant donné que j'aurais remarqué si cette cave avait eu des fenêtres.

Il me fallut une bonne minute pour trouver l'interrupteur. Sam, visiblement indifférent à l'obscurité, avait déjà bien entamé sa descente quand je réussis enfin à allumer.

Je vis alors que cette pièce souterraine était consacrée au stockage, avec des piles de cartons un peu partout. Elle me rappela vaguement la salle des radios, à l'hôpital, car lesdits cartons étaient visiblement très bien organisés. Le plafond était particulièrement haut pour une cave si proche de la rivière, mais je ne détectai aucune trace d'humidité.

Un coin bureau avait été aménagé à la droite de l'escalier. Il était délimité par un tapis persan sur lequel se trouvait un vieux bureau en chêne avec une lampe à pince. En face du bureau, une grande peinture à l'huile représentant un jardin à l'anglaise devait servir d'ersatz de fenêtre à celui qui s'y asseyait.

Il y avait eu autrefois un écran d'ordinateur posé sur le bureau. Il gisait à présent en morceaux sur le sol en ciment, près du tapis. D'autres débris parsemaient la pièce : les restes d'une bougie non parfumée en pot, un mug qui devait avoir contenu des stylos et des crayons à présent éparpillés, et une chaise de bureau à laquelle il manquait une roulette et le dossier.

— Fais attention, prévins-je Sam, il y a plein de verre par terre, ne te coupe pas les pattes.

Le tas de cartons qui se trouvait près du bureau semblait être le seul à avoir été dérangé. Cinq ou six boîtes avaient été jetées par terre, leur contenu répandu autour d'elles.

— Pas de sang ici, constatai-je en tentant de réprimer mon soulagement. (Je ne tenais vraiment pas à découvrir le cadavre de Phin. Pas alors que je me trouvais en compagnie de Sam le loup.) Ils cherchaient juste quelque chose… et pas très soigneusement. Peut-être ont-ils été interrompus, ou alors, c'est le moment que Phin a choisi pour parler.

— *Fee-fi-fo-fum!* s'exclama soudain une voix mâle à la puissance de corne de brume. Je renifle le sang d'une petite dame[1] ! (Il fit rimer « *fum* » et « dame », un exploit rendu possible par son accent à couper au couteau.) Qu'elle soit chaude, ou qu'elle soit froide, croyez-moi, mes amis, elle ne survivra pas bien longtemps.

Tout ce que je pouvais voir, c'étaient les pieds de l'intrus en haut des marches. Je n'avais absolument pas détecté sa présence dans la boutique et, à voir la réaction soudaine de Sam, lui non plus n'avait rien senti. J'ignorais que les faes pouvaient se camoufler aussi bien. Impossible de dire s'il s'était trouvé là tout du long ou s'il s'était contenté d'entrer après nous.

Le fae portait de grosses bottes noires, du genre qui faisait « clomp, clomp, clomp » quand on marchait. Et il n'avait pas l'air pressé de descendre nous tuer, ce qui me fit deviner que c'était le genre de fae qui appréciait de traquer ses proies.

Ce n'était pas un géant, même si j'avais ainsi surnommé pour rire les deux faes des bois : les géants avaient un esprit d'animal, plus instinctif qu'intelligent. Or, les seuls faes à l'esprit de bête qui avaient survécu aux humains équipés d'armes en métal avaient été exécutés par les Seigneurs Gris. Un comportement instinctif n'était pas compatible avec le camouflage de leur vraie nature. Or, pendant des siècles, les faes avaient fait leur possible pour qu'on croie qu'ils n'existaient pas en dehors des contes et du folklore.

---

1. Référence à *Jack et le Haricot Magique* (*NdT*).

Mais à en juger par la taille de ses pieds, notre ami semblait presque aussi imposant qu'un géant.

Sam attira mon attention en me donnant un coup de tête à la hanche avant de se glisser sous le bureau. Il avait visiblement l'intention d'attaquer le fae par surprise. Cela me rassura de voir qu'il était toujours capable de réfléchir froidement.

— Ce sont probablement les vers de mirliton les plus mauvais que j'aie entendus depuis ce poème que j'avais écrit en cours d'anglais lorsque j'avais treize ans, répliquai-je au fae en m'approchant du bas des marches pour mieux le voir.

À ma grande surprise, il ne devait pas culminer à plus d'un mètre quatre-vingts, mais ses pieds faisaient une bonne dizaine de centimètres de plus que ceux d'un être humain normal. Il avait des cheveux roux bouclés qui encadraient un visage à l'air jovial… tant qu'on ne regardait pas ses yeux de plus près. Il portait un pantalon en toile, une cravate bleue et une chemise rouge assortie au tablier qui protégeait ses vêtements. Le nom d'une épicerie du coin se trouvait brodé en haut du tablier.

Il tenait un couteau de boucher dans sa main droite.

Il dégageait une odeur douceâtre et métallique, celle du sang, ainsi qu'un effluve qui me permit de l'identifier comme étant le second des deux Joyeux Géants Verts qui avaient vandalisé la boutique : le plus puissant, celui qui avait envoyé valdinguer les rayonnages.

— Ah, une *intlouse*. Comme c'est amusant.

Il fit craquer ses cervicales en penchant la tête d'un côté, puis de l'autre. Son accent était tel qu'il en était presque incompréhensible. *Intruse*, pensai-je, *pas intlouse*.

— Amusant ? m'étonnai-je en secouant la tête. Fatal, dirais-je plutôt. En tout cas pour vous. (Ne jamais montrer ses doutes et feindre la confiance, c'était comme ça que je voyais les choses : ça désarçonnait l'adversaire prêt à vous réduire en miettes. Bien sûr, le fait d'avoir une arme secrète aidait bien.) Qu'avez-vous fait de Phin ?

— Phin ? demanda-t-il en descendant trois marches avant de s'arrêter en souriant.

Je devinai qu'il s'attendait que je tente de fuir, ou bien que, tel un chat qui s'ennuyait, il faisait durer la traque. Nombre de faes sont des prédateurs par nature, et entre autres, ils aiment bien manger des humains.

— Phin, le propriétaire de ce magasin, répliquai-je d'un ton serein.

Ce n'était pas que je devenais plus brave. C'était juste qu'avec ce qui m'était arrivé, ces derniers mois, la peur avait perdu l'attrait de la nouveauté.

— Ptêt que j'l'ai bouffé, répondit-il en souriant.

Il avait les dents plus pointues que celles d'un humain ordinaire. Plus nombreuses, aussi.

— Et peut-être que vous êtes un fae, et donc incapable de mentir, remarquai-je, alors ce serait plus simple de vous en tenir aux faits et d'abandonner les « peut-être ». Où est Phin ?

Il leva la main gauche et fit un geste dans ma direction. De faibles étincelles vertes flottèrent dans l'espace qui nous séparait, puis l'une d'elles me toucha avant de tomber au sol en entraînant les autres. Elles brillèrent un bref instant avant de s'éteindre.

— Z'êtes quoi, exactement ? s'étonna-t-il en penchant la tête comme un loup perplexe. Z'êtes pas une sorcière, ça, c'est certain. Les sorcières, j'les sens dans ma tête.

— Ne bougez plus, ordonnai-je en sortant mon SIG de son holster.

— Vous me menacez avec c'truc ? s'esclaffa-t-il.

Je tirai. Trois fois, dans le cœur. Il recula de quelques pas, mais ne tomba pas. Je me souvins d'avoir lu dans le livre de Phin que certains faes n'avaient pas les organes au même endroit que nous. Peut-être aurait-il mieux valu que je vise la tête. Je relevai le canon de mon arme dans ce but et le vis s'évaporer à travers les marches tel un fantôme, laissant son tablier et son couteau de boucher derrière lui.

Des mains dures comme de la pierre s'élevèrent du sol, saisirent mes chevilles et tirèrent avec force. Je tombai trop vite pour pouvoir réagir.

Je me réveillai dans une obscurité totale, complètement endolorie, en particulier au niveau de l'arrière de mon crâne. Mes chevilles aussi protestèrent quand j'essayai de les bouger. Je clignai des paupières, mais ne vis rien, ce qui était très inhabituel pour moi.

Je sentis l'odeur du sang, ainsi qu'un objet coincé sous mon épaule. De vieux souvenirs sensoriels datant de mes révisions nocturnes à la fac me dirent qu'il devait s'agir d'un stylo. J'explorai ma mémoire à la recherche de souvenirs plus récents, mais tout ce que je me rappelai, c'était le moment où le fae m'avait saisi les chevilles. Je finis par me rendre compte que, si rien d'autre ne se manifestait, c'était qu'il n'y avait pas d'autre souvenir. J'avais dû perdre connaissance quand ma tête avait heurté le sol en béton.

Bizarrement, pourtant, j'étais toujours vivante après m'être retrouvée à la merci du fae.

J'allais me redresser quand j'entendis un son que je ne pus identifier immédiatement, un son mouillé. Pas un bruit de gouttes, plutôt quelque chose du genre « Blop, blop, blop. Scratch. Blop, blop, blop ».

Quelque chose était en train de se nourrir. Une fois que j'en eus pris conscience, je réussis à détecter l'odeur de la mort et des horreurs que celle-ci faisait subir à un corps. Je restai un long moment immobile, l'oreille tendue vers ces bruits qui trahissaient le festin d'un être aux dents pointues, puis me forçai à bouger.

L'identité du mort n'avait pas grande importance. Si c'était Sam, je n'avais pas la moindre chance face à un être capable de tuer un loup-garou après avoir reçu trois balles dans la poitrine : même si son cœur ne s'était pas trouvé au bon endroit, ça aurait quand même dû lui faire sacrément mal.

Et si ce n'était pas Sam… alors soit celui-ci allait ensuite me tuer, soit nous sortirions tous deux indemnes de cette réserve. Mais il fallait que je réfléchisse à toute la situation avant de faire quoi que ce soit. Je me relevai avec raideur.

Le bruit de mastication ne s'arrêta pas alors que j'approchais à pas de loup jusqu'à ce que le bout de mon pied entre en contact avec le bord du tapis. Je tâtonnai à la recherche du bureau, et finis par trouver l'interrupteur de la lampe qui y était accrochée.

Elle n'était pas très puissante, mais cela suffit pour que je voie que le plafonnier avait été arraché et pendouillait au bout de câbles électriques endommagés. Les piles de cartons bien rangés avaient laissé place à un chaos de livres ouverts, de boîtes déchiquetées et de morceaux de papier. Il y avait aussi du sang. Beaucoup de sang.

Le sang de certains faes pouvait avoir une couleur étrange, mais la mare qui s'étalait à un mètre autour du tapis, là où le meurtre semblait avoir eu lieu, était d'un rouge sombre tout à fait classique. Je ne devais pas être restée inconsciente bien longtemps, car le sang n'avait pas eu le temps de complètement sécher. Mais le vainqueur avait entraîné sa proie derrière une pile de cartons de livres, dans un endroit isolé et obscur que la lumière de la lampe ne parvenait pas à atteindre.

— Sam ? appelai-je. Sam ?

Le bruit de mastication s'interrompit. Puis une forme plus sombre que l'obscurité environnante apparut en haut du tas de cartons, courbée pour éviter de se cogner au plafond. Un bref instant, je crus qu'il s'agissait du fae, parce que la fourrure du loup était tellement imbibée de sang que celui-ci en paraissait noir. Puis la lumière fit étinceler deux iris blancs et Sam poussa un grondement.

— Bon, alors, demandai-je à Sam alors que nous nous dirigions vers Kennewick, comment on fait pour redonner goût à la vie à ta moitié humaine ? Parce que, sérieusement, ça ne marche pas, là. T'as bien failli complètement péter les plombs dans cette boutique.

Sam poussa un doux gémissement et posa la tête sur mes cuisses. Je nous avais nettoyés aussi bien que possible dans les toilettes de la librairie de Phin. La fourrure de Sam était plus rose que blanche, à présent, et il était trempé comme une soupe. Heureusement que le chauffage de la Golf était puissant.

— Eh bien, si tu n'en as pas la moindre idée, remarquai-je, comment veux-tu que je le sache ?

Il appuya plus fort son museau contre ma jambe.

Il n'était pas passé loin de me tuer, un peu plus tôt. Je l'avais vu dans ses yeux au moment où il s'était redressé pour bondir, envoyant valdinguer les cartons en équilibre précaire (du fait de son combat avec le fae) sur lesquels il se trouvait.

C'était le genre d'erreur que Samuel n'aurait jamais commise, et ça avait détourné son attention de l'attaque prévue. Il avait atterri à quelques centimètres de moi, en plein sur la chaise de bureau cassée. Sa patte s'était coincée entre le bras et le siège de celui-ci, et les quelques secondes nécessaires pour la dégager avaient suffi à lui rappeler que nous étions amis.

Et à en juger par la posture piteuse de sa tête et de sa queue, il s'était presque aussi fait peur à lui-même qu'à moi.

Nous avions passé un long moment dans la librairie et la circulation était devenue nettement plus fluide, même s'il y avait encore pas mal de voitures.

J'ôtai ma main droite du volant et gratouillai Sam derrière l'oreille. Je sentis tout son corps se détendre sous ma caresse.

— On va se débrouiller, le rassurai-je. Ne t'en fais pas. J'ai toujours été beaucoup plus têtue que Samuel. On va commencer par rentrer chez nous pour nous sécher. Et ensuite… je pense que ce sera le moment d'appeler Zee.

MERCY!

La voix d'Adam retentit avec une telle puissance dans ma tête que j'en restai paralysée. C'était un hurlement tonitruant et pourtant silencieux qui crût encore et encore avant de disparaître d'un coup. Tout ce qui en resta, c'était un mal de crâne qui fit paraître négligeable celui avec lequel je m'étais réveillée dans la réserve.

— Sam! m'exclamai-je d'un ton paniqué en remettant les deux mains sur le volant, même si ça ne servait pas à grand-chose. (J'avais évité de justesse d'appuyer sur la pédale de frein par réflexe, ce qui nous avait probablement épargné un terrible carambolage, étant donné les nombreuses voitures qui nous suivaient. Mais je ne pouvais pas continuer à rouler dans ces conditions.) Sam, Sam, je ne vois plus rien.

Je sentis sa gueule se refermer sur mon poignet droit, le forcer à se baisser, puis à se relever. Quand je sentis qu'il m'avait permis de reprendre une trajectoire rectiligne, j'appuyai doucement sur le frein et me garai sur ce que je pensais être le bas-côté.

Les voitures qui passaient firent vibrer la Golf, mais il n'y eut aucun bruit de klaxon. J'en conclus donc que nous avions effectivement quitté la route. Au bout d'un moment indéfini, la douleur finit par s'estomper, me laissant tremblante, suante, avec l'impression de m'être fait rouler dessus par une semi-remorque.

— Il faut qu'on rentre, soufflai-je en redémarrant.

Les mains tremblantes, je me dirigeai à toute allure vers Finley.

J'avais laissé Adam seul face à sa meute. S'il lui était arrivé quelque chose, jamais je ne pourrais me pardonner ma lâcheté.

Chapitre 8

Nous nous trouvions sur Chemical Drive, la voie rapide qui menait de la ville à la campagne, lorsque nous croisâmes une ambulance avec gyrophare, mais sans sirène. Je faillis faire demi-tour pour la suivre.

Non. Il vaut mieux d'abord savoir ce qui s'est exactement passé. Sam n'est pas médecin, aujourd'hui, et je ne pourrai rien faire de plus que l'hôpital vers lequel ils transportent la victime. Et d'ailleurs, peut-être n'était-ce personne que je connaissais dans cette ambulance.

Dès que j'arrivai sur la route qui menait chez moi, je négligeai toute limite de vitesse et appuyai sur le champignon. Devant nous, quelque chose dégageait un panache de fumée noire. J'aperçus des lumières clignotantes rouges : celles des camions de pompiers garés devant mon mobilhome quasiment réduit en cendres.

Adam devait avoir cru que je m'y trouvais. Je ne lui avais pas parlé de ma petite expédition, car je ne voulais pas qu'il m'impose d'être accompagnée par l'un de ses loups de confiance. Il avait trop besoin d'eux à ses côtés.

Je compris donc soudain la raison du hurlement d'Adam, mais cela ne m'empêcha pas d'être terrorisée à l'idée de ce qu'il avait fait lorsque notre connexion s'était interrompue. Il devait avoir eu l'impression que j'étais morte ou tout du moins inconsciente. J'aurais dû l'appeler au lieu d'attendre d'être en état de revenir.

La meute d'Adam entourait le mobil-home, essayant de ne pas déranger les manœuvres des pompiers. L'incendie devait avoir pris pendant la réunion ou juste après. J'essayai de ne pas penser que certains membres de la meute pourraient l'avoir allumé en guise de symbole. Je repérai des visages familiers, Darryl, Auriele et Paul, et d'autres que je connaissais moins, Henry et George. Je ne vis Adam nulle part et sentis mon estomac se nouer d'angoisse.

Je me garai sur le bas-côté aussi près que possible, mais à cause des camions de pompiers, j'étais toujours éloignée du lieu du drame.

Je courus vers le membre le plus proche de la meute, Auriele, et lui agrippai le bras.

— Où est Adam ? demandai-je.

Elle écarquilla les yeux, choquée.

— Mercy ? Adam a cru que tu étais là-dedans quand l'explosion a eu lieu !

Une explosion ? Je regardai autour de moi et me rendis compte qu'en effet le mobil-home avait explosé. Des morceaux de cloison, du verre brisé et des débris divers parsemaient le sol dans un rayon d'une dizaine de mètres autour du brasier qu'était devenue ma maison. Celle-ci était chauffée au gaz : peut-être y avait-il eu une fuite ? Pendant combien de temps le gaz aurait-il dû fuir pour pouvoir tout faire exploser ? Si cela avait commencé avant que je parte, j'aurais pu en sentir l'odeur.

Demain, j'aurai tout le temps de me lamenter d'avoir perdu ma maison et tout ce à quoi je tenais, mes photos… Oh ! Pauvre Médée. Je l'ai laissée enfermée à l'intérieur, parce que c'est ce que je fais toujours la nuit, pour sa sécurité. Je refuse d'imaginer ce qui a pu lui arriver. Pour le moment, j'ai plus urgent, comme inquiétudes.

—Auriele, demandai-je d'une voix calme et claire, où est Adam ?

—Mercy !

Je sentis quelqu'un m'entourer de ses deux grands bras et me tirer contre lui.

—Mon Dieu, mon Dieu, Mercy ! Il a cru que tu étais morte ! Il s'est précipité dans l'incendie pour essayer de te trouver.

La voix de Ben était rendue rauque par la fumée, presque méconnaissable. Sans son accent anglais, je n'aurais pas été certaine qu'il s'agissait bien de lui.

—Ben ?

Je me dégageai de son étreinte avec difficulté… et beaucoup de précautions car ses mains étaient brûlées et couvertes de cloques. Mais il fallait bien que je puisse respirer.

—Ben, dis-moi où se trouve Adam.

—Il est à l'hôpital, intervint Darryl en interrompant sa discussion avec les pompiers. (Darryl était le compagnon d'Auriele et le premier lieutenant d'Adam.) Mary Jo a pu monter dans l'ambulance du fait de son statut. (Mary Jo était pompier et secouriste.) Je t'y accompagne.

J'étais déjà partie en courant vers la Golf. Sam réussit je ne sais comment à se glisser entre moi et la portière, et il sauta sur la banquette arrière lorsque Ben voulut s'installer sur le siège passager.

—Warren est sur le chemin, précisa Ben en claquant des dents à cause du choc. (On voyait le loup dans ses yeux.) Il était en train de travailler et n'avait pas pu se libérer pour la réunion. Mais je l'ai appelé pour le prévenir qu'Adam se trouvait à l'hôpital.

—Bien, dis-je en démarrant dans un geyser de gravier. Pourquoi ne t'y ont-ils pas emmené ?

Maintenant que nous nous étions éloignés de l'incendie, il était impossible de ne pas remarquer l'odeur de chair brûlée et celle de sa douleur. Le petit moteur de la voiture rugit lorsque je pris la bretelle de l'autoroute. Ben ferma les yeux et s'arc-bouta dans son siège.

— J'étais toujours dans la caravane, répondit-il avant de s'étouffer.

Il descendit la vitre de son côté et se pencha à l'extérieur, secoué d'une quinte de toux qui dura un bon moment. Je lui tendis une bouteille d'eau à moitié pleine. Il se rinça la bouche et cracha par la fenêtre. Puis il remonta la vitre et avala le reste du liquide.

— Adam est allé vers ta chambre et moi vers celle de Samuel.

Sa voix était devenue encore plus rauque.

— Comment tu te sens, toi ?

— Ça va aller. Inhaler de la fumée, ça craint vraiment.

Nous fîmes tous trois une entrée remarquée dans la salle des urgences. Même dans cet endroit habitué aux pires bizarreries, nous formions un sacré trio. Je coulai un regard à Sam : il s'était roulé par terre pendant que je regardais ailleurs, couvrant de poussière les dernières traces de sang qui maculaient sa fourrure. Nous avions tous l'air passablement dépenaillé, mais au moins le fait que Sam et moi venions de tuer un fae passait-il inaperçu. Certes, nous n'avions pas l'air non plus d'avoir tenté de contenir un incendie, contrairement à Ben, mais je trouverais bien quelque chose à raconter si on nous posait des questions.

J'avais simplement oublié qu'il y avait plus choquant chez nous que de simples brûlures, traces de poussière ou taches de sang délavé.

— Hé ! Vous ne pouvez pas amener un chien ici ! protesta l'infirmière à l'accueil en se précipitant vers nous, avant de croiser mon regard et de s'interrompre dans sa course. Madame Thompson ? Est-ce qu'il s'agit d'un loup-garou ?

— Où est Adam Hauptman ? demandai-je.

Mais un hurlement qui fit trembler les murs des urgences me donna la réponse.

— Qui a eu l'idée brillante de l'amener ici ? marmonnai-je en me précipitant vers les portes battantes qui séparaient la salle d'attente de celle des soins, Ben et Sam à mes côtés.

— Pas moi, répliqua Ben d'un ton un peu plus joyeux. (J'imagine que lui aussi avait redouté ce que nous allions trouver en arrivant.) On ne peut rien me reprocher : j'étais en train de griller gentiment dans ta caravane quand ils l'ont envoyé ici.

Un loup-garou gris à la fourrure noircie autour du museau se trouvait dans le couloir séparant les chambres des patients du comptoir central, sortant visiblement de sa métamorphose : on voyait encore les muscles de son dos se réaligner.

De larges trous dans sa fourrure dévoilaient de grandes portions de peau noircie et couverte de cloques, semblable à de la cire chaude. Ses quatre pattes étaient affreusement brûlées, la peau roussie formant une sorte de hideuse caricature de la fourrure sombre qui les recouvrait ordinairement. Il avait entraîné le rideau de sa chambre avec sa queue.

Je m'immobilisai juste après les portes, le temps d'évaluer la situation.

Jody, l'infirmière avec qui j'avais discuté le soir de l'accident de Samuel, était elle aussi figée et, visiblement, on lui avait appris la bonne manière de se comporter avec un loup-garou : ses yeux étaient braqués au sol. Mais même de là je me trouvais, je pouvais sentir sa peur, une odeur alléchante pour n'importe quel loup-garou. Mary Jo était accroupie devant Adam, une main sur le sol, la tête baissée en signe de soumission. Son corps musclé et athlétique, qui semblait pourtant si fragile comparé à la puissance du loup, faisait barrage entre son Alpha et les témoins de la scène.

Je jetai un coup d'œil à Sam, mais visiblement il avait satisfait ses appétits en dévorant le fae, et toute son attention était consacrée à Adam, même s'il se trouvait toujours près de moi. Ben attendait de l'autre côté, très calme, comme s'il faisait tout son possible pour ne pas attirer l'attention d'Adam.

En d'autres circonstances, je ne me serais pas tant inquiétée. Les loups-garous avaient tendance à perdre le contact avec leur moitié humaine lorsqu'ils étaient grièvement blessés, mais ils pouvaient être calmés par leur compagne ou par un loup plus dominant. Samuel était plus dominant qu'Adam, et j'étais sa compagne. Nous aurions dû théoriquement être en mesure de ramener sa part humaine sur le devant de la scène.

Sauf que Samuel n'était pas vraiment lui-même ce soir-là et qu'Adam, dans la panique, quand il m'avait crue à l'intérieur du mobil-home, avait fait disjoncter notre lien. J'ignorais quelles en seraient les conséquences quand je tenterais de le ramener parmi nous. Il baissa la tête, avança d'un pas, et je n'eus plus le loisir d'hésiter.

— Adam, dis-je.

Il s'immobilisa complètement.

— Adam ? répétai-je en m'éloignant de Sam et Ben. Adam, tout va bien. Ce sont des gens bien. Ils essaient simplement de t'aider : tu as été grièvement blessé.

Je suis rapide et j'ai de bons réflexes ; pourtant, je ne le vis même pas bouger. Il me plaqua contre l'encadrement de la porte, se dressa sur ses pauvres pattes arrière toutes carbonisées jusqu'à ce que son museau et mon visage se retrouvent à la même hauteur. Mon odorat fut soudain saturé par une forte odeur de fumée et de combustion alors que son haleine brûlante me caressait les joues. Il inspira profondément et se mit à trembler de tout son corps.

Il avait vraiment cru que j'étais morte.

— Je vais bien, murmurai-je en fermant les yeux et en penchant la tête de manière à exposer ma gorge. Je n'étais pas dans la caravane quand elle a explosé.

Il fourra sa truffe dans mon cou, descendant jusqu'à la clavicule, avant d'émettre une sorte de toux étouffée qui sembla durer une éternité. Quand il en eut enfin terminé, il posa la tête sur mon épaule et entama sa métamorphose.

Ce serait effectivement plus prudent pour tout le monde s'il reprenait forme humaine, et c'est probablement la raison pour laquelle il changeait. Mais il était gravement blessé et venait à peine de terminer une métamorphose d'homme à loup. Un changement aussi rapide dans l'autre sens serait terriblement difficile. Qu'il décide néanmoins de le faire me confirma qu'il était effectivement en très mauvais état.

S'il avait été en pleine possession de ses moyens, il n'aurait jamais commencé à se métamorphoser pendant qu'il me touchait. Le changement est atrocement douloureux. Un contact de peau à peau le rend encore plus horrible. Ajoutez à cela sa position précaire et la douleur qu'il ressentait, et j'ignorais ce qui allait se produire. Je me laissai glisser le long du mur en l'entraînant avec moi, alors que ses os se déplaçaient et sa peau s'étirait. Ce n'était pas un très joli spectacle que celui d'une métamorphose lycanthrope.

Je posai mes mains à plat sur le sol pour ne pas céder à la tentation de le caresser. J'avais beau avoir conscience que c'était bien la dernière chose dont il avait besoin, mon corps semblait quant à lui curieusement convaincu qu'il était en mesure d'atténuer la douleur du changement.

Je jetai un regard à Ben et désignai du menton l'infirmière, et le médecin qui venait de sortir de la chambre pour prendre la situation en main. Il me rendit mon regard avec une interrogation dans les yeux : « Pourquoi moi ? » Je ne pus que lui désigner Adam, visiblement incapable de quoi que ce soit, et Sam, qui était un loup.

Ben leva les yeux au ciel comme pour implorer la pitié du Tout-Puissant. Puis il s'avança vers les deux humains, les mains jointes devant lui, afin de régler les problèmes sur lesquels il pourrait avoir une influence. Je surpris alors le regard de Mary Jo… un regard vraiment étrange. Dès qu'elle eut conscience que je l'avais vu, elle reprit un visage impénétrable. Je ne parvins pas à déchiffrer son expression, mais elle avait trahi une très forte émotion.

— Personne de blessé ? demanda Ben.

Quand il parvenait à dissimuler sa personnalité exécrable, les gens avaient tendance à trouver Ben très rassurant. Je pense que c'était dû à son accent anglais si classe et son apparence soignée. Même avec ses brûlures et ses vêtements roussis, il parvenait à avoir l'air plus civilisé que quiconque dans la pièce.

— Non, le rassura le médecin, dont le badge portait la mention « REX FOURNIER, MÉDECIN ». (Il devait avoir la quarantaine bien tassée.) Je l'ai juste surpris en ouvrant le rideau. (Puis, avec une honnêteté rare chez une personne terrorisée, il ajouta :) Il a fait tout son possible pour ne blesser personne, il m'a juste déséquilibré. Si je n'avais pas trébuché sur le tabouret, je ne serais même pas tombé.

— Il était inconscient quand je suis partie, dit Mary Jo à Ben sur un ton d'excuse. J'étais allée voir si je pouvais trouver de l'aide… ça faisait un moment que nous étions là.

Je ne m'étais pas rendu compte que j'avais été absente assez longtemps pour lui permettre de se métamorphoser.

— Ce n'était pas si long que ça, intervins-je. J'ai croisé l'ambulance sur le chemin. Ça ne devait pas faire plus d'une demi-heure que vous étiez arrivés, et il lui faut la moitié de ça pour changer. Qui a eu l'excellente idée de le faire transporter à l'hôpital, de toute façon ?

C'était Mary Jo. Je le vis à son expression.

— La chose dont il avait besoin, c'était qu'on lui enlève la chair brûlée, se défendit-elle.

C'était une procédure extrêmement douloureuse, et aucun analgésique ne fonctionnait très longtemps sur les loups-garous. C'était donc une idée tellement mauvaise que nous la contemplâmes tous d'un air ébahi, en tout cas tous ceux qui savaient exactement ce que ça représentait : Sam, Ben et moi. Adam, lui, était trop occupé à se métamorphoser.

— Je ne me suis pas rendu compte de la gravité de ses blessures, protesta-t-elle. Je pensais qu'il n'y avait que ses mains qui avaient été abîmées. Je n'ai vu ses pieds qu'une fois dans l'ambulance. Si ça n'avait été que ses mains, ç'aurait été la meilleure solution.

Peut-être. Probablement.

— Je croyais que vous étiez morts, Samuel et toi, poursuivit-elle. Du coup, c'était ma responsabilité, en tant que médecin de la meute. Et en tant que telle et que loyale à mon Alpha, j'ai pensé que c'était la meilleure solution de le faire transporter à l'hôpital.

Elle mentait.

Pas à propos du fait qu'Adam était plus en sécurité à l'hôpital que chez lui. Avec les divers problèmes dans la meute, elle avait probablement raison à ce propos : il valait mieux qu'un Alpha grièvement blessé ne se retrouve pas à la merci de ses loups. Ceux-ci risquaient de le réduire en pièces avant de se sentir réellement désolés de ce qui s'était produit. Mais la première partie de la phrase…

Peut-être pensait-elle que nous étions tous trop bouleversés pour remarquer son mensonge. Ben était parfois trop insensible à certains indices perceptibles par le loup de base. Mais Mary Jo ignorait peut-être que j'étais tout autant capable que n'importe quel loup de deviner quand quelqu'un mentait.

— Tu savais que nous n'étions pas dans la caravane, remarquai-je d'un ton excessivement calme. (La signification de mes paroles m'apparut soudain.) C'est toi qu'Adam avait envoyée pour surveiller ma maison pendant la réunion ? Est-ce que tu nous as vus partir ?

C'était le cas. Son expression la trahit, et elle ne prit pas la peine de nier. Elle se sentait peut-être à même de raconter des craques aux humains qui se trouvaient autour de nous, mais ça ne valait pas le coup avec nous.

— Pourquoi ne le lui as-tu pas dit ? s'indigna Ben. Pourquoi ne l'as-tu pas arrêté avant qu'il se lance dans ce putain de brasier ?

— Réponds, exigeai-je.

Elle soutint mon regard trois longues secondes avant de baisser les yeux.

— J'étais supposée te suivre si tu sortais. Pour te protéger en cas de problème. Mais vois-tu, je pense que tout irait mieux pour tout le monde si un de ces vampires avait réussi à te tuer.

— Tu as donc décidé de désobéir aux ordres d'Adam parce que tu n'étais pas d'accord avec lui, observa Ben. Il t'a choisie pour surveiller Mercy parce qu'il te faisait confiance pour t'en charger pendant qu'il était occupé avec le reste de la meute… et tu l'as trahi.

J'étais soulagée que Ben prenne la parole.

J'avais toujours cru que Mary Jo était l'un des rares membres de la meute que je pouvais considérer comme une amie. Pas parce qu'une dette qu'avaient les faes envers moi lui avait sauvé la vie… je pense que cette histoire n'avait pas eu que des avantages pour elle, comme c'était souvent le cas avec les cadeaux des faes. Mais plutôt parce que nous avions passé pas mal de temps en compagnie l'une de l'autre, tout simplement parce qu'Adam aimait bien lui confier ma protection quand il sentait que j'en avais besoin.

Mary Jo aurait préféré me voir morte. Voilà ce que son regard avait signifié.

Ce fut un tel choc pour moi que je faillis ne pas entendre ce qu'elle répondit à Ben sur la défensive, ce qui attira mon attention.

— Pas du tout. Elle était en sécurité : Samuel l'accompagnait. Je ne pense pas pouvoir la protéger mieux que lui.

— Pourquoi n'as-tu pas tenté d'arrêter ceux qui ont mis le feu au mobil-home ?

Ceux qui avaient mis le feu ? Parce que c'était volontaire ?

— Personne ne m'avait demandé de protéger sa maison. Et elle n'était pas à l'intérieur.

Ben eut un sourire satisfait et j'en déduisis que lui non plus n'était pas certain que l'incendie avait été volontaire.

— Qui était-ce, Mary Jo ?

— Des faes, répondit-elle. Je ne les avais jamais vus. C'était juste de nouveaux ennuis pour la meute. Qu'est-ce que j'en avais à faire s'ils voulaient brûler sa maison ? (Elle se tourna vers moi et cracha :) J'aurais préféré que tu crames avec elle.

— Ben !

Comment arriva-t-il à arrêter sa main avant qu'elle frappe le visage de Mary Jo ? Je l'ignore. Mais il y parvint. Ce n'était pas plus mal, vu qu'elle lui aurait botté le cul s'il ne s'était pas maîtrisé. Certes, elle était officiellement son inférieure dans la hiérarchie de la meute, mais c'est seulement parce que les femelles sans compagnon sont, par défaut, au rang le moins élevé.

Et elle mourait d'envie de se battre avec lui. Je pouvais le lire dans son regard.

Impossible de bouger avec Adam sur mes cuisses.

— Ça suffit, ordonnai-je d'un ton calme.

Ben était essoufflé et tremblant de rage… ou de douleur. Ses mains étaient vraiment très abîmées.

— Il aurait pu en mourir, gronda-t-il d'une voix où le loup se faisait entendre. Il aurait pu mourir à cause de cette…

Il parvint à se taire. Et, comme si quelqu'un avait appuyé sur un bouton, la posture de Mary Jo perdit toute agressivité. Les larmes lui montèrent aux yeux.

— Tu crois que je n'en ai pas conscience ? Il est arrivé en courant de la maison, en criant son nom. J'ai essayé de lui dire que c'était trop tard, mais il a défoncé le mur et s'est précipité à l'intérieur. Il ne m'a même pas entendue.

— Il t'aurait entendue si tu lui avais dit que Mercy ne se trouvait pas dans le mobil-home, objecta Ben, insensible à ses larmes. J'étais juste derrière lui. Tu n'as même pas essayé. Tu aurais pu lui dire qu'elle était vivante.

— Ça suffit ! répétai-je. (Adam avait presque terminé sa métamorphose.) Adam réglera tout ça quand il en sera capable.

Je consultai Sam du regard et poursuivis :

— Deux métamorphoses, c'est mauvais en cas de blessures graves, pas vrai ? La cicatrisation se fait mal.

L'oreille humaine que je voyais était très abîmée, ainsi que, semblait-il, la moitié supérieure de sa tête, jusqu'aux sourcils. Il devait avoir mis une serviette humide ou quelque chose du genre sur sa tête pour couvrir son visage, mais elle devait avoir glissé et son cuir chevelu n'avait pas été protégé.

Sam poussa un soupir.

Le médecin avait écouté le témoignage de Mary Jo d'un air fasciné. Il devait être amateur de *soap opera*.

— Je suis désolé, dit-il, mais à moins que vous trouviez un moyen efficace de l'immobiliser, je refuse de le traiter ici. Il est hors de question que je mette mon équipe en danger.

— Pourrions-nous avoir l'usage d'une chambre, alors ? demandai-je.

Le temps n'était pas de notre côté. Nous pouvions toujours le ramener à la maison et nous en occuper nous-mêmes… mais étant donné qu'il courait un grave danger, blessé, au milieu de sa meute, je ne tenais vraiment pas à l'emmener là-bas et à lui faire courir le moindre risque.

Je croisai le regard de Sam et tournai la tête vers la pièce où je l'avais trouvé la veille, au-delà des chambres simplement fermées par des rideaux. Je demandai au médecin :

— Une pièce fermée, ce serait mieux. Pouvons-nous l'emmener dans la salle de stockage des radios ?

Le docteur fronça les sourcils, mais Jody vint à mon secours.

— C'est Mercy, l'amie du docteur Cornick, lui expliqua-t-elle. C'est la compagne d'Adam Hauptman, l'Alpha de la meute locale.

— Et c'est lui qui se trouve actuellement sur mes genoux, renchéris-je. Je suis désolée. Si c'était n'importe qui d'autre qu'Adam, nous pourrions faire en sorte que votre personnel soit en sécurité… mais il est le seul à pouvoir maintenir le calme. Vous avez tout à fait raison de vouloir protéger votre équipe. Mais j'ai ici avec moi plusieurs loups, dont Mary Jo, qui est secouriste, et nous pouvons nous débrouiller seuls. S'il n'était pas urgent de commencer les soins, je le ramènerais chez lui. Mais les cicatrices seront permanentes si on ne fait pas vite.

Ses pieds étaient les plus endommagés. À présent qu'ils avaient repris forme humaine… j'apercevais l'os sous la chair calcinée. Il était inconscient, trempé de sueur, et à peu près quatre nuances plus pâle que d'habitude.

— De quoi avez-vous besoin ? demanda Fournier.

— Une civière, répondit Mary Jo.

Elle consulta Sam du regard en attendant qu'il prenne les choses en main, mais se rendit soudain compte qu'ici, en particulier, il ne pouvait pas montrer à ses collègues qu'il était un loup-garou. Il semblait qu'elle n'avait pas pris exactement la mesure de l'étendue des problèmes de Sam. Elle se contenta de se retourner vers le médecin et d'échanger des considérations en charabia médical.

On nous apporta un chariot et Ben prit Adam dans ses bras et le posa dessus. Plusieurs employés de l'hôpital firent leur apparition et enlevèrent les cartons de radios pour dégager la pièce, avec assez peu de respect pour l'ordre dans lequel ils se trouvaient. Quelqu'un serait sûrement très contrarié. On appela le docteur Fournier au troisième étage et il quitta les lieux avec la même efficacité avec laquelle il semblait s'occuper de tout, y compris une bande de loups-garous dans son service.

Une fois les cartons évacués, il y avait à peine assez de place pour nous tous, le chariot et le plateau d'instruments que Jody nous avait apporté.

— Le docteur Fournier n'est pas aussi efficace que le docteur Cornick en cas d'urgence, me souffla Jody.

Elle me jeta un regard vif alors que Ben et Mary Jo disposaient le chariot au milieu de la pièce, et je me demandai si elle n'était pas en train d'additionner deux plus deux en voyant le nombre de loups-garous que je semblais connaître, tout en sachant que Samuel était mon colocataire. Si c'était le cas, elle semblait tout à fait capable de garder son calme dans une pièce pleine de loups et j'espérai qu'elle resterait discrète.

— Fournier n'a pas été blessé, la rassurai-je, et il n'a pas aggravé la situation. C'est tout ce qui compte.

— Vous avez besoin d'aide ? demanda-t-elle courageusement.

Je lui souris.

— Non, c'est bon, je pense que Mary Jo a les choses en main.

J'aurais préféré que Jody et le médecin restent, mais Adam m'en voudrait de faire courir le moindre risque à des humains. Et tout comme Jody, j'aurais vraiment préféré que Samuel soit là… Je m'aperçus alors qu'il avait disparu.

— L'environnement n'est pas stérile, mais on dirait que ce n'est pas très important, s'excusa l'infirmière.

— En effet, lui répondis-je d'un ton distrait. (Où était passé Sam ?) Les loups-garous ont de bien meilleures défenses immunitaires que les humains. Bon, on dirait qu'ils sont prêts.

Je refermai la porte sur Jody, pris une grande inspiration et me retournai vers Mary Jo.

— Tu sais ce qu'il faut faire ? Il faut que je trouve Sam.

— Je suis là.

Samuel était nu comme au jour de sa naissance et son corps luisait de la transpiration due à sa métamorphose précipitée. Sa peau était maculée de poussière et de sang de fae, une situation à laquelle il était en train de remédier à l'aide d'un seau d'eau et d'une serviette que Mary Jo avait dû demander. Ses iris étaient gris, légèrement plus pâles que d'habitude, mais les autres loups penseraient probablement que c'était dû à son changement récent.

— Je vais m'en charger.

— Samuel, dis-je.

Mais il détourna le regard et saisit ce qui ressemblait à une brosse à reluire, mais avec des poils raides.

— J'aurais besoin que vous le mainteniez allongé. Ben, allonge-toi en travers de ses hanches. Mary Jo, je te dirai quand j'aurai besoin de ton aide. On va commencer par les mains, c'est le pire.

— Et moi ? demandai-je.

— Parle-lui. Répète-lui que cette torture a pour but de l'aider. S'il t'entend et te croit, il ne se débattra pas autant. Je vais lui faire une injection de morphine. Ça ne sera pas efficace très longtemps, alors il va falloir se dépêcher.

Samuel se mit donc à frotter la peau morte et les cicatrices qui recouvraient les mains d'Adam pendant que je parlais, parlais et parlais encore. Les tissus calcinés devaient être retirés. Une fois que ce serait le cas, les plaies à vif pourraient reprendre leur processus de cicatrisation dans de meilleures conditions, sans laisser de marques.

Adam était secoué de quintes de toux à répétition. Quand l'une d'entre elles le saisissait, nous nous écartions tous, le temps de le laisser cracher un mélange de sang et de glaviots d'un noir de charbon. Ben avait aussi le même genre de crises, mais il continua tout de même à peser sur le bassin d'Adam.

De temps à autre, Samuel s'interrompait et réinjectait un peu de morphine à Adam. Le pire fut que ce dernier n'émit pas la moindre plainte et ne tenta pas de se débattre. Il resta juste là, les yeux plantés dans les miens, à transpirer et à trembler plus ou moins selon ce que Samuel lui faisait subir.

— Je te croyais morte, murmura-t-il d'une voix rauque lorsque Samuel passa à ses pieds.

On aurait dit que c'était légèrement moins douloureux, probablement parce qu'il n'y avait plus beaucoup de nerfs à ce niveau-là. Après tout, il avait sauté pieds nus dans une maison en feu juste pour me sauver la vie.

— Bêta, va, répliquai-je en réprimant les larmes qui menaçaient, tu crois vraiment que je mourrais sans t'entraîner avec moi ?

Il eut un faible sourire.

— C'est Mary Jo qui nous a trahis au bowling? s'enquit-il, prouvant qu'il n'avait pas été totalement inconscient de ce qui l'entourait pendant sa métamorphose.

Nous fîmes tous deux mine de ne pas entendre le gémissement de Mary Jo.

— Je le lui demanderai plus tard.

Il acquiesça.

— C'est mieux…

Puis il s'interrompit, ses pupilles se contractant malgré toute la morphine qu'on lui avait donnée, et s'arc-bouta en se retournant, de manière à pouvoir coller son visage contre mon ventre, étouffant un mélange de hurlement et de grondement. Je l'étreignis pendant que Samuel ordonnait à Ben et Mary Jo de l'immobiliser.

Une autre piqûre de morphine et Samuel nous demanda de changer de position, Ben sur les jambes d'Adam (« Et ne crois pas que je n'aie pas remarqué tes mains. Ce sera ton tour après ça. »), Mary Jo sur l'un de ses bras et moi sur l'autre.

— Tu le tiens bien ? me demanda-t-il.

— Sauf s'il décide de se libérer, remarquai-je.

— Tout ira bien, intervint Adam. Je ne lui ferai aucun mal.

Samuel eut un petit sourire.

— En effet, je ne le pense pas.

Quand il attaqua le visage d'Adam avec sa brosse, je dus fermer les yeux.

— C'est bon, me réconforta Adam. C'est bientôt fini.

Warren arriva peu après ça. Trop tard pour pouvoir nous aider avec Adam, mais juste à temps pour prêter main-forte à Mary Jo afin d'immobiliser Ben pendant que Sam débarrassait les mains de ce dernier des cloques et de la peau calcinée. Lui n'avait pas subi deux métamorphoses qui avaient occasionné une mauvaise cicatrisation, mais c'était déjà bien assez douloureux ainsi.

Adam avait fermé les yeux et se reposait. J'entourais de mes mains son biceps, l'un des seuls endroits où il n'avait pas perdu de peau. Notre connexion ne s'était pas encore rétablie et je n'avais que mes sens pour deviner ce qu'il ressentait. Étrange, d'ailleurs, que ça me tracasse autant, vu à quel point ce lien m'avait dérangée. Mon ouïe me dit qu'il ne dormait pas vraiment, somnolait seulement.

Ben ne fut pas aussi silencieux que l'avait été Adam, mais il fit visiblement de son mieux pour réprimer ses cris. Au bout d'un moment, il planta les dents dans le bras de Warren.

— Voilà, voilà, gronda Warren sans tressaillir. N'hésite pas et mords bien fort si ça peut t'aider. Tu es trop loin du cœur pour que ça soit vraiment dangereux. Bon sang, je déteste les incendies. Les flingues, les couteaux, les crocs ou les griffes, c'est méchant, mais c'est rien, comparé au feu.

Les mains d'Adam ressemblaient à du steak haché cru, ce qui était déjà mieux que le steak haché calciné d'avant. L'une d'elles se referma sur mes doigts. Je tentai de me dégager, mais il ouvrit les yeux et raffermit sa prise.

— OK, c'est bon, dit finalement Samuel en s'éloignant de Ben. Asseyez-le sur ce tabouret. On va le laisser se reposer un instant.

— J'ai apporté une glacière pleine de rôtis de bœuf, intervint Warren. Je l'ai laissée dans le camion. On pourra leur donner à manger.

Samuel releva brusquement la tête.

— Tu me dis que, alors que ton Alpha avait besoin d'aide, tu as pris le temps d'aller faire quelques courses ?

Warren lui décocha un sourire glacial, du sang coulant le long du bras que Ben avait mâchonné.

— Non.

Samuel le regarda fixement et Warren braqua les yeux sur le mur qui se trouvait derrière lui, refusant de se soumettre. Il avait beau apprécier Samuel, ce n'était pas son Alpha. Il n'allait certainement pas lui donner le droit de remettre ses actes en question.

Je poussai un soupir.

— Warren, comment ça se fait que tu as une glacière pleine de viande à disposition ?

Le cow-boy se tourna vers moi et me sourit de toutes ses dents.

— Kyle a un humour bizarre. Non, tu ne veux pas savoir. (Il rougit légèrement.) Le congélateur et le frigo de Kyle étaient pleins. On avait donc mis la viande dans cette glacière pour que je la range dans mon congélateur vide, mais je n'avais pas eu le temps de m'en occuper. (Il jeta un regard à Sam.) T'es un peu nerveux, tu ne trouves pas ?

— Il pense que Mercy va lui passer un savon, dit Adam d'une voix faible (mais nous avions tous l'ouïe assez fine pour l'entendre). Et de son côté, Mercy se demande si elle va le lui passer devant tant de témoins.

— Qu'est-ce qu'elle a à te reprocher ? s'étonna Warren.

Quand il fut évident que Samuel n'allait pas répondre, Warren me consulta du regard. Mais moi, je ne quittais pas Samuel des yeux.

— Je n'en peux plus, finit-il par dire. Il vaut mieux partir maintenant, avant que je fasse du mal à quelqu'un.

J'étais trop épuisée pour supporter son délire.

— Mon cul, ouais. « N'entre pas sans violence dans cette bonne nuit », Samuel. « Rage, enrage contre la mort de la lumière. »

Il m'avait aidée à apprendre ce poème lorsque j'étais au lycée. Je savais qu'il s'en souviendrait.

— « La vie n'est qu'une ombre qui passe », Mercy, « un pauvre comédien qui se pavane et gesticule sur scène et se tait à jamais », répliqua-t-il à mon Dylan Thomas en citant du Shakespeare, d'un ton lugubre qu'aucun acteur ne serait parvenu à obtenir. « C'est un conte dit par un idiot, plein de bruit et de fureur, et qui ne signifie *rien.* »

Il prononça ce dernier mot avec une terrible amertume.

J'étais si furieuse que j'aurais pu le frapper. Au lieu de cela, je me contentai de l'applaudir ironiquement.

— Très émouvant, commentai-je. Et complètement idiot. Macbeth a assassiné son seigneur et maître par pure ambition, et n'a apporté que ruine et mort à tous ceux qui l'entouraient. Ta vie a plus d'importance que la sienne, à mon sens. En tout cas à mes yeux, et à ceux de tous les patients qui ont eu la chance de croiser ton chemin. Et ce soir, c'étaient Adam et Ben.

— C'est ce que je pense aussi, intervint Warren. (Il n'était peut-être pas au courant des raisons qui sous-tendaient cette conversation, mais n'importe quel loup aurait été capable de deviner ce qui restait du domaine du non-dit.) Si tu n'étais pas intervenu quand ce démon m'a enlevé, il n'y a pas si longtemps, je ne serais plus là pour en parler.

La réaction de Samuel me surprit. Il baissa la tête et gronda à l'intention de Warren :

— Je ne suis pas responsable de toi.

— Si, tu l'es, le contredit Adam en ouvrant les yeux.

— Ça te défrise tant que ça ? demanda gentiment Warren en haussant les épaules. Les gens meurent. Je le sais, tu le sais. Même les loups comme nous sont mortels. Mais quand tu es dans le coin, plus de gens sont épargnés. C'est la pure et simple vérité. Ce n'est pas parce que ça t'embête que c'est faux.

Samuel s'éloigna vivement de nous, mais la pièce était trop petite et il s'arrêta, la tête baissée.

— J'espérais que ce serait plus simple, Mercy. Mais j'avais oublié que la simplicité, ce n'était pas ton fort. (Il planta son regard dans le mien. Quand il reprit la parole, ce fut avec le ton paternaliste dont je croyais l'avoir guéri plusieurs années auparavant.) Tu ne peux pas me sauver, Mercy. Pas si je refuse d'être sauvé.

— Samuel ! s'exclamą Adam d'un ton plus autoritaire que son état aurait dû le permettre.

Il se dressa sur un coude et contempla l'autre loup-garou.

Samuel croisa son regard et j'eus juste le temps de voir briller la surprise dans ses iris avant qu'il commence à se transformer en loup. C'était un sale coup, un dont seuls étaient capables les Alphas les plus puissants : forcer un autre loup à la métamorphose. Je soupçonnai que, s'il n'avait pas pris Samuel au dépourvu, Adam n'aurait jamais pu le contraindre à changer. Il continua à soutenir son regard pendant que tous, nous retenions notre souffle. Et un quart d'heure sans bouger, c'est très long. Quand ce fut terminé,

Samuel avait laissé place à son loup aux yeux blancs. Ce dernier sourit à Adam.

— On ne va peut-être pas pouvoir te sauver, mon grand, murmura Adam en se laissant aller en arrière, les yeux clos. Mais je peux gagner assez de temps et te botter assez le cul pour que tu cesses de penser au « lendemain, et au jour qui suit le lendemain » et que tu réfléchisses à quel point tu as mal au cul, justement.

— Parfois, remarqua Warren, c'est vraiment facile de deviner que tu as fait l'armée, chef.

— En effet, le bottage de cul fait partie intégrante du service militaire, d'un côté de la botte comme de l'autre, reconnut Adam en gardant les paupières baissées.

Mary Jo contemplait Sam d'un air horrifié.

— C'est son loup qui tient la barre !

— Oui, c'est le cas depuis quelques jours, acquiesça Adam. Sans un seul cadavre, pour le moment.

Il n'était pas au courant concernant le fae de la librairie... mais je n'étais pas certaine qu'il compte vraiment. Il s'agissait davantage de légitime défense que du meurtre d'un monstre incontrôlable, même si Sam avait bien failli me boulotter en guise de dessert.

Ce dernier me jeta un regard pensif et je me rendis compte qu'il semblait... différent, plus expressif que dans la boutique de Phin. C'était le loup de Samuel tel que je le connaissais. J'avais cru qu'il était en train de devenir plus agressif, mais en fait, il devenait surtout... moins Samuel, et même moins Sam. Ce désastre nous avait peut-être fourni un sursis supplémentaire.

— J'en conclus que le Marrok n'est pas au courant de ce qui arrive à Samuel ? demanda Warren d'un ton nonchalant de cow-boy, signe qu'il était en fait très nerveux.

— En quelque sorte, répondis-je. Je lui ai juste dit qu'il ne voulait pas savoir ce qui se passait, et il a bien voulu me croire, sa seule condition étant que j'accepte de parler à Charles. D'après lui, la bonne nouvelle, c'était que, si le loup de Samuel avait été trop indépendant de ce dernier, il aurait tout de suite créé le chaos. La mauvaise nouvelle, c'est que, si on ne sort pas Samuel de sa déprime rapidement, alors son loup aussi finira par disparaître. (Comme ç'avait été le cas un peu plus tôt.) Et on se retrouvera avec un Samuel mort, et quelques cadavres supplémentaires en guise de bonus.

— De vraies funérailles de Viking, observa Warren.

Mary Jo lui décocha un regard étonné, qu'il lui rendit.

— Hé, j'sais lire, tant qu'y a beaucoup d'images, grogna-t-il lentement, ayant l'air encore plus texan qu'il l'était.

— Normalement, c'est moi qui dis ça! protestai-je. T'as pas le droit de me piquer ma réplique!

Ben rit doucement, puis demanda:

— En quoi est-ce différent d'avoir un loup qui disparaît progressivement par rapport à l'avoir aux commandes?

Les loups sont des êtres frustes, considérant la politesse comme une perte de temps.

— J'imagine que Sam se transformera en machine à tuer avant de tomber raide mort, répondis-je. Ce qui causera probablement moins de dégâts que s'il était seul aux commandes, vu que, dans ce cas-là, il ne s'arrêterait que contraint et forcé. Mais tu as raison, ce n'est pas bon, non plus.

— Il sera plus facile à tuer s'il en arrive là, observa Warren, considérant les avantages de la situation.

Samuel était vieux, puissant et intelligent. Si son loup n'avait eu que la moitié de son intelligence, seuls Bran ou Charles auraient été en mesure de le maîtriser. Là, en revanche, il nous suffirait d'un flingue chargé de balles d'argent pour y arriver.

La conversation ne semblait pas déranger Sam, qui plissa les yeux et claqua des mâchoires vers Warren avec une fausse férocité. Ses oreilles dressées bien haut étaient la preuve que ce n'était qu'une plaisanterie. Mais sa conscience aiguë de la situation me fit mal au cœur.

— Allez, les enfants, on se regroupe, ordonna Adam. Il est temps de rentrer à la maison.

La maison.

Je lançai un regard inquiet à Warren. Adam retrouverait toutes ses capacités d'ici à un jour ou deux, grâce aux super pouvoirs de guérison des loups-garous. Mais la meute était toujours dans un état lamentable.

— OK, chef, acquiesça Warren en m'adressant un signe de connivence. J'pense que j'vais rester pas loin de toi, si ça te dérange pas. Et Darryl aussi.

Nous installâmes Adam à l'arrière du *pick-up* de Warren, sur un épais matelas de camping, et le couvrîmes d'un sac de couchage. Les loups-garous ne craignent généralement pas le froid, en particulier celui, très relatif, qui régnait en hiver dans les Tri-Cities. Mais nous ne voulions courir aucun risque. Il accepta nos précautions avec une sorte de dignité royale non dépourvue de gratitude, le tout sans prononcer le moindre mot.

— Du matériel de camping ? murmurai-je d'un air surpris à l'intention de Warren. Tu as réussi à entraîner Kyle sous la tente ?

Kyle appréciait énormément son petit confort. Je ne parvenais pas à l'imaginer perdu dans les bois durant tout un week-end.

— Nan, maugréa-t-il ; en tout cas, il refuse toujours de dormir à la belle étoile. Mais j'ai bon espoir de le convaincre quand le printemps reviendra.

— Mais tu as quand même des matelas de camping et des sacs de couchage dans ton camion…, remarquai-je en souriant. Ça a un rapport avec la glacière pleine de viande ?

Il baissa la tête mais ne put dissimuler un sourire.

— Je t'assure, Mercy, tu ne veux pas savoir.

Mary Jo grimpa dans le berceau du *pick-up* en compagnie d'Adam, et je repris ma voiture, avec Ben et Sam en guise de passagers. Ben avait proposé de ramener la Golf pour que je puisse accompagner Adam, mais il avait encore trop mal aux mains pour ça. De toute façon, Mary Jo ne ferait rien contre Adam : quel que soit le sentiment de rancune ou même de haine qu'elle éprouvait à mon encontre, son désir de protéger son Alpha serait plus fort que tout.

Dès que je mis le contact, Ben remarqua :

— Il faut que tu découvres qui était le deuxième chargé de te surveiller.

— Pardon ?

— L'autre loup à qui Adam avait confié cette mission en plus de Mary Jo. Elle refuse de dire de qui il s'agit, et comme elle est plus haut que moi dans la hiérarchie, je ne peux pas le lui demander. Warren non plus… elle fait partie de ceux qui pensent qu'il n'aurait jamais dû être intégré à la meute.

— Quoi ?

J'avais toujours cru que les seuls membres homophobes de la meute étaient des hommes. Ben opina du chef.

— Elle est plus discrète à ce propos, mais elle est aussi plus bornée. Si Warren lui donnait un ordre auquel elle ne voudrait pas obéir, comme par exemple de dénoncer quelqu'un à qui elle tient, elle refuserait probablement d'obtempérer. Warren serait alors contraint de la châtier, et ça lui ferait probablement plus de mal à lui qu'à elle, parce qu'il l'apprécie et ignore complètement qu'elle fait partie des abrutis qui le détestent.

J'avais toujours cru que Ben était du lot, de ces abrutis. J'imagine que cela dut se voir sur mon visage, car il éclata d'un rire un peu triste.

— J'étais un loup amer quand je suis arrivé ici. L'est de l'État de Washington, c'est franchement nul, comparé à Londres. (Il garda le silence un long moment, puis reprit la parole d'un ton doux alors que j'arrivais sur la bretelle de l'autoroute.) Warren est sympa. La meute est importante à ses yeux, et ce n'est pas si courant que ça chez les loups dominants, en fait. Il m'aura fallu un moment pour m'en rendre compte, je le reconnais.

Je lui tapotai le bras.

— Bah, nous aussi, on a mis un certain temps avant de t'apprécier à ta juste valeur, le taquinai-je. Probablement un effet de ton charme naturel.

Il rit de nouveau, mais joyeusement, cette fois-ci.

— Ouais, sans doute. Toi aussi, tu peux vraiment être une salope, tu sais ?

Ma réponse fut un véritable réflexe de collégienne.

— Toi-même, d'abord ! (Puis j'en revins à ce qui me tracassait :) Tu crois donc que quelqu'un d'autre a regardé Adam se précipiter dans un bâtiment en feu, et n'a pas levé le petit doigt pour l'aider ?

— Tout ce que je sais, c'est qu'Adam nous envoie en mission par équipe de deux. Un pour la protection de base, l'autre par précaution. C'est toujours le cas. Mary Jo n'était pas seule devant chez toi quand Samuel et toi êtes partis. Elle n'était pas le seul témoin quand quelqu'un a mis le feu à ta maison.

Il s'interrompit un bref instant avant de poursuivre :

— Je crois que je sais de qui il s'agit, mais c'est quelqu'un contre lequel j'ai une dent, alors je préfère ne pas en parler. Souviens-toi juste d'un truc : Mary Jo, au fond, c'est une fille bien. Elle fait partie des pompiers depuis qu'on a permis aux femmes d'intégrer les brigades. Elle ne t'apprécie peut-être pas beaucoup, mais elle n'a rien contre Samuel. Je ne pense pas qu'elle aurait laissé quelqu'un mettre le feu à votre maison si on ne l'avait pas embobinée. Ils ne sont pas très nombreux au sein de la meute à pouvoir ainsi lui faire perdre tout sens commun.

— Tu penses que la décision de désobéir aux ordres d'Adam vient de quelqu'un d'autre…

Ben acquiesça lentement.

— Oui. J'en suis persuadé.

— Quelqu'un à qui Adam faisait assez confiance pour qu'il n'exige pas de lui qu'il assiste à la réunion.

— Oui.

— Eh merde…

Chapitre 9

Je me retrouvai à 3 heures du matin en train de siroter une tasse de chocolat chaud devant la table de cuisine d'Adam, entourée de Jesse, Darryl, Auriele et Mary Jo. J'aurais évidemment préféré être placée à bonne distance de cette dernière, car je ne voyais pas l'intérêt de jeter de l'huile sur le feu, mais une fois que j'eus terminé de servir le chocolat, il ne restait plus que la chaise entre elle et Jesse.

Le bon côté des choses, c'était que la plupart des loups étaient rentrés chez eux et qu'Adam était donc relativement en sécurité. Sam et Warren s'étaient installés dans sa chambre pour monter la garde pendant que nous autres essayions de décider de la suite des événements jusqu'au rétablissement d'Adam. Tous les autres loups qui s'étaient manifestés avaient été renvoyés dans leurs pénates.

J'avais l'intention de rejoindre Adam dès que nous en aurions terminé, mais j'étais certaine qu'il pouvait parfaitement se débrouiller sans moi. Il avait mangé cinq bons kilos de viande avant de sombrer dans un sommeil si profond qu'il ressemblait plutôt à un coma. Warren était assez puissant pour pouvoir affronter n'importe quel loup de la meute, sauf s'il s'agissait de Darryl, qui était plus haut placé que lui dans la hiérarchie. Officiellement, en tout cas.

Sam était plus imprévisible, mais dans l'état actuel des choses, je pensais qu'il resterait de notre côté. Quand un loup est blessé, il est vulnérable. Dans l'idéal, un Alpha blessé bénéficiait de la protection de ses compagnons de meute… mais quand la situation est précaire, comme c'était le cas actuellement, il vaut mieux confier sa sécurité à des personnes de confiance.

J'étais persuadée que Sam et Warren veilleraient à ce que rien n'arrive à Adam.

Ben arriva dans la cuisine en tirant derrière lui l'une des chaises de la salle à manger. Il glissa celle-ci entre Jesse et Auriele avant de lâcher le dossier précautionneusement et de se laisser tomber sur le siège. Jesse posa une tasse de chocolat chaud devant lui, puis tendit le bras vers la bombe de crème fouettée et coiffa la boisson chaude d'une couronne de mousse blanche. Les cheveux bouclés de Jesse avaient un peu poussé, et elle les avait teints en rose.

— Merci, ma jolie, dit Ben d'un air suggestif, et elle s'empressa d'éloigner sa chaise de la sienne.

Ben pencha la tête de manière qu'elle ne puisse voir son visage et sourit, avant de se rendre compte que je le regardais fixement. Je plissai les paupières et il toussota d'un air gêné.

— J'ai envoyé un e-mail à tous les membres de la liste de diffusion pour les tenir au courant des événements et les informer qu'Adam sera sur pied d'ici à un jour ou deux.

Une liste de diffusion ? Voilà quelque chose dont je ne connaissais pas l'existence jusqu'alors. Je n'y étais pas abonnée, probablement pour qu'ils puissent tous chouiner à propos de moi sans que je sois vexée. Étant donné l'état des mains de Ben, Auriele avait proposé de rédiger le message, mais il avait protesté, rappelant que tout ce qui concernait l'informatique était son domaine et qu'il avait encore ses dix doigts pour s'en charger.

Il se pencha vers la table et aspira une gorgée de cacao sans toucher la tasse brûlante.

— C'est du cacao instantané, m'excusai-je. Mon stock de bon chocolat aux épices est parti en fumée avec le reste du mobil-home.

Je regrettai mes paroles dès qu'elles furent sorties de ma bouche. J'avais réussi à oublier que, de l'autre côté du jardin, mon chez-moi avait été changé en tas de cendres.

— Ça a le goût de chocolat, me rassura Ben. C'est tout ce qui compte à l'heure qu'il est.

Le silence envahit la pièce et je me souvins soudain que c'était moi qui étais censée mener cette réunion. Cela me rappela bizarrement la fois où j'avais dû m'occuper de la troupe de jeannettes de ma sœur lorsque ma mère était malade. Quatorze préadolescentes, une tablée de loups-garous… c'était atrocement familier.

Je me passai les mains sur le visage.

— Bon, de quoi devons-nous parler avant de tous aller nous coucher ?

Darryl posa ses grandes mains sur la table.

— Le capitaine des pompiers ne s'est pas encore exprimé officiellement, mais ses hommes semblaient persuadés qu'il s'agissait d'un problème électrique. L'incendie a éclaté non loin de l'armoire électrique de l'entrée. Visiblement, les vieux mobil-homes comme le tien ont une fâcheuse tendance à partir en flammes ainsi, en particulier dans les premières semaines de l'hiver, quand on remet le chauffage en marche. (Il me jeta un regard interrogateur.) Est-ce qu'on accepte cette version, ou tu as encore énervé les mauvaises personnes ?

Darryl tenait sa grande taille et son teint d'ébène de son père africain, mais il savait pratiquer l'inscrutabilité à la chinoise mieux que n'importe quel Chinois. J'étais incapable de déterminer si cette dernière phrase était simplement une plaisanterie ou une véritable critique.

— Ce sont les faes, répondis-je à contrecœur en donnant un coup de pied à la table.

— Comment ça, les faes ? Tous les faes ? s'étonna Ben avec humour.

Je me laissai glisser au fond de ma chaise de manière à pouvoir éviter Jesse et donner un coup de pied à Ben, ce qui était bien plus satisfaisant que de frapper la table.

— Non, pas tous, admis-je après avoir eu la satisfaction de l'entendre glapir de douleur pour rire.

— Tu ne peux vraiment pas t'empêcher de nous amener une merde après l'autre, Mercy, remarqua Mary Jo, en regardant par la fenêtre.

— Salope ! cracha Ben.

C'était sûrement son expression du jour… toujours mieux que son vocabulaire habituel, il fallait l'admettre. Il n'avait pas été si grossier que ça, ce jour-là, en fait, si l'on exceptait le moment où Sam lui avait soigné les mains, et si l'on ne prenait en compte que les mots qui auraient pu valoir la censure à un film. Je me demandai si c'était un hasard, ou s'il essayait effectivement de s'améliorer. Peut-être que je n'avais juste pas passé assez de temps avec lui dans la journée.

Mary Jo retroussa sa lèvre supérieure.

— Ta gueule !

— Tu as un sacré culot, lui fit-il remarquer, alors que tu les as regardés mettre le feu à la maison de Mercy sans intervenir.

— Pardon ? intervint Darryl d'un ton aussi doux qu'inquiétant.

Mais Mary Jo ne lui prêta pas la moindre attention. Au lieu de cela, elle se leva et se pencha d'un air menaçant vers Ben.

— Et alors ? Tu penses que j'aurais dû affronter une bande de faes pour la protéger, *elle* ?

Auriele se leva soudain et poussa brutalement la table, puis elle plaqua Mary Jo contre le mur avec violence. J'imaginais qu'il était facile de sous-estimer Auriele quand on ne la connaissait pas. C'était une femme aux attaches délicates, comme c'est parfois le cas chez les Mexicaines, et elle donnait l'impression de ne jamais se salir les mains.

Néanmoins, la plupart des membres de la meute auraient préféré affronter la colère de Darryl plutôt que celle de sa compagne.

Celle-ci demanda d'un ton glacial :

— Tu as regardé une bande de faes mettre le feu à la maison d'un membre de la meute ?

Je récupérai ma tasse avant qu'elle l'envoie valdinguer, et parvins à sauver celle de Jesse, aussi. Je détournai également de ma hanche la trajectoire de la table pour éviter qu'elle frappe Jesse. Darryl attrapa la tasse de Ben ; il avait terminé la sienne. Ce ne furent donc que celles de Mary Jo et d'Auriele qui furent renversées et dégoulinèrent sur le carrelage.

Étant donné la tension qui régnait à ce moment précis, la sonnerie de mon téléphone fut un véritable soulagement. Je posai vivement les tasses et tirai le portable de ma poche.

Je ne reconnus ni le numéro, ni même l'indicatif. Or, en général, j'étais capable d'identifier ceux qui m'appelaient au beau milieu de la nuit.

— Allô ?

— *Mercedes Thompson, tu as quelque chose qui m'appartient, et j'ai quelque chose qui t'appartient. Es-tu prête à procéder à un échange ?*

J'appuyai sur la touche « haut-parleur » et posai le téléphone au centre de la table. Bien entendu, en dehors de Jesse, chacune des personnes présentes aurait été en mesure de suivre la conversation… mais en la portant au volume maximum, j'espérais que quelqu'un pourrait entendre quelque chose d'intéressant. Mon portable était assez récent, et j'avais investi dans un modèle avec une qualité sonore supérieure.

Darryl sortit son propre téléphone, l'un de ces ordinateurs miniatures avec toutes les options possibles et imaginables, et en tapota l'écran plusieurs fois avant de le poser à côté du mien.

— J'enregistre, articula-t-il silencieusement.

— Tout ce que je possédais a disparu dans les flammes hier soir, dis-je à mon interlocuteur non identifié.

Et en le disant, la vérité me frappa en plein cœur. Pauvre Médée. Je serrai les dents en me jurant que cette personne (qui semblait être une femme, mais une femme à la voix rendue rauque par la fumée) n'entendrait pas dans ma voix la peine qu'elle m'avait causée. Enfin, si c'était bien l'une des faes qui avaient mis le feu à ma maison.

— *Il n'y était pas*, répondit-elle. (J'étais de plus en plus convaincue qu'il s'agissait d'une femme. Ce qu'elle dit alors me confirma aussi qu'elle faisait partie des faes qui avaient mis le feu.) *Il se serait révélé dans le feu ou dans la mort. Nous l'avons regardée brûler, avons vu les flammes dévorer ta vie, mais ce que tu as pris à Phineas Brewster ne se trouvait ni dans les braises, ni dans les cendres.*

Les faes s'exprimaient souvent de manière tout à fait sibylline pour les humains. Je m'étais souvent surprise moi-même à utiliser des expressions de Zee. Ce qui m'avait valu des regards perplexes de la part de mes interlocuteurs.

— *Dans le feu ou dans la mort ?* répétai-je, car l'expression ressemblait à une sorte de citation.

— *Il se révèle lorsque celui qui l'a en sa possession meurt, ou lorsqu'il brûle,* expliqua-t-elle avec une pointe d'impatience.

— Votre chasseur de primes avait l'air plutôt efficace, remarquai-je. Pourquoi ne l'avez-vous pas poussé à me tuer, au lieu de vous fier à un autre tueur ?

Grandir parmi les loups-garous m'avait appris à me rendre maîtresse de n'importe quelle situation sans violence. Poser une question sans rapport apparent avec le sujet était l'une de ces tactiques, et c'était encore mieux si la question recelait une autre question : on pouvait ainsi obtenir des informations précieuses.

— *Kelly ?* s'étonna-t-elle d'un air incrédule. (Mais j'avais ma réponse : elle savait de qui je parlais. Ce devait être la fae à l'origine de l'incident qui avait failli coûter la vie à Maia.) *Kelly ne ferait jamais le moindre mal à une femme. Mais la police aurait pensé le contraire.*

Son ton laissait entendre qu'elle connaissait Kelly personnellement… et que, au fond, elle le méprisait pour cette faiblesse.

— J'en conclus donc que je suis en train de parler à celle qui se fait appeler Daphné Rondo ?

Je me souvenais du nom de la productrice, parce qu'elle avait le même prénom que la jolie fille dans *Scoubidou*, et ça m'avait marquée quand je l'avais entendu. J'avais formulé ma question avec précaution parce que les faes ne pouvaient pas mentir, et que ce n'était probablement pas son véritable nom. En général, les faes ne donnaient jamais leur vraie identité à quiconque.

— *Parfois, oui*, répliqua-t-elle, et elle ne semblait pas apprécier que je l'aie démasquée.

Elle aurait parfaitement pu refuser de répondre, mais son silence aurait été tout aussi éloquent. Si elle n'avait pas été la productrice de Kelly, elle se serait fait un plaisir de me détromper.

— M. Heart est très inquiet pour vous, lui dis-je.

Je le regrettai aussitôt. Elle ne méritait pas de savoir qu'il était inquiet : après tout, elle l'avait envoyé au casse-pipe. Si Adam avait pensé que c'était Kelly qui m'avait tuée, il ne lui aurait probablement pas laissé la moindre chance de survie. Tous ceux qui savaient que j'étais sa compagne étaient au courant, et c'était la raison précise pour laquelle elle avait monté cette opération.

— Je suis certaine qu'il ne le serait pas autant s'il connaissait le sort que vous lui réserviez, poursuivis-je.

— *S'il savait ce que je recherche, il me soutiendrait totalement*, répliqua-t-elle avec un tel venin que je devinai qu'elle-même doutait du bien-fondé de ses actions. *C'est mon soldat, il obéit à mes ordres.*

J'avais déjà entendu ce type de discours et je ne pus empêcher un rictus de me déformer les lèvres. Je plaignais ce pauvre homme qui m'était étranger, mais surtout, je plaignais mon ami, Stefan, un autre de ces soldats que l'on avait usés jusqu'à la corde.

— Vous vous la pétez quand même sacrément, remarquai-je, mais c'est souvent le cas avec les faes.

J'étais fatiguée, et j'avais du mal à poursuivre la conversation sans la mettre en colère. Qui détenait-elle ? Stefan ? Cela faisait des semaines que je ne l'avais pas vu. Zee ? Je n'avais pas eu le temps de l'appeler comme prévu, avec toutes ces histoires d'incendie.

— *Et toi, tu es sacrément idiote*, répondit-elle d'un ton débordant de mépris.

Je l'avais contrariée en parlant de Kelly. Non parce que j'avais insinué qu'elle lui avait fait du mal, plutôt parce que j'avais laissé entendre que, s'il avait connu ses véritables motivations, il n'aurait jamais obéi à ses ordres.

— *Mais c'est souvent le cas avec les humains*, poursuivit-elle. *Surtout ceux qui se mêlent de ce qui ne les regarde pas.* (Elle s'interrompit un instant, semblant réfléchir à ce qu'elle allait dire.) *Il serait raisonnable de ta part de ne pas m'agacer alors que j'ai quelque chose auquel tu tiens entre les mains.*

Il y eut deux bruits distincts quand elle se tut : le son d'un coup sur la chair de quelqu'un, puis un cri étouffé. Nous nous figeâmes tous, essayant d'en deviner plus.

— Un homme, articula Darryl.

J'acquiesçai. C'est ce qu'il m'avait semblé aussi. Le cri fut suivi d'autres sons : ceux de quelqu'un que l'on bâillonnait pour l'empêcher de parler. Et ça ne ressemblait ni à Zee, ni à Stefan.

Mary Jo me saisit par l'épaule, le visage pâle et tiré :

— Gabriel ! souffla-t-elle.

C'était ça. Mary Jo avait passé pas mal de temps au garage pour garder l'œil sur moi l'été précédent, lorsque Gabriel y travaillait, et elle le connaissait, elle aussi.

Je n'avais même pas pensé que ce puisse être lui, parce que je le croyais en sécurité. Le désespoir m'envahit et je fermai les yeux. Stefan était un vampire, et Zee, un fae que nombre de ses congénères craignaient et respectaient. Gabriel, lui, était un adolescent de dix-sept ans dépourvu de pouvoirs surnaturels. Il n'avait pas la moindre chance contre un fae.

Jesse émit un petit gémissement avant de se plaquer la main sur la bouche, mais c'était trop tard : la fae l'avait entendue.

— *Alors, ma petite, on est en colère ?* (Elle pensait que c'était moi qui avais gémi.) *Tu sais maintenant qui nous avons capturé ? Il était en train de voler l'une de tes voitures.*

On a failli s'en débarrasser à ce moment-là, mais on s'est dit qu'il t'appartenait, pas vrai ? Alors, on a décidé de l'emmener avec nous et de voir si tu accepterais d'entrer dans la danse.

— Gabriel a le droit d'utiliser n'importe laquelle de mes voitures, répliquai-je en articulant distinctement et en espérant qu'il m'entendrait. Les Seigneurs Gris ne vont pas être très contents lorsqu'ils apprendront que vous avez mêlé un humain à vos affaires.

Elle éclata de rire, et celui-ci me surprit énormément. Lorsqu'une femme avait la voix grave, en général, son rire était du même tonneau. Mais le sien était aigu et délicat, parfaitement inhumain : on aurait dit des clochettes d'argent. Le son me donna une idée du type de fae auquel nous avions affaire, et mon cœur se serra : Gabriel courait vraiment un danger terrible.

Il y avait un bloc de papier à côté du téléphone mural. Je le montrai du doigt et Auriele se leva sans un bruit pour me l'apporter.

— *Tu sais donc qui c'est*, constata-t-elle d'un air satisfait. *Sa maman t'a-t-elle appelée ? Il est vraiment mignon, pas vrai ?* (Puis, avec une certaine mélancolie dans la voix :) *Ah, si j'étais plus jeune, je me le garderais bien pour mon usage exclusif.*

J'attendis qu'elle continue sur sa lancée, qu'elle se mette à pérorer sur le bon vieux temps en expliquant que tout était mieux avant : c'était le genre de discours que j'avais maintes fois entendu ces dernières années. Mais au lieu de cela, elle se tut.

Je me mis à écrire : « Reine des fées. Se déplace toujours en compagnie de cinq à vingt sujets. Capturait autrefois les humains pour s'en servir d'esclaves/amants. Les emmène dans son royaume, similaire à En-Dessous, mais légèrement différent. Les enchante : les humains ne perçoivent pas le temps de la même manière qu'à l'extérieur. Ex : Rip Van Winkle (cent ans) /Thomas Le Rhymer (sept années lui ont semblé sept jours). » (Je soulignai ce dernier nom, car il faisait partie de l'histoire, alors que Rip n'était que le héros d'un conte d'Irving qui pouvait s'être inspiré de l'histoire de Thomas.) « Rire comme un carillon d'argent. A aussi un type de sort hypnotique. Il ôte tout libre arbitre à ses victimes, et probablement à ses sujets, aussi. Plus soumise aux règles que les autres faes, mais extrêmement puissante dans le cadre de celles-ci. »

Le livre m'avait appris énormément à propos des faes. J'espérais y trouver un indice pouvant aider Gabriel avant qu'elle décide de le garder définitivement pour elle.

— *Tu es patiente*, constata-t-elle. *Ça ne correspond pas à ce qu'on m'a dit de toi.*

— Pas tant que ça, la contredis-je. Et je ne crois pas que je vais jouer à ce petit jeu toute seule. Je pense plutôt que je vais en parler aux Seigneurs Gris et qu'ils prendront les choses en main.

Ce n'était évidemment pas le cas, et je n'allais certainement pas être assez bête pour les impliquer dans cette affaire. Mais j'étais curieuse de sa réaction.

Elle rit encore.

— *Oui, fais comme ça, fais exactement comme ça, Mercedes Thompson. Et s'ils se rendent compte de ce que tu as en ta possession, et que tu as la moindre idée de ce que ça représente, ils te tueront, loups-garous ou pas. À vrai dire, ils seraient probablement prêts à te tuer juste pour le récupérer, et tu peux me croire, ce sera nettement plus simple pour eux de le faire, pauvre humaine, que de chercher où il se trouve.*

Elle disait la vérité à propos des Seigneurs Gris, je n'en doutais pas un seul instant. Les faes disaient toujours la vérité. Ils avaient aussi tendance à répondre à la provocation, ce qui me fit riposter d'un air sûr de moi :

— Surtout parce que vous aussi, vous ignorez de quoi il s'agit.

— *Le Grimoire d'Argent*, répondit-elle.

Ce n'était pas le livre qu'elle cherchait ? Je n'avais pas la moindre idée de ce que ce « Grimoire d'Argent » pouvait être, mais le livre que j'avais en ma possession était relié de cuir et doré à la feuille. Il n'y avait rien d'argenté là-dedans. Je n'avais donc rien à proposer en échange de Gabriel. Nous allions devoir partir à sa recherche et récupérer Gabriel en nous assurant, par la même occasion, que la fae ne viendrait plus jamais nous déranger. Comme dans ces contes qui se terminaient par « Et la méchante fée ne les ennuya plus jamais ».

— Vous ne savez pas à quoi il ressemble, répliquai-je d'un ton confiant. Vous croyez que je l'ai en ma possession parce que Phin est mort et que cet objet n'a pas révélé sa présence à ses assassins, comme ça aurait dû être le cas s'il l'avait eu.

Je parlais comme si j'étais certaine de ce que j'avançais.

— *Est-ce que c'est toi qui l'as ?* demanda-t-elle. *Peut-être l'a-t-il donné à quelqu'un d'autre. Cela étant, si ce n'est pas toi, je garderai quand même ce charmant jeune homme en guise de consolation et je continuerai à le chercher.*

Je me mordis la lèvre. Phin était donc vraiment mort.

— J'ai bien quelque chose qui appartient à Phin, dis-je d'un ton prudent.

J'aurais tout le temps le lendemain de culpabiliser au sujet de cet homme, amoureux des livres et des objets anciens, qui avait mis sa vie dans la balance pour m'aider à échapper aux Seigneurs Gris. Cet homme dont la grand-mère s'inquiétait pour lui. Mais en attendant, je devais agir intelligemment. J'étais épuisée, et la douleur d'Adam se faisait à présent sentir, notre lien ayant choisi le plus mauvais moment pour se manifester de nouveau.

— *Pour commencer, tu ne diras rien de tout ça aux loups,* ordonna-t-elle. *Je saurai si tu manques à ta parole. Et si c'est le cas, je garderai le garçon à jamais et redoublerai d'efforts pour te tuer.*

Je jetai un regard aux loups qui m'entouraient.

— Me tuer ne semblait pas une telle priorité hier, lorsque tu risquais d'affronter la fureur de mon compagnon.

Elle émit une sorte de chuintement.

— *Quand j'aurai le Grimoire d'Argent, je n'aurai plus rien à craindre. Ni des loups, ni des Seigneurs Gris. Une seule chose te protège en ce moment : il se peut qu'il ne se révèle pas immédiatement après ta mort. Mais si tu rends les choses trop difficiles, je suis prête à courir le risque.*

— Que voulez-vous que je fasse ? lui demandai-je.

— *Jure-moi que tu ne diras rien aux loups à mon sujet, de ce qui est entre tes mains et de la situation de Gabriel.*

— OK, acceptai-je à contrecœur. Je ne parlerai aux loups ni de vous, ni de l'objet que j'ai qui appartenait à Phin ou du danger que court Gabriel.

— *Tu n'en parleras pas non plus aux faes, que ce soient les Seigneurs Gris ou ce vieux fae qui se trouvait dans ton garage hier matin.*

Je jetai un coup d'œil à Darryl, qui me rassura d'un signe de tête : il se chargerait de raconter tout à Zee.

— Je ne parlerai de vous à aucun fae, ni de l'objet que j'ai qui appartenait à Phin ou du danger que court Gabriel.

— *Je ne suis pas en mesure de te contraindre à obéir,* reconnut-elle. *Je ne possède plus ce genre de pouvoir. Mais je saurai immédiatement si tu me trahis, et notre marché sera automatiquement caduc. Ce beau jeune homme m'appartiendra alors, et tu mourras.*

Je sentis les doigts glacés de Jesse m'enserrer le poignet. Elle et Gabriel sortaient plus ou moins ensemble depuis plusieurs mois. « Plus ou moins », car Gabriel essayait de privilégier sa scolarité afin d'obtenir une bourse d'études.

— D'accord, dis-je à la fae.

— *Deuxièmement, tu vas apporter cet objet à la librairie et le donner à mon chevalier des eaux.*

Petit Poisson, pensai-je. Le terme de « chevalier des eaux » ne me disait rien. Peut-être était-ce un titre, et non le nom d'une espèce de fae ?

— Non. Je refuse de l'apporter à la librairie et de le remettre à votre chevalier.

Si l'un de ses sujets décidait de tous nous tuer, elle ne trahirait pas sa parole. Nous devions traiter seulement avec elle.

— *Tu...*

— Je refuse de vous faire confiance si l'échange n'est pas équitable. Vous allez devoir amener Gabriel et me le remettre sain et sauf, et là, seulement, je vous donnerai cet objet.

— *Il m'est impossible de vous le rendre sain et sauf*, répliqua-t-elle d'un air amusé.

Mary Jo laissa échapper un grondement sourd et je lui donnai un coup de coude pour qu'elle arrête. Mais la fae ne sembla pas le remarquer. Elle avait pourtant entendu le gémissement de Jesse auparavant, mais, comme le disait Bran, on pouvait avoir les sens les plus aiguisés du monde, ça ne servait à rien si on oubliait de s'en servir.

— Pas plus abîmé que maintenant, alors, exigeai-je. Je veux qu'il me soit rendu en pleine possession de ses moyens et dans l'état où il se trouve en ce moment.

— *Ça, c'est possible,* approuva-t-elle, *toujours moqueuse.*

— Attention, si son corps est intact, mais qu'il est mort, ça ne comptera pas.

Elle éclata de rire. Le son de sa voix commençait sérieusement à me taper sur les nerfs.

— *Tu n'as vraiment pas confiance en moi, Mercedes. Tu n'as jamais lu de contes de fées ? Ce sont toujours les humains qui trahissent leur parole. Allez, je vais te souhaiter une bonne nuit de sommeil... Oh zut ! C'est un peu trop tard, n'est-ce pas ? Essaie quand même de te reposer un peu. Je t'appellerai demain à ce même numéro dès que j'aurai eu le temps d'organiser notre échange.*

Je me creusai la tête en essayant de deviner la raison de sa joie apparente : elle semblait savoir quelque chose que nous ignorions.

— Gabriel est bien le seul humain que vous détenez, n'est-ce pas ? m'inquiétai-je, en me rendant soudain compte que ce n'était peut-être pas son seul otage.

Un nouveau rire.

— *Tu crois vraiment que je vais répondre à cette question ?*

Puis elle raccrocha.

— Quelqu'un sait-il à quoi correspond l'indicatif 333 ? demandai-je.

— Ça n'existe pas, répondit Ben, pas plus que 666. Les entreprises de téléphonie ne croient pas en la numérologie, mais certains de leurs clients, si.

— Veux-tu que j'appelle Zee maintenant ? gronda Darryl. Ou vaut-il mieux éviter de le réveiller en pleine nuit au risque de le mettre de mauvaise humeur ?

Je lui jetai un regard impuissant.

— Je ne peux pas répondre à ta première question. Et Zee est toujours de mauvaise humeur. N'y fais pas attention.

— Je vais l'appeler, intervint Auriele.

—Attends un peu…

Je m'interrompis avant de dire quoi que ce soit concernant un appel à Zee. J'ignorais si ce serait suffisant pour alerter notre ennemie fae. Mais Auriele comprit sans que j'aie à lui parler, et se rassit sur sa chaise.

—Quelqu'un a-t-il entendu quelque chose qui permettrait de la localiser? demanda Jesse, qui était grande amatrice de séries policières.

—Pas de train, observa Mary Jo d'un ton sec en repoussant la table. Pas de bruits d'eau. Pas de route: je n'ai entendu aucun bruit de moteur. Pas de cloches d'église reconnaissables. Pas de bruits de dauphins s'amusant à l'arrière-plan.

—Ce qui élimine déjà bon nombre de possibilités, remarqua Auriele. Je suis à peu près sûre qu'elle se trouvait à l'intérieur. J'ai entendu un bourdonnement qui ressemblait à celui d'un néon fatigué.

—J'ai trouvé que sa voix résonnait comme si elle se trouvait dans une pièce avec des murs en dur, ajouta Darryl. Ce n'était pas une très grande pièce: il n'y avait pas d'écho.

—Quand… (Je ravalai mon allusion au moment où elle avait frappé Gabriel: je ne devais parler ni d'elle, ni du danger que courait mon ancien employé.) Quand Mary Jo a entendu quelque chose, il y a eu un son de raclement. Comme le pied d'une chaise glissant sur un sol en béton.

Je fermai les yeux et tentai de me concentrer sur les sons que j'avais entendus.

—L'absence de bruits extérieurs peut signifier qu'elle se trouvait dans une cave, pas simplement à l'intérieur d'un bâtiment, supposa Darryl. Si elle n'habite pas dans le coin, elle aura eu besoin de trouver un endroit sûr. Pas une chambre d'hôtel, en tout cas. Or, il est difficile de trouver à se loger en ce moment, si je dois me fier à ce que me raconte l'un de mes collègues sur ses difficultés à louer un appartement. Si Phin est mort, peut-être que la fae utilise sa maison ?

— Il habitait dans un appartement, dans l'une des nouvelles résidences qui ont été construites à l'ouest de Pasco. Et il avait des voisins plutôt curieux.

Je me levai pour aller chercher un torchon que j'humidifiai avant d'essuyer la table pleine de chocolat.

— Sa boutique, alors, proposa Auriele, avant de me prendre le torchon et de le lancer à Mary Jo. C'est ta faute, alors tu nettoies.

Mary Jo rentra la tête dans les épaules et s'exécuta sans protester.

— Sam et moi avons visité la réserve de la boutique hier soir, dis-je, mais il n'y avait que des ampoules à incandescence, pas de néon bourdonnant. Et de toute façon, ça ne colle pas : l'endroit est plein de livres, ça n'aurait pas résonné autant. Là, on aurait dit que la pièce était vide.

— Vous êtes passés à la librairie ? Vous avez pu détecter des odeurs intéressantes ? intervint Ben qui, je le croyais, somnolait.

Il n'ouvrit même pas les yeux. J'imaginais que le stress subi à cause de ses blessures et le plantureux repas de mystérieux rôtis devaient lui faire l'effet d'un somnifère.

— Tu ne veux pas descendre dormir un peu ? m'enquis-je.

— Non, ça va. Vous avez découvert quelque chose d'intéressant ?

— Nous avons décelé l'odeur de Phin, ainsi que celle de quatre faes. L'un d'eux, une sorte de fae des bois, est revenu alors que nous y étions, et Sam l'a tué. Il y en avait un autre, une femelle, que nous n'avons pas vue. Elle faisait partie de la même espèce que celui qu'a tué Sam, j'en suis quasiment sûre. Et il y avait un troisième fae qui sentait l'humidité et la vase et qui, je l'espère, est le chevalier des eaux dont elle nous a parlé. Moins elle a d'alliés, mieux c'est pour nous. Et j'ai rencontré la quatrième qui a laissé son odeur dans la journée... enfin, celle d'hier, maintenant. On aurait dit une gentille grand-mère. J'ignore de quel type de fae il s'agit.

— Est-ce que c'était la même que celle-ci ? demanda Ben en désignant le téléphone du menton.

— Je ne peux pas répondre à cette question, lui rappelai-je.

— Mais tu peux me le dire à moi, remarqua Jesse. Cette vieille dame est-elle celle qui a enlevé Gabriel ?

— Je n'en sais rien, admis-je avant de fermer les yeux pour me concentrer sur la question. Non. Elle examinait les livres de comptes de Phin et essayait de savoir à qui Phin avait donné le livre. Ces salopards ont déjà essayé de me tuer une fois aujourd'hui... Au cas où vous ne l'auriez pas compris, l'incident d'hier matin était dirigé contre moi. Ils savaient où chercher, eux.

Je regrettai de ne pas lui avoir plus parlé. Peut-être aurions-nous davantage de détails concernant la nature de ce que cherchait la reine des fées.

— Elle n'a pas l'air si intelligente que ça, cette reine des fées, dit Ben. Si c'était le cas, elle saurait que tu n'es pas humaine.

— Ce n'est pas vraiment de notoriété publique, reconnus-je. Et en dehors de mes rapports avec Adam et le Marrok, je ne représente rien d'important. Elle n'a aucune raison d'être au courant, surtout que, habituellement, elle est productrice en Californie.

— Elle tire des conclusions hâtives, intervint Darryl. Mercy, la plupart des gens qui te connaissent vaguement se demandent si tu n'es pas une fae ou une louve qui n'aurait pas fait son *coming out*, tout simplement parce que tu es la compagne d'un loup et la collègue d'un fae. (Il haussa un sourcil interrogateur.) Peut-être qu'elle espère que tu es effectivement l'un des deux et que tu vas protester si elle te traite d'humaine.

— Ça n'est pas impossible, approuvai-je.

— Et pourquoi ne pas simplement lui donner ce qu'elle veut et récupérer Gabriel ? demanda Mary Jo. Après tout, ce livre ne t'appartient pas et il semble que son propriétaire soit mort.

Ben eut un reniflement de dérision.

— Tu n'es pas si stupide, d'habitude. Tu veux donner à la reine des fées un objet de pouvoir dont elle pense qu'il la protégera de nous.

Darryl considéra Mary Jo, la tête inclinée. Elle rougit et baissa les yeux.

— Ne crois pas que j'aie oublié que tu as désobéi à Adam, l'avertit-il. Tu n'es pas à ta place parmi nous ce soir, c'est juste que je n'ai pas l'intention de te laisser quitter cette maison avant de t'avoir punie. (Il attendit que ses paroles fassent effet, puis répondit à sa question :) Ben a raison. Accessoirement, tu penses vraiment qu'elle épargnera quiconque sait ce qu'elle a entre les mains ? J'ignore totalement ce qu'elle veut. Mais, si les Seigneurs Gris sont prêts à tuer Mercy seulement parce qu'elle en connaît l'existence, alors qu'elle est dans leurs petits papiers et qu'elle fréquente notre Alpha bien-aimé, tu imagines bien qu'ils n'hésiteront pas à se débarrasser d'un de leurs sujets qui ne bénéficie pas d'une telle protection. Or si, moi, je peux deviner ça grâce à une simple conversation téléphonique, tu peux être certaine que cette Daphné en a parfaitement conscience. Elle n'a pas la moindre intention de libérer son otage. Elle va procéder à l'échange avant de tuer non seulement Gabriel, mais aussi Mercy.

— Ou le garder pour elle et tuer Mercy, suggéra Jesse qui partageait un certain sens de la stratégie avec son père. Il vaudrait mieux pour Gabriel qu'elle le tue.

C'était néanmoins une adolescente typique dans sa vision mélodramatique des choses : je n'étais pas vraiment persuadée que Gabriel serait malheureux en tant qu'esclave de la reine des fées : d'après ce que j'en avais lu, ses victimes trouvaient l'expérience plutôt agréable, ne serait-ce que parce qu'elles étaient dépourvues de tout libre arbitre.

Moi, j'aurais préféré la mort à un tel sort. Peut-être Jesse avait-elle raison, en définitive.

— Mercy, gronda Darryl, elle avait néanmoins raison à propos d'une chose : tu as besoin de sommeil. Va te coucher. (Son ton s'adoucit :) Toi aussi, Jesse. On sera plus utiles à ton petit ami si on est bien reposés.

Il avait raison. J'arrivais à peine à garder les yeux ouverts. Je bâillai et pris Jesse par le bras.

— D'accord.

Je laissai Jesse dans sa chambre, puis allai ouvrir aussi discrètement que possible la porte de celle d'Adam. Quelqu'un avait ôté le duvet du lit et l'avait posé par terre. Adam était étendu, nu, sur le drap ainsi dégagé… et il avait une mine atroce. Des cicatrices d'un rouge sombre recouvraient ses membres et une grande partie de son corps.

Warren avait ôté ses chaussures et s'était allongé entre Adam et la porte, face à celle-ci. Sam était pelotonné à leurs pieds.

Je m'étais un peu inquiétée à l'idée de le laisser en compagnie d'un Alpha blessé, mais il continuait visiblement à agir de manière plutôt atypique pour un loup-garou dépourvu de contrôle. Je fermai la porte et il s'étendit sur le flanc en me coulant un regard ensommeillé. Il s'agita un peu et émit un petit jappement de contentement quand il entra en contact avec les pieds de Warren. Je remarquai qu'il évitait de toucher Adam.

Warren était réveillé, même s'il donnait l'impression d'être profondément endormi. Je l'escaladai et vis la commissure de ses lèvres se relever quand je me glissai entre lui et Adam en prenant soin de me recroqueviller pour éviter de donner un coup de pied à Sam.

Je fis de mon mieux pour ne pas toucher Adam, mais il se retourna et mit son bras en travers de mon bassin. C'était une sensation délicieuse de chaleur et de sécurité… et ce devait être horriblement douloureux pour lui. Il ouvrit légèrement les paupières, puis les referma.

Je restai ainsi un bon moment à simplement me réjouir qu'il ait survécu à l'incendie. La porte s'ouvrit alors que j'étais sur le point de sombrer dans le sommeil.

— Y a encore un peu de place pour moi ? demanda Ben.

Je me redressai à moitié et le vis à la porte, vêtu d'un bas de survêtement détendu. Ses cheveux étaient tout ébouriffés sur un côté du crâne : il devait avoir essayé de se coucher ailleurs avant de remonter.

— Sinon, je peux toujours…, poursuivit-il.

— Viens, grogna Warren. Je vais aller dormir dans la chambre d'ami, à l'étage.

Il se laissa rouler hors du lit et Ben prit sa place. Il mit son pied sur le mien, puis laissa échapper un soupir avant de s'effondrer comme un chiot qui aurait joué trop longtemps. La meute était source de grand réconfort en cas de blessure, pensai-je en reposant la tête sur l'oreiller. Et, pour la première fois depuis bien longtemps, si ce n'était toujours, je savourai l'idée d'en faire partie.

Je me réveillai parce que j'avais chaud à la tête. C'était une sensation familière et j'allais me rendormir quand soudain je sentis comme des épingles s'enfoncer dans mon cuir chevelu. Je me souvins alors pourquoi il était impossible qu'un chat dorme sur ma tête.

Je me redressai vivement et croisai le regard calme d'une chatte de l'île de Man au pelage écaille de tortue légèrement roussi, qui exprima sa contrariété face à mon soudain mouvement d'un petit « miaou » irrité. Elle sentait la fumée et avait une plaque légèrement à vif sur le dos, mais en dehors de ça elle semblait en parfaite santé.

Adam ne bougea pas, mais Ben se tourna vers moi et ouvrit les yeux.

— Salut, minette, dis-je avant de fondre en sanglots alors qu'elle se couchait de manière à pouvoir être caressée aisément aussi bien par moi que par Ben. J'ai bien cru que t'étais cuite.

Elle plaqua sa tête contre ma main, et glissa le long de celle-ci. Ben tendit la sienne et s'interrompit lorsqu'il bougea ses doigts douloureux. Ils étaient déjà dans un meilleur état que quelques heures auparavant, mais avaient néanmoins l'air d'un truc sorti d'un film d'horreur.

— Je n'avais pas pensé que tu n'étais pas au courant, s'excusa-t-il d'une voix toujours rauque. J'aurais dû penser à te le dire. Adam a foncé vers ta chambre et moi vers celle de Sam : elle était cachée sous le lit.

Je m'essuyai le nez contre mon épaule, mes deux mains étant occupées par Médée et, de toute façon, pleines de ses poils. Puis je me penchai et embrassai Ben sur le bout du nez.

— Merci, lui dis-je. Elle m'aurait vraiment beaucoup manqué.

— Ouais, marmonna-t-il en s'étirant, les mains posées délicatement sur son ventre, elle nous aurait manqué à nous aussi. C'est le seul chat que je connaisse qui supporte les loups-garous.

Il avait l'air étrangement vulnérable. Il n'avait sans doute pas l'habitude d'être traité en héros.

— Ne crois pas que ce soit si flatteur que ça, commenta Adam d'un ton ironique. Elle aime aussi les vampires.

— Adam ? m'écriai-je.

Mais il avait déjà de nouveau sombré dans l'inconscience. Et je sentis sa présence dans mon esprit, comme si rien ne s'était passé.

Chapitre 10

À mon réveil, le premier sentiment qui m'assaillit fut la surprise d'être aussi pleine de courbatures. Puis je me souvins de l'énorme fae qui m'avait tabassée. À cause des derniers événements, la rencontre avec le fae dans la librairie m'était totalement sortie de l'esprit. J'avais une bosse de la taille d'un œuf d'oie à l'arrière du crâne, toutes mes articulations étaient raides et mes deux chevilles me faisaient mal.

Sam ronflait, ce qui n'était pas vraiment une habitude chez lui. Il était étendu sur mes pieds, ce qui ne devait pas être très confortable, mais il semblait pourtant à l'aise. Il dut sentir l'attention que je lui portais parce qu'il se mit sur le dos et s'étira dans un instant de semi-réveil, avant de se remettre à ronfler.

Adam dormait toujours aussi profondément qu'un mort, comme ç'avait été le cas presque toute la nuit, si l'on exceptait le moment où il s'était réveillé, agité par une quinte de toux et crachant du sang mêlé de suie. Dans la nuit, il s'était éloigné de moi et il dormait désormais de son côté du lit. Je lui caressai l'omoplate et le sentis se rapprocher de ma paume, mais il ne se réveilla pas.

— Hé, murmurai-je, je t'aime, toi.

Il ne répondit rien, mais je n'avais pas besoin de ça : je savais ce qu'il ressentait. Ce ne fut qu'après m'être difficilement relevée du lit que je me rendis compte que

Ben avait disparu. Je jetai un coup d'œil par la fenêtre et vis qu'on était encore le matin ; pas très tôt, certes, mais tout de même assez pour que je n'aie pas l'impression d'être une larve amatrice de grasses matinées.

Je boitillai en direction de la salle de bains. Une douche bien chaude me permit de me dérouiller un peu. Et même si mes vêtements étaient sales et puaient le sang et la fumée, je me sentis plus à même d'affronter cette nouvelle journée. Je réussis à remettre mon holster d'épaule au prix de quelques contorsions.

Ce n'était pas que je ressente absolument le besoin d'être armée, mais je n'avais aucun endroit où mettre le SIG en sécurité. Adam avait probablement un coffre réservé pour les armes quelque part dans la maison, mais j'ignorais où il se trouvait. Je décidai donc de porter le holster sous mon tee-shirt qui était assez large pour le dissimuler. Sortir l'arme risquerait d'être délicat, mais ça n'avait pas grande importance : il était chargé de balles ordinaires, alors que la maison était pleine de loups-garous. Si j'en arrivais à devoir dégainer, ce serait probablement trop tard.

C'est sur cette joyeuse pensée que je sortis de la chambre en refermant silencieusement la porte derrière moi. Une alléchante odeur de saucisse et de beurre m'attira dans la cuisine.

Darryl était en train de préparer le petit déjeuner.

Auriele eut un sourire amusé en voyant mon expression.

— C'est dimanche, dit-elle d'un ton satisfait. Ce jour-là, c'est lui qui cuisine et moi qui m'occupe de la vaisselle. La plupart du temps, on se retrouve ici, au *Central Meute*, et quand c'est Darryl qui est aux fourneaux, tout le monde a tendance à venir grignoter un bout. Autant te dire que c'est un sacré boulot.

Étant donné l'appétit du loup-garou moyen, je pouvais l'imaginer. C'était certainement un sacré boulot, mais aussi l'un de ces rituels qui rassemblaient les membres de la meute : les petits déjeuners du dimanche chez Adam.

— Si tu t'occupes de la vaisselle quand il cuisine, est-ce que la réciproque est vraie ? demandai-je.

— Non, répliqua Darryl en nous servant à chacune une assiette débordant de saucisses, d'œufs, de pommes sautées et de pain perdu avec l'expertise d'un professionnel, avant de retourner aux fourneaux. Je ne suis pas si progressiste que ça.

Auriele sourit quand il lui tourna le dos.

— Mais il passe quand même l'aspirateur.

Darryl émit un grognement irrité.

— Quelqu'un a vu Ben ? m'enquis-je avant de commenter spontanément. Miam, c'est drôlement bon !

Le pain perdu était saupoudré de véritable vanille, de cannelle et de plein d'autres choses, et recouvert d'authentique sirop d'érable doux-amer.

— Mmmmh, approuva Auriele en savourant ses pommes sautées. Tu sais que Darryl a payé ses études en cuisinant ?

— Et ça rapportait bien, ajouta Darryl. Ben est déjà descendu, a pris son petit déjeuner puis il est parti. Il revient bientôt. J'ai passé un coup de fil à Zee hier soir.

Je posai ma fourchette sur la table.

— Qu'est-ce qu'il a dit ?

— Je ne te le dirai pas si tu laisses refroidir le bon repas que je t'ai préparé.

Je m'empressai d'avaler une bouchée de saucisse et il se remit à cuisiner… et à parler.

— Je lui ai fait écouter l'appel que nous avons reçu cette nuit et il m'a cuisiné sur tout le reste de ce que tu nous avais appris. Puis il a dit qu'il allait voir ce qu'il pouvait faire. Il a rappelé il y a à peu près une heure pour dire qu'il arriverait dès que possible. Probablement d'ici à deux ou trois heures ; donc, essaie de détourner l'attention de l'ennemie si jamais elle t'ordonne de faire quoi que ce soit avant son arrivée.

— Il avait l'air de quelle humeur ?

— Grincheuse. Café ou jus d'orange ?

— De l'eau, ce sera très bien.

Il haussa les sourcils.

— Oh, oh ! intervint Auriele en souriant.

Darryl, lui, était très sérieux.

— Tu insinues que mon café n'est pas le meilleur des quatre comtés alentour ? Ou que mes oranges pressées ne frisent pas la perfection ?

C'est le moment que Jesse choisit pour arriver en poussant un couinement d'aise :

— Oh bon sang, c'est *Darryl* qui fait la cuisine. J'avais presque oublié qu'on était dimanche. Jus d'orange, s'il te plaît. (Elle me jeta un regard en coin et éclata de rire.) Mercy ne boit ni café, ni jus d'orange, poursuivit-elle en attrapant un verre dans le placard et en le remplissant à la carafe que Darryl avait posée sur la table. Comme c'est dommage. Ça en fait plus pour moi.

Elle essayait d'avoir l'air charmante et pétillante, mais des cernes noirs soulignaient ses yeux. Elle saisit l'assiette que lui tendait Darryl et s'installa près d'Auriele.

— Alors, reprit-elle. (Les cheveux roses lui donnaient l'air joyeux. Difficile d'avoir l'air triste avec des cheveux roses, même si ses yeux aussi l'étaient légèrement.) Comment va-t-on pouvoir aider Gabriel ?

— Vous n'avez pas remarqué que tous ceux qui connaissent Mercy ont, à un moment ou à un autre, besoin d'aide ? remarqua Mary Jo en entrant dans la cuisine.

J'allais devoir m'occuper de son cas. J'avalai une bouchée de pain perdu et reposai ma fourchette sur l'assiette. Le plus tôt serait le mieux.

Je me levai.

— Excuse-moi, dis-je à Darryl, avant de me tourner vers Jesse. Ça te dérange si j'emprunte ta chambre un instant ?

Elle me regarda fixement pendant quelques secondes.

— Non ? répondit-elle, d'un ton plus interrogateur qu'affirmatif.

Et peut-être était-ce effectivement une question.

— C'est simplement que ta chaîne hi-fi est très efficace pour empêcher les loups de la maison d'entendre une conversation. Et si je dois en juger par le boucan qui vient d'en bas, ils sont déjà nombreux.

— C'est la faute à la cuisine de Darryl, expliqua Auriele sur un ton d'excuse.

— Ça se comprend aisément, la rassurai-je. Si tu surveilles mon assiette pendant mon absence, je t'en serai reconnaissante. (Puis, me tournant vers Mary Jo.) Toi. Tu viens avec moi.

Et sans un regard en arrière, je me dirigeai vers l'escalier et la chambre de Jesse. J'entrai dans celle-ci et allumai la chaîne jusqu'à ce que le volume sonore soit presque douloureux. Ce n'était pas le genre de CD que j'aurais choisi d'écouter, mais c'était bruyant et c'était tout ce qui m'importait.

— Ferme la porte, ordonnai-je à Mary Jo.

J'étais presque surprise qu'elle m'ait suivie comme je le lui avais demandé.

Elle s'exécuta, le visage dépourvu d'expression.

— OK. Approche-toi de la fenêtre, ce sera presque impossible de nous entendre.

Toutes ces précautions n'étaient pas vraiment nécessaires. Avec la foule qui peuplait la maison d'Adam, personne ne serait en mesure d'entendre ce qui se disait dans la pièce voisine, aussi fine que soit leur ouïe : il y avait tout simplement trop de conversations parasites. Mais la chaîne nous permettait d'être vraiment certaines de ne pas être entendues.

— Qu'est-ce que tu veux ? demanda-t-elle en restant au milieu de la pièce.

Je m'appuyai contre le mur entre les deux fenêtres et croisai les bras. Je ne me sentais pas à mon aise dans ce rôle. J'avais toujours été une personne solitaire. Même quand je vivais à Aspen Creek au sein de la meute du Marrok, j'étais seule, coyote parmi les loups. Mais Adam avait besoin d'une meute qui le soutienne… et c'était ma faute si ce n'était pas actuellement le cas. Si j'étais une des causes du problème, je devais aider à trouver une solution. J'avais donc l'intention de vérifier si toutes ces années passées à observer le Marrok manipuler les gens avaient porté leurs fruits, et si je pouvais utiliser sa technique pour obtenir des résultats similaires.

Je lui souris.

— Je veux que tu me dises quel est ton problème avec moi. Ici et maintenant, sans témoin susceptible d'interférer dans la discussion.

— C'est toi, le problème, Mercedes, cracha-t-elle. Un coyote charognard parmi les loups. Tu n'es pas à ta place.

— Oh, allez, je suis sûre que tu peux faire mieux que ça, la taquinai-je. On croirait entendre une gamine de l'âge de Jesse, sauf que même elle ne parle pas comme ça.

Son regard se troubla alors qu'elle réfléchissait à ce que je venais de dire.

— OK, dit-elle après une minute ou deux. Tu n'as pas tort. Le premier problème : tu as laissé Adam pourrir sur pied pendant deux ans alors qu'il avait officiellement fait de toi sa compagne. Durant ces deux années, la meute s'est délitée parce que Adam n'arrivait plus à rester calme… et était presque incapable d'aider les autres à maîtriser leur loup.

— Je suis d'accord, répondis-je. Mais pour ma défense, je tiens à te faire remarquer qu'Adam ne m'a jamais demandé à *moi* si je voulais bien devenir sa compagne, durant cette période, ou avant qu'il le déclare devant la meute. Il ne m'a rien demandé, que ce soit avant ou après. Je ne faisais pas partie de la meute, et sa déclaration avait pour but de me protéger des attaques des autres loups. Je n'ai su ce qui s'était passé que bien après que ça se soit produit. Et même, personne n'a jugé utile de me parler des conséquences d'une telle décision jusqu'à il y a quelques mois. Dès que j'ai pris conscience de ce qui arrivait à la meute et à Adam à cause de cette déclaration, j'ai pris ma décision.

— Comme c'est gentil de ta part, répliqua-t-elle avec hargne. Devenir la compagne d'Adam par égard pour la meute…

— Sauf que ce n'est pas le cas, la contredis-je. Le choix que j'ai fait n'avait rien à voir avec les problèmes rencontrés par la meute : tout ce dont Adam avait besoin, c'était d'une réponse claire. Un « non » aurait été tout aussi efficace pour calmer la meute. J'ai dit « oui »… tout simplement parce que c'est Adam.

À moi, murmura une voix dans mon esprit, une voix qui, j'en étais sûre, était la mienne.

— Deuxième problème, poursuivit-elle, les dents serrées. C'est parce que tu as invité chez toi ce loup errant qu'Adam a failli se faire tuer et que Jesse a été kidnappée.

— Ah ça, non ! protestai-je. Tu ne peux pas me mettre ça sur le dos. C'étaient des histoires de loups-garous du début jusqu'à la fin. Mon seul tort, c'est d'avoir été au mauvais endroit, au mauvais moment. Ni plus, ni moins. Encore un point pour moi.

— Pas d'accord, répondit-elle.

Je remarquai sa position, celle, classique, d'un soldat au repos. Je me demandai si c'était quelque chose qu'Adam apprenait à ses loups car, à ma connaissance, Mary Jo n'avait jamais fait partie de l'armée.

— Comme tu veux, commentai-je en haussant les épaules. Nous sommes dans un pays libre. Tu as le droit de penser ce que tu veux.

— Tu ne peux pas nier ta responsabilité dans la tentative de meurtre sur notre second lieutenant quand ce démon est arrivé en ville. Sans toi et tes liens avec les vampires, ça ne se serait jamais produit.

Son ton était calme et son cœur battait régulièrement : Warren n'avait vraiment aucune importance à ses yeux. Ben avait raison. Elle ne l'avait même pas appelé par son nom : pour elle, sa position dans la meute était plus importante que l'homme lui-même.

— Une fois rendue officielle la présence de ce démon dans le coin, il était inévitable que les loups partent à sa recherche, remarquai-je. Et tu n'en as rien à cirer de Warren, alors ne fais pas semblant.

Elle réagit enfin, leva la tête et croisa mon regard. Je vis qu'elle avait même l'air un peu inquiet. Elle avait toujours essayé de faire croire qu'elle était de ces loups que les préférences sexuelles de Warren ne dérangeaient pas.

— Warren en vaut dix, des comme toi, lui dis-je. Il est toujours là quand on a besoin de lui et ne fait pas son possible pour détourner les ordres d'Adam dès que ceux-ci ne lui conviennent pas. (Voyant qu'elle s'apprêtait à riposter je fis un geste méprisant, car je voulais aborder le sujet de ses activités récentes plus tard, quand elle aurait répondu à toutes mes questions.) Revenons à nos moutons. Quoi d'autre ?

— C'est à cause de toi que je suis morte, susurra-t-elle. Pauvre Alec… quand il m'a sauté à la gorge, il n'avait pas la moindre idée de ce qui se passait. Aucun de nous ne le savait. Les vampires nous ont attaqués à cause de toi.

Les vampires avaient tendu un piège chez *Oncle Mike*, la taverne où les faes et autres êtres surnaturels du coin aimaient à se retrouver. Ils avaient jeté un sort qui poussait tout être lié aux loups à commettre un massacre. La malchance de Mary Jo, c'était qu'elle et deux autres loups, Paul et Alec, avaient décidé d'aller boire un coup le mauvais soir. Lorsque Adam et moi étions arrivés, Mary Jo était déjà morte. Mais il semblait donc que, quand l'on mourait en présence d'un Seigneur Gris en particulier, la mort n'était pas aussi permanente qu'on pouvait le penser.

— Un point pour toi, acquiesçai-je en me laissant aller contre le mur afin de lui faire croire que son reproche ne m'atteignait pas : il m'était impossible de mentir avec ma bouche, mais mon corps le faisait très bien. Même si au fond, accepter la responsabilité de cela est idiot : les vrais responsables de ta presque mort, ce sont les vampires. Mais, en effet, si je n'étais pas sortie avec Adam, ils n'auraient jamais visé les loups, donc j'imagine que tu n'as pas tort de m'accuser.

J'attendis qu'elle lève de nouveau les yeux, de manière à pouvoir déchiffrer son expression. Quand ce fut le cas, je constatai qu'elle se maîtrisait complètement. Deux choses pouvaient expliquer cette haine soudaine de sa part. La première, c'était donc cet incident chez *Oncle Mike*, mais elle n'était pas assez en colère pour qu'il s'agisse seulement de ça. J'avais une autre explication… mais je décidai de la laisser de côté, jusqu'au moment où ça arrangerait mes affaires.

— Mais, repris-je, si j'accepte la responsabilité de cette histoire, je me sens obligée de te faire remarquer que c'est aussi grâce à moi si tu es encore parmi nous. Le Seigneur Gris qui t'a ressuscitée l'a fait parce qu'elle m'était redevable.

Elle eut un ricanement ironique.

— J'espère vraiment qu'un jour, quelqu'un te rendra ce genre de « service ». J'en souffre… J'en souffre toujours. Il y a des jours où je suis incapable de sentir certaines parties de mon corps.

Je le savais et m'en inquiétais, même si la fae m'avait juré que Mary Jo redeviendrait normale. Enfin, j'espérais qu'elle avait simplement négligé de dire que ça pourrait prendre un moment simplement parce que le sort de la louve lui était indifférent.

— OK, la prochaine fois, je lui dirai de ne pas prendre la peine de te ramener, promis-je.

Je tapai du pied par terre en me demandant jusqu'où je voulais vraiment pousser cette conversation. Cela dépendait en grande partie du rôle que je voulais tenir au sein de la meute. Jusqu'à présent, j'avais donc laissé le Bran en moi s'exprimer, utilisant les techniques que j'avais vu le Marrok appliquer durant toute mon enfance, des techniques que j'appliquais moi-même avec une aisance qui me mettait légèrement mal à l'aise : je ne me considérais pas comme une personne manipulatrice. Mais je mis cette pensée de côté et me concentrai sur le cas qui nous intéressait.

« Définis quels résultats tu veux obtenir, et fais tout ce qui est en ton pouvoir pour atteindre ce but », disait souvent Bran. Alors, oui, en effet, quels résultats voulais-je obtenir ?

Pour répondre à cette question, je devais d'abord déterminer si ses récentes manigances avaient pour objectif de nuire à moi ou à Adam. Je pensais être capable de lui pardonner plus facilement des attaques contre ma personne que contre Adam.

Je me souvins alors du regard qu'elle m'avait jeté quand j'étais assise par terre, à l'hôpital, avec Adam en pleine métamorphose dans mes bras… Adam, qui avait failli brûler vif en essayant de me sauver parce qu'elle ne l'avait pas averti que j'étais en sécurité. Un regard qui disait qu'elle aurait préféré le voir mort que dans mes bras.

Avait-ce été une impression fugace, ou bien la colère de savoir qu'Adam était mien lui avait-elle fait dépasser les bornes ?

— Mary Jo, lui dis-je gentiment, nous savons toutes les deux que tout ça, c'est des âneries. Tout est vrai, à certains détails près, mais ce n'est pas la raison pour laquelle tu m'en veux tellement.

Elle redressa le menton.

— Adam m'appartient, poursuivis-je. Et tu ne le supportes pas. Est-ce que ça te dérange que je sois un coyote ? Que nous soyons un couple mixte, dans ce cas-là d'espèces différentes ? Darryl est africain et chinois, Auriele d'origine hispanique, et ça ne semble pas te poser problème.

Que je sois une métamorphe coyote n'avait rien à voir, je le savais parfaitement. Je me demandais simplement si elle en avait elle-même conscience. Ça dérangeait certains membres de la meute. Peut-être Darryl et Auriele en dérangeaient-ils aussi. Mais si c'était le cas, ils étaient assez malins pour le garder pour eux.

Mary Jo serra les lèvres mais ne dit rien.

— Ça fait combien de temps que tu es amoureuse de lui ? lui demandai-je. Tu as pourtant eu toutes ces années après le départ de la mère de Jesse.

Je détestais les méthodes de Bran. Je vis ses yeux s'assombrir de douleur et eus envie de me donner une gifle. Mais elle avait été au moins en partie responsable des blessures d'Adam. Et je comprenais mieux ce qu'avait dit Warren au sujet du feu après avoir vu Samuel gratter les tissus morts des tissus vivants. Mary Jo avait agi comme une idiote. J'étais prête à parier qu'elle ne l'avait pas fait exprès, mais je devais m'en assurer.

Je vis la colère remplacer la douleur sur son visage et me contentai de l'observer.

— Tu n'es *rien*, me cracha-t-elle au visage. Moi non plus, je ne suis rien. C'est comme ça que je le sais. Adam mérite ce qu'il y a de mieux. Une louve belle et forte, une femme…

— Plus intelligente ? suggérai-je. Mieux élevée ?

— … qui ne soit pas une bâtarde de coyote, répliqua-t-elle. (Je voyais le loup dans ses yeux et sa voix était à vif.) Ni une crétine de mécanicienne ou un putain de pompier. Il n'y a même pas de mot pour ce que je suis : une pompière, ça n'existe pas. Il a besoin de quelqu'un de doux et féminin.

— Il mérite le meilleur, approuvai-je.

Je la tenais et ça me rendait malade. Les coyotes ne sont pas des chats : ils ne jouent pas avec leur proie.

— Et je pense que ce qu'il mérite le plus, c'est une meute qui le soutient, poursuivis-je.

— Je le soutiens, protesta-t-elle.

Je ne pouvais pas voir ses mains. Durant toute notre conversation, elle était restée en position de repos, les mains jointes derrière le dos. À en juger par ses biceps contractés, celles-ci devaient être serrées, et sa voix n'était plus aussi dure et posée qu'elle l'aurait voulu. Mais ce qu'elle dit me confirma ce que je cherchais à savoir : elle n'avait pas voulu sa mort. Ça rendait ce qui allait suivre à la fois plus difficile et plus facile. Plus dur parce qu'elle allait encore souffrir avant qu'on en ait terminé, mais plus simple aussi parce qu'elle en sortirait vivante.

— Tu le soutiens, pas vrai ? répétai-je d'une voix douce, l'air détendu. C'est marrant, parce que j'aurais pu jurer que tu avais en fait comploté pour le tuer.

— Je l'ai sorti des flammes, se rebiffa-t-elle. Je lui ai couru après avec Darryl et l'ai sorti du mobil-home.

— Pas assez vite, Mary Jo, lui fis-je remarquer. Il aurait pu mourir là-dedans.

Je dus inspirer profondément pour me calmer. *Il aurait pu mourir.* Mais je devais battre le fer, la forcer à m'écouter, et à s'écouter, elle.

— Qui était avec toi dehors, hier soir ? demandai-je calmement. Ben dit que, qui que ce soit, c'est en tout cas un loup plus dominant que toi. Ce n'était ni Warren, ni Darryl.

Ben aurait remarqué si Darryl était absent lors de la réunion. Et il m'en aurait parlé, parce que, si c'était Darryl qui était derrière tout ça, il aurait été trop dangereux de garder ça pour lui. C'était la même chose pour Auriele.

— Comment s'organise la meute en partant de là ?

Je vis la transpiration perler sur son front. Ben avait raison : c'était quelqu'un de plus dominant qu'elle. Elle s'attendait à me voir citer son nom très bientôt, ce qui impliquait donc qu'il se trouvait haut dans la hiérarchie.

— Auriele. Ce n'était pas elle non plus, n'est-ce pas ? Elle apprécie Adam. Jamais elle ne l'enverrait dans une maison en flammes sauver quelqu'un qui ne s'y trouve pas.

Elle se raidit sous l'attaque.

— Puis il y a Paul. (Elle réagit soudain… intéressant. Mais je ne m'arrêtai pas là.) Mais ce n'est pas lui non plus. Adam ne lui fait pas assez confiance. Il se serait assuré que Paul était présent lors de la réunion.

J'avais d'abord pensé que Paul était responsable de l'incident au bowling, avant de prendre conscience de la colère de Mary Jo. C'était probablement ce que pensait aussi Adam. Paul était toujours furieux d'avoir perdu un combat contre Warren et en rendait Adam responsable. Tout comme Ben, Paul était plein d'amertume, un caractère difficile qui n'appréciait pas grand monde. Mary Jo faisait partie de ceux avec qui il s'entendait bien ; elle et son petit ami, Henry.

Je la regardai attentivement. Elle avait peur que je devine. Pas Paul, donc, mais qui ? Je fis défiler les loups que je connaissais bien dans ma tête et m'arrêtai sur l'un d'eux : Henry ? C'était un gars sympa. Intelligent, rapide. Un banquier, me semblait-il, mais je n'en étais pas sûre, en tout cas quelque chose en rapport avec la finance. Jamais il ne… Mmmmh. « Jamais » était un bien grand mot.

Je me demandais ce que Henry pensait du béguin que Mary Jo avait pour Adam.

— Henry, tentai-je, et je la vis pâlir. (Peut-être n'avait-elle absolument pas conscience de ce qu'elle me disait sans même avoir à ouvrir la bouche.) C'était Henry qui montait la garde avec toi hier soir. Henry qui t'a dit de ne pas intervenir quand les faes ont mis le feu à ma maison.

La porte s'ouvrit et Adam entra. Il referma doucement derrière lui. Ses mouvements étaient raides et, à en juger par ses mâchoires crispées et ses yeux fatigués, il avait mal. Et si, moi, je pouvais le voir, alors c'est qu'il devait souffrir infiniment plus. Mais l'Alpha ne montrait pas sa souffrance s'il pouvait l'éviter.

Il n'était vêtu que d'un bermuda qui laissait voir les blessures suintantes sur ses pieds. Oh, il y avait bien d'autres endroits en piteux état, mais comparé aux pieds, rien ne semblait si grave que ça.

— J'ai entendu ta voix, me dit-il, et je quittai ses pieds des yeux pour le regarder en face. Alors, j'ai collé mon oreille à la porte, et même avec le bruit que ma fille qualifie de musique, j'ai tout entendu, Mercy.

Son regard se porta sur Mary Jo qui avait abandonné sa position militaire et se contentait de rester là, debout, comme une pauvre chose piteuse. Si ç'avait été Samuel, j'aurais craint qu'il soit trop clément. Mais Adam ne considérait pas les femmes comme le sexe faible, et c'était un organisateur-né qui savait reconnaître l'organisation quand il la voyait.

Il considéra Mary Jo avec un regard indéchiffrable.

— Donc, Henry était présent quand les faes ont mis le feu à la maison de Mercy. Et moi qui croyais que tu étais seule. Parce que je sais pertinemment que j'avais demandé à Henry de t'assister dans ta surveillance. Je suis certain que, si je lui avais posé la question, il aurait dit qu'il avait pensé que je m'attendais quand même à le voir assister à la réunion, ou une autre explication du genre.

— C'est Henry qui t'a averti que ma maison était en flammes, pas vrai ? intervins-je.

Tout comme Adam, je gardai le regard rivé sur Mary Jo. Même si je ne voyais plus son visage, je devinai ses épaules qui se contractaient. Un vieil ami de fac, qui étudiait le théâtre, m'avait dit que les épaules étaient la partie la plus expressive du corps humain. Je ne pouvais que confirmer. Elle était sur le point de se rendre compte de bien d'autres choses.

— Je vois que tu as tiré la conclusion logique, Mercy, remarqua Adam, les yeux toujours braqués sur Mary Jo. Je me demande si c'est aussi son cas… ou si elle est complice.

— Henry s'est dépêché de venir te chercher avant que quiconque ait le temps de sortir ? demanda-t-elle d'un ton lugubre, mais elle ne protesta pas.

— En effet, approuva Adam. Plus ou moins. Il est arrivé dans la cuisine. Avant que j'aie pu lui demander pourquoi il n'était pas en train de surveiller Mercy, il a regardé par la fenêtre et s'est écrié : « Oh mon Dieu ! Un feu ! La maison est en feu ! »

— Il savait, avoua Mary Jo d'un ton incertain. Il a vu les faes l'allumer. Il m'a interdit de les prendre à partie parce qu'il craignait que je sois blessée. Il m'a dit que, vu que Mercy et Sam étaient sortis, qu'est-ce qu'on en avait à fiche si la maison du coyote arriviste partait en flammes ? Elle méritait bien un peu de douleur en représailles des blessures qu'elle nous avait causées.

Mary Jo affronta Adam du regard.

— Il parlait de moi. Il était vraiment furieux de la manière dont les vampires nous avaient agressés… comment j'avais été blessée parce qu'on en voulait à Mercy. Il voulait se venger d'elle.

— Il se fichait de moi comme d'une guigne, lui dis-je. Sa petite amie ne m'aimait pas plus qu'elle l'aimait, lui. C'était à Adam que Henry en voulait. Il a vu l'occasion de se venger de lui et a sauté dessus. (Je me tournai vers Adam.) La prochaine fois que tu entres dans une maison en feu pour me sauver, assure-toi que j'y suis. Et porte des chaussures, bon sang ! (Je jetai un nouveau coup d'œil à ses pieds.) Tu laisses de la lymphe dégueu sur la moquette.

Il sourit.

— Moi aussi, je t'aime, mon cœur. Et parce que tu as toi aussi beaucoup saigné dessus, je connais maintenant un excellent nettoyeur de moquette.

— Il voulait qu'Adam soit blessé, insistai-je auprès de Mary Jo. Parce que, blessé, il est vulnérable. Or un Alpha peut être défié à tout moment. Comme il est blessé, il pourrait retarder le combat sans que personne y trouve à redire, surtout depuis que le Marrok a décrété que tout duel pour la position d'Alpha devait recevoir son accord. Mais la meute est… (Je regardai Adam d'un air d'excuse.) Oui, je sais, c'est ma faute. La meute est brisée. Adam ne peut se permettre de reporter le combat, pas dans l'état où se trouve la meute. S'il le fait, il risque de se retrouver avec autre chose qu'un duel sur les bras : une véritable rébellion.

Vous voyez, j'avais grandi dans une meute de loups-garous. Je connaissais les dangers. Pas même la peur du Marrok ne pouvait complètement maintenir sous contrôle la nature de la meute. C'était la raison pour laquelle un Alpha ne se permettait pas de faire preuve de la moindre faiblesse devant la meute.

— Henry t'a défié ? s'étonna-t-elle d'un air choqué. Mais le Marrok va le tuer, si tu ne t'en charges pas avant lui !

— Tu as presque raison, répondit Adam. C'est en fait Paul qui m'a défié. Il a grimpé par la fenêtre et m'a provoqué en duel devant Ben, Alec et Henry. Henry venait de se porter volontaire pour conduire Ben en ville et acheter des vêtements pour Mercy, parce que ses mains étaient encore trop à vif pour que Ben puisse s'en charger seul. Et c'est aussi Henry qui a proposé à Alec de venir avec eux. (Il s'interrompit un instant et poursuivit, d'un air lourd de sous-entendus :) Il est tellement serviable, notre Henry.

Mary Jo acquiesça.

— Et Alec est réputé pour être neutre. Pas l'un de tes plus grands fans, mais pas un rebelle non plus.

Adam continua à parler d'une voix plus douce.

— Ils ont dû convenir d'un signal pour se retrouver tous en même temps dans ma chambre quand ni Darryl ni Warren n'étaient là pour les en empêcher. Ben et Henry ont servi de témoins à la provocation en duel. Henry semblait abasourdi que Paul puisse me défier alors que j'étais blessé.

— Ils ont tout machiné, conclut Mary Jo d'une voix blanche, et m'ont utilisée pour te piéger.

— C'est ce que j'essayais de te dire, intervins-je, avant d'ajouter une question d'un air négligent. Est-ce que c'était seulement toi et Henry, au bowling, ou est-ce que Paul a filé un coup de main là aussi ?

Elle opina du chef, sans remarquer que mes suppositions étaient fondées sur de simples hypothèses, tant elle était abasourdie par les dernières révélations.

— Paul, Henry et moi. C'est Paul qui en a parlé le premier. « On ne peut pas avoir un coyote comme second dans une meute respectable. » (Elle se tourna vers Adam :) Il disait qu'elle n'était pas assez bien pour toi, et j'étais d'accord avec lui. Henry était moins enthousiaste. J'ai dû le convaincre. Il m'a manipulée, pas vrai ? Ils m'ont tous les deux manipulée.

J'étais vraiment navrée pour elle. Mais je l'étais encore plus avant de savoir que le loup qui avait défié Adam était Paul. Henry était un bon combattant, je l'avais déjà vu s'entraîner plusieurs fois, mais il n'arrivait pas à la cheville de Paul. Paul… En temps normal, je ne m'inquiéterais jamais de voir Adam affronter Paul, mais normalement les pieds d'Adam ne suintaient pas la lymphe sur la moquette, et ses mains n'étaient pas gonflées, la chair à vif.

C'est pour cette raison que je n'étais pas navrée pour Mary Jo au point de la laisser s'en sortir en accusant les deux autres.

— Le bowling, c'était toi, insistai-je. Oh, Paul ne verserait pas une larme si Adam et moi devions nous séparer… mais il tient plus à se débarrasser d'Adam que de moi. Henry… Peut-être est-ce la goutte qui a fait déborder le vase pour lui ? Tu dois le savoir mieux que nous. Était-ce la première fois qu'il se rendait compte à quel point tu étais amoureuse d'Adam ?

Adam tourna vivement la tête vers moi. J'imagine qu'il n'en avait jamais eu conscience.

— Paul…, commença Mary Jo avant de s'interrompre en secouant la tête, les yeux fermés. Non, pas Paul. (Puis, avec un petit sourire amer à Adam :) Paul est costaud, et il n'est pas bête. Mais ce n'est pas un stratège. Il n'aurait jamais trouvé le moyen de te forcer à accepter son défi avant que tu sois prêt. Elle a raison. C'est Henry. Que puis-je faire ?

— Y a plus rien à faire, grogna Adam. Réfléchis un peu, la prochaine fois.

— Quand a lieu le combat ? demandai-je en tentant de rester calme, comme un bon coyote qui laisse son compagnon affronter un autre loup en combat singulier alors qu'il ne peut même pas marcher sans douleur.

J'y étais obligée, parce que des protestations et des gémissements ne feraient que lui rendre la tâche plus difficile. S'il refusait le défi, Paul deviendrait Alpha. Et d'après ce que je savais de Paul, sa première décision serait de faire exécuter Adam. C'est ce que Henry espérait, en tout cas.

Et la raison pour laquelle Paul défiait Adam et non pas Henry, c'était que, dès que le Marrok en entendrait parler, Paul serait un homme mort. Ce qui laisserait la meute entre les mains de Darryl, assisté de Warren. La meute ne tolérerait pas d'avoir un premier lieutenant homosexuel parce que, si quelque chose devait arriver à Darryl, Warren deviendrait l'Alpha. Ce dernier serait donc tué ou isolé de la meute par Bran, laissant à Henry la fonction de premier lieutenant.

Bien entendu, pour que tout cela se produise, il faudrait qu'Adam perde contre Paul. J'en eus la nausée.

Adam jeta un regard au réveil de Jesse, qui indiquait 09 h 15.

— Dans un quart d'heure au dojo, répondit-il. Peux-tu descendre dire à Darryl et Warren qu'on aura besoin d'eux comme témoins ? Je vais m'allonger encore dix minutes. (Il était déjà sorti de la chambre quand il reprit la parole :) Et si je survis à ça, on trouvera une punition adaptée pour ces manipulations au bowling. Tu as gâché une soirée très prometteuse et je ne l'oublierai pas.

— Ton petit déjeuner est froid, ronchonna Darryl quand je revins dans la cuisine. J'espère que c'était vraiment important.

Jesse était toujours dans la cuisine à essuyer la vaisselle pendant qu'Auriele la lavait. Il n'y avait aucun moyen de rester discrète, surtout que Paul avait exigé que le combat se déroule ici… Aucune chance de convaincre Jesse d'aller attendre l'issue de ce combat dans un lieu sûr : c'était bien la fille de son père.

— Paul vient de provoquer Adam en duel, annonçai-je. Dans un quart d'heure, au dojo du garage.

Darryl fit volte-face en grondant et Auriele se mit entre lui et Jesse, mais celle-ci ne dut pas le remarquer car son regard était braqué sur moi.

— Comment a-t-il pu atteindre Adam ? s'étonna Auriele. Qui était censé le surveiller ?

— Moi, admis-je après un moment d'hésitation. Je devais le surveiller.

— Non, décida Auriele. C'était Samuel. Ben a dit qu'il avait laissé Adam avec lui et toi.

— Samuel ne fait pas partie de la meute, gronda Darryl, dont les yeux étincelaient d'une lumière dorée dans son visage sombre.

Sam n'était pas Samuel, me rappelai-je. Dans des conditions normales, Samuel se serait opposé à ce qu'un tel défi ait lieu. Je me demandai si Paul et Henry avaient pensé à ça. Probablement pas.

— C'est ma faute, insistai-je.

— Non.

J'avais laissé Mary Jo dans la chambre de Jesse, mais elle devait m'avoir suivie.

— Ça n'est pas ta faute, reprit-elle. Peut-être Warren ou Darryl auraient-ils pu arrêter Paul, mais Henry a fait en sorte qu'ils ne soient pas là quand ils arriveraient. (Elle me décocha un regard indéchiffrable qui aurait fait la fierté de Darryl, mystérieux, mais pas ouvertement hostile.) Ils n'auraient jamais pensé que Samuel puisse intervenir. Ils le prennent pour un loup solitaire, pas pour l'ami d'Adam.

Je me rendis compte que le regard qu'elle m'avait envoyé signifiait qu'elle ne dirait rien à propos de Samuel tant que je n'en parlerais pas de mon côté.

— Henry ? s'écria Darryl d'un ton choqué qui vint remplacer sa colère. Henry ?

Mary Jo releva le menton.

— Il a tout planifié. (Elle me regarda, puis détourna les yeux.) Il veut la mort d'Adam et utilise Paul à ses fins… il m'utilisait aussi pour atteindre son but.

— Est-ce ce qu'ils t'ont dit ? intervint Henry lui-même en entrant dans la cuisine.

C'était un homme trapu, un peu plus grand que moi, au sourire facile et dont les yeux noisette pouvaient tout aussi bien paraître gris ou bleus que les plus banals vert et brun. Il était coiffé de manière très classique et utilisait visiblement un rasoir à main, car on n'obtenait jamais un résultat aussi net avec un rasoir électrique.

— Mary Jo…, la supplia-t-il.

— C'est vraiment pas commode, intervins-je, de ne pas pouvoir mentir à un loup-garou.

Si Mary Jo ne s'était pas interposée entre lui et moi, il m'aurait frappée. Le coup l'atteignit, elle, et elle fut projetée jusqu'à l'îlot central de la cuisine. Le plan de travail en granit se fendit sous l'impact et fut projeté latéralement. Jesse le rattrapa de justesse avant qu'il tombe et le remit en place. Si c'était moi qu'il avait frappée avec une telle force, je ne me serais pas aussi facilement relevée que Mary Jo, qui se tenait quand même les côtes.

Auriele se posta devant Henry qui fonçait vers Mary Jo, montrant les dents.

— *¡ Hijo de perra !* cracha-t-elle avec fureur.

Henry rougit, ce qui prouvait que l'insulte avait porté. Traiter quelqu'un de « fils de chienne » était très offensant pour un loup-garou.

— *Hijo de chihuahua*, renchérit Mary Jo.

Auriele secoua la tête.

— Darryl ne cessait de dire que Paul ne pouvait pas être responsable du malaise qui perturbe la meute depuis deux ans. Personne n'écouterait Paul. Nous savions qu'il avait raison, mais nous ne savions pas qui d'autre pouvait être derrière tout ça. J'aurais soupçonné Peter avant de te soupçonner, toi.

Peter était le seul loup soumis de la meute. Il était proprement inconcevable qu'un loup soumis puisse jouer à ce genre de jeu de pouvoir. Et si Auriele ne se trompait pas, alors tout cela avait commencé bien avant l'incident du bowling.

— Depuis quand sais-tu que Mary Jo t'aurait laissé tomber comme une vieille chaussette pour Adam ? demandai-je à Henry.

Celui-ci gronda une obscénité à mon encontre.

— Tu n'as vraiment aucun sens commun, commenta Auriele.

J'imaginais qu'elle s'adressait à moi, alors je lui répondis :

— Il ne fera rien tant que tu resteras entre lui et moi, lui fis-je remarquer. Il est assez malin pour avoir peur de toi.

— Depuis que j'ai été tuée, c'est certain, répondit Mary Jo à la question que j'avais posée à Henry. N'est-ce pas ? La première fois que j'ai repris connaissance. Tu m'as embrassé le front et je t'ai appelé Adam. Mais on dirait que tu t'en doutais déjà depuis un moment.

— Sors d'ici, ordonna Darryl d'une voix vibrante de colère. Sors de cette maison, Henry. Quand tu viendras assister au combat, tu entreras par la porte extérieure. Et tu ferais mieux d'espérer qu'Adam gagnera, sinon, je vais te piler avec une telle vigueur qu'on n'aura même pas besoin d'une boîte pour t'enterrer. Une serpillière suffira.

Henry rougit, puis pâlit, avant de rougir de nouveau. Il quitta la pièce sans un mot. Nous entendîmes la porte d'entrée s'ouvrir, puis se refermer dans un claquement.

Ben entra dans la cuisine, l'air sinistre, suivi de Sam.

— Pourquoi Henry avait l'air si pressé ? Ah ! Darryl, c'est toi que je cherchais. Je viens de parler avec Warren en bas. Tu es au courant… (Il s'interrompit en voyant Jesse, puis en regardant nos têtes.) Je vois que vous savez.

Darryl se raidit.

— Samuel ? demanda-t-il d'une voix douce.

— Ça fait deux jours qu'il est comme ça, confirma Ben. Jusqu'ici, tout va bien. C'est une longue histoire, et ça peut attendre : on doit être au garage dans cinq minutes.

Chapitre 11

Le garage ne débordait pas de loups-garous uniquement parce que la nouvelle n'avait pas encore eu le temps de circuler.

Au lieu d'une trentaine, il n'y avait que dix-huit loups, sans compter Sam, qui n'appartenait pas à la meute. Mais je continuai à compter et recompter, car ils semblaient encore moins nombreux que ça. En général, les combats de dominance sont ponctués par des sifflets, des cris d'encouragements, des moqueries et des paris. Celui-ci était étrangement silencieux, et seule une personne bougeait.

Paul sautillait sur place de son côté du tatami, s'interrompant toutes les dix ou quinze secondes pour s'étirer ou boxer dans le vide. C'était un homme de grande taille aux cheveux blonds et à la barbe rousse bien taillée. Il avait d'ailleurs une peau de roux, pâle avec des taches de rousseur. L'excitation qu'il ressentait à la perspective de ce combat avait fait rougir ses joues. Comme Adam, il ne portait qu'un pantalon *gi*.

Aucune tradition n'exige que les combats de dominance se fassent sous forme humaine. Mais c'est assez courant, parce que c'est alors plus une affaire de puissance et d'adresse. Quand on est armé de crocs et de griffes, un simple coup de chance peut vous permettre d'abattre un adversaire plus compétent.

De l'autre côté du ring, Adam se tenait comme un cheval au repos, tête baissée, les yeux fermés et les épaules détendues. Il parvenait à garder une expression sereine malgré la douleur, mais il n'avait pu dissimuler ses mouvements raides lorsqu'il s'était rendu de la maison au dojo. Et même s'il avait réussi, il aurait fallu être stupide pour ne pas voir qu'Adam avait un problème. Il suffisait de regarder ses pieds et ses mains.

En tant qu'Alpha, même grièvement blessé, il aurait vraiment dû cicatriser plus rapidement que ça. La guérison lycanthrope peut varier d'un loup à l'autre mais aussi d'une fois à l'autre, selon un certain nombre de facteurs. Peut-être avait-il été plus grièvement blessé qu'il nous l'avait laissé voir ou peut-être les ennuis de la meute interféraient-ils aussi avec ses capacités de guérison. Je tentai de dissimuler mon inquiétude.

Jesse et moi occupions ce qu'on pouvait appeler des sièges de bord de ring à la lisière du tapis de sol, du côté d'Adam. Cet emplacement était traditionnellement réservé à la famille de l'Alpha, mais vraiment pas idéal : aucune de nous deux ne pourrait se mettre à l'abri si le combat sortait des limites du tatami. Sam se trouvait à côté de Jesse et Warren était installé entre nous, probablement pour nous protéger des combattants.

Adam ne portait pas de montre, mais à neuf heures et demie pile sur l'horloge murale, il releva la tête, ouvrit les yeux et adressa un signe de tête à Darryl.

Les loups ne sont pas de grands orateurs. En quelques pas, Darryl avança vers le centre du tapis de sol.

— Aujourd'hui, Paul a choisi de défier notre Alpha, annonça-t-il sans circonlocutions. (Puis, avec un rictus :) Il a négligé la formalité de soumettre le défi à l'accord du Marrok.

Personne ne fit de commentaire ou n'eut même l'air surpris. Ils savaient tous ce que Paul avait fait.

Il se pouvait que le Marrok prenne en compte l'état dans lequel se trouvait la meute et admette que Paul ne pouvait rien faire d'autre que défier l'Alpha. Mais la probabilité était infime. Elle aurait été légèrement plus élevée (ainsi que celle que le Marrok épargne Paul) si Adam n'avait pas été blessé. Mais Paul était certainement convaincu d'être dans son bon droit et pensait probablement pouvoir en convaincre le Marrok.

J'imaginais que tout était possible. Mais je pensais que Paul n'avait pas idée d'à quel point c'était improbable. À ma connaissance, il n'avait jamais rencontré le Marrok. Contrairement à Henry, qui avait probablement assuré à Paul que tout irait bien. On croit facilement les gens comme Henry.

Darryl promena son regard sur le public.

— Mon rôle est de vous empêcher d'accéder au tatami. Je ferai mon possible pour m'assurer que ce soit un combat équitable. Est-ce bien clair ?

— Excusez-moi, intervint Mary Jo.

Elle ne faisait pas plus d'un mètre cinquante et je ne la vis donc que quand elle arriva devant Darryl.

— Je voudrais défier Paul.

Un tonnerre de protestations retentit dans le dojo, une clameur qui sortait des poitrines de tous les loups présents parce que les femmes ne combattaient pas lors des batailles de dominance.

Darryl leva la main et le silence revint à grand-peine.

— Je suis à moins de trois rangs de sa position, fit remarquer Mary Jo, le visage tourné vers Darryl mais les yeux braqués sur les chaussures de ce dernier. C'est mon droit de le défier pour le droit de défier l'Alpha.

Je la dévisageai. Ce n'était pas quelque chose que j'aurais espéré de celle qui avait laissé les faes mettre le feu à ma maison alors qu'elle était censée monter la garde.

— Tu es à plus de trois rangs, gronda Darryl.

Elle leva la main :

— Paul, dit-elle, en levant un doigt, avant de continuer à compter : Henry. (Un autre doigt.) George et moi.

Elle avait raison. C'était là que je l'aurais située, moi aussi.

— Tu es une femme célibataire, objecta Darryl. Ça fait de ton rang le plus bas de l'échelle. Alec vient après George.

— Alec ? demanda-t-elle sans détourner son attention de Darryl. Qui est le plus dominant, toi ou moi ?

Alec s'avança et regarda tour à tour Mary Jo et Paul. Je vis quelle réponse il voulait donner, et Darryl sembla se détendre. Adam, remarquai-je, contemplait Mary Jo avec une expression de surprise mêlée de respect.

Alec ouvrit la bouche et hésita.

— Vous le saurez si je mens, dit-il en levant les mains dans un geste fataliste. J'espère que tu sais ce que tu fais, Mary Jo. (Il regarda Darryl dans les yeux et conclut :) Mary Jo est au-dessus de moi dans la hiérarchie.

Le chaos éclata dans le garage. Paul prit Darryl à partie en lui hurlant au visage. C'était l'un des rares membres de la meute à égaler Darryl en taille. S'il n'y avait pas eu tant de bruit, j'aurais pu entendre ce qu'il lui disait, mais ce n'était pas difficile à deviner. Paul appréciait Mary Jo. Il ne voulait pas la tuer.

Mary Jo se contenta de rester immobile, comme Adam, océan de calme au milieu de la fureur. Elle était petite, mais chaque gramme de son corps était fait de muscle. Elle était solide comme une botte de cuir, rapide et agile. Je n'étais pas aussi certaine que Paul qu'elle allait perdre.

En tout cas, moi, je n'aurais pas aimé devoir l'affronter. Et si elle gagnait, elle pouvait déclarer forfait face à Adam. Si elle décidait néanmoins de se battre (ce qui me semblait peu probable), elle serait fatiguée de son combat précédent, peut-être blessée.

Puis je me souvins de la manière dont Henry l'avait projetée sur l'îlot central de la cuisine. Elle s'était alors au moins fêlé les côtes. Même si ça ne se voyait pas à sa posture, elle n'avait pas eu le temps de guérir. Personne ne guérissait aussi vite, à moins d'être un Alpha à la pleine lune.

— Ça suffit, gronda soudain Warren, sa voix résonnant comme un coup de feu dans le boucan environnant.

Darryl se tourna vers Mary Jo et dit :

— Non.

— Ce n'est pas à toi de décider, lui fit-elle remarquer. Adam ?

— J'ai un problème, répondit ce dernier. La justice exige que je n'intervienne pas dans cette décision car je suis impliqué dans ses conséquences. Au nom de la justice, donc, la décision doit revenir aux trois suivants en rang : Mercy, Darryl et Auriele.

Il se tourna vers moi.

Je savais ce que je voulais dire. Auriele avait de fortes chances d'être d'accord avec Mary Jo et nous connaissions déjà l'opinion de Darryl. Même si Mary Jo perdait, ça serait un avantage pour Adam. Je regardai les loups et vis nombre d'expressions hostiles : ils avaient fait les comptes et étaient très contrariés que je fasse partie de l'équation.

Je vis alors une légère marge de manœuvre.

— Il semble qu'il y ait un autre problème, dis-je. Si nous sommes d'accord sur le fait que Mary Jo peut combattre Paul parce qu'elle est à moins de trois échelons de lui, je voudrais faire remarquer que, alors, Paul ne se trouve pas à moins de trois rangs d'Adam. (Comme Mary Jo, je levai la main :) Adam, moi. (Je levai un doigt.) Darryl et Auriele. Puis Warren.

— Puis Honey, intervint Warren avec un petit sourire. Et enfin Paul.

Paul laissa échapper un grondement.

— Il a déjà accepté mon défi. Ça présuppose que j'en ai le droit.

Je consultai Adam du regard.

— Bien essayé, répondit celui-ci. Mais je suis d'accord avec Paul.

— Et le code officiel de conduite, que je connais particulièrement bien vu que j'ai dû l'apprendre par cœur avant d'intégrer la meute, intervint Ben d'un ton grincheux, précise bien que le défi est possible parmi les trois, ouvrez les guillemets, « hommes », fermez les guillemets. Le mot important étant « homme ».

— Mary Jo ne peut donc combattre, conclut Paul avec un sourire satisfait. Ce n'est pas un homme.

— Le défi est toujours valide, le contredis-je. Elle est bien à moins de trois hommes de ton rang. Le code spécifie-t-il que le challenger doive être un homme ?

Kyle m'avait dit que l'un des secrets des bons avocats, c'était de ne jamais poser une question dont on ne connaissait pas la réponse. Je savais de quoi je parlais, mais la réponse aurait plus d'impact si elle venait de quelqu'un d'autre.

— Non, reconnut Ben.

J'avais fait tout ce que je pouvais faire. Avec l'insistance muette d'Adam qui me poussait dans mes derniers retranchements, je regardai Mary Jo et dis :

— Désolée, comme Adam, j'ai trop en jeu dans cette décision.

— Mercy ? chuchota furieusement Jesse. Mais qu'est-ce que tu fais ?

Je tapotai sa main qui m'avait agrippé le poignet.

— Darryl, Auriele et Warren vont en décider, alors, dit Adam.

Parce que mon lien avec lui fonctionnait de nouveau à peu près normalement, je savais qu'il croyait que, si j'avais pris part au vote, ça aurait constitué un nouveau point de friction. Une autre des absurdités survenues avec l'arrivée d'un coyote dans une meute de loups-garous…

— Il n'y a que trois femelles dans cette meute, objecta Darryl. (Je ne pense pas qu'il m'avait oubliée, mais il prenait seulement en compte les louves-garous et non toutes les femmes de la meute.) C'est assez classique comme nombre. La plupart des loups-garous ne survivent pas plus de dix ans, mais pour les femmes, c'est le double en moyenne, parce qu'elles ne prennent pas part aux combats de dominance. Et pourtant, elles sont toujours rares. Vous êtes trop précieuses pour que nous puissions vous permettre de risquer autant.

Je mis un moment à comprendre qu'il ne parlait pas à toute la meute, mais à sa compagne.

Auriele croisa les bras.

— Cela aurait de l'importance si les femelles étaient cruciales pour la survie de l'espèce. Mais ce n'est pas le cas. Nous ne pouvons pas avoir d'enfants. Nous n'avons donc pas une valeur particulière pour la meute.

Ça ressemblait à une vieille dispute entre eux.

— Je vote « non », s'obstina Darryl en serrant les dents.

— Je vote « oui », répliqua calmement Auriele.

— Bon sang, maugréa Warren. Pour tout arranger, vous me mettez au milieu d'un conflit conjugal ?

— C'est toi qui décides, commenta Auriele d'un ton lugubre.

— Bordel, jura Warren, si ça, c'est pas une patate chaude, alors je n'y connais rien. Mary Jo ?

— Oui ?

— Tu es sûre que c'est une bonne idée, chérie ?

J'eus l'impression que toute la meute retenait sa respiration.

— Tout ça est ma faute, répondit-elle. Si Adam a été blessé, si la meute est dans la tourmente. Je n'ai pas tout provoqué, mais je n'ai rien fait pour l'arrêter. Je pense qu'il est temps que je répare mes fautes, n'est-ce pas ? Que j'essaie de réparer les dégâts que j'ai causés ?

Warren la regarda attentivement, et je vis le loup apparaître puis disparaître dans ses yeux.

— D'accord. D'accord. Va le combattre, Mary Jo. Et tu ferais mieux de gagner. Tu m'entends ?

Elle acquiesça.

— Je ferai mon possible.

— T'as intérêt à faire mieux que ça, commenta-t-il d'un air sinistre.

— Mary Jo, supplia Paul d'une voix plaintive, je ne veux pas te faire de mal, ma grande.

Elle ôta ses chaussures et commença à enlever ses chaussettes.

— Tu déclares forfait ? demanda-t-elle, debout à cloche-pied.

Il la regarda fixement, le corps tendu par la colère.

— J'ai pris des risques pour toi, lui reprocha-t-il.

Elle acquiesça.

— Oui. Et j'ai eu tort de te demander d'en prendre. (Elle jeta sa deuxième chaussette sur le côté et le regarda.) Mais Henry nous a utilisés tous les deux pour plonger la meute dans le chaos. Vas-tu le laisser s'en sortir aussi facilement ?

Le silence régnait désormais dans le garage. Je pense que tout le monde avait même cessé de respirer. Le nom de Henry avait visiblement provoqué un choc. Toutes les têtes étaient tournées vers lui, appuyé contre la cloison entre les deux portes du garage, aussi loin que possible du côté d'Adam, sur le tapis.

Paul aussi le regardait. Pendant un instant, je crus que ça allait marcher.

— Toi aussi, tu vas te laisser mener par le bout de la queue par une fille ? Comme moi ? gémit Henry d'un air pitoyable. Elle aime Adam et elle est prête à se débarrasser de nous deux pour l'avoir.

C'était une performance d'acteur de haut vol, et Paul l'avala tout rond.

— Eh bien va te faire foutre, maugréa-t-il. Va te faire foutre, Mary Jo. J'accepte ton défi. (Il regarda Adam.) Tu vas devoir patienter. Il semble que je doive manger le dessert avant le plat de résistance.

Et il revint à grands pas vers l'extrémité du tapis où se tenait Henry. Mary Jo se tint du côté d'Adam.

— J'accepte tes réparations, lui dit-il. Souviens-toi qu'il se bat avec son cœur, pas avec sa tête.

— Et il est plus rapide sur le côté gauche que sur le côté droit, ajouta-t-elle.

Adam s'éloigna. À chaque pas sur le tatami blanc, ses pieds laissaient une trace sanglante. Du sang, c'était déjà mieux que du pus jaunâtre, n'est-ce pas ?

— Bien joué, murmura-t-il en s'approchant de moi. Merci. J'ignorais si tu pouvais m'entendre.

Warren céda sa place entre Jesse et moi à Adam, se postant près de Jesse de manière à pouvoir quand même intervenir si le combat se déplaçait vers elle. Sam se mit de mon côté et se laissa tomber sur le sol en béton avec un soupir.

— On verra bien si tu me féliciteras toujours quand elle sera morte, répondis-je tout aussi discrètement.

J'aurais voulu lui parler des côtes de Mary Jo, mais je craignais que ça tombe dans de mauvaises oreilles et que Paul soit au courant. Henry était au courant, bien sûr… Mais je n'étais pas certaine qu'il ait très envie d'avouer à Paul qu'il avait blessé Mary Jo. Paul ne comprendrait pas. Henry le savait très bien.

Mary Jo adopta la position de cheval au repos d'Adam et se tourna vers Paul, qui lui tournait le dos.

— Défi lancé et accepté, dit Darryl. Combat à mort avec le choix laissé au vainqueur d'accepter le forfait.

— D'accord, répondit Mary Jo.

— Oui, renchérit Paul.

Mary Jo était plus rapide et mieux entraînée. Mais quand elle frappait, ce n'était pas avec autant de force. Si Paul avait été de son gabarit au lieu du mètre quatre-vingt-dix auquel il culminait, Mary Jo aurait eu de plus grandes chances. Mais il faisait près de quarante centimètres de plus qu'elle, ce qui se traduisait par une plus grande envergure. Je me souvenais du combat qui l'avait opposé à Warren et du fait qu'il était étonnamment rapide pour un homme de sa taille.

Il finit par lui décocher un direct à l'épaule qui la mit au tapis comme assommée.

— Déclare forfait, dit-il.

Elle glissa ses jambes entre les siennes et les écarta. Puis elle roula comme un singe entre ses jambes ainsi séparées et lui donna un coup de coude dans les reins en se relevant. Un autre coup à l'arrière des genoux faillit lui faire perdre l'équilibre, mais il parvint à rester debout.

— Forfait mon cul, cracha-t-elle quand elle fut à distance.

— Cesse de l'épargner, intervint Darryl d'un ton mortellement sérieux. C'est un combat à mort, Paul. Elle te tuera si elle en a l'occasion. En acceptant son défi, tu lui dois de combattre de manière honnête.

— Absolument, approuva Adam.

Paul retroussa les babines sur un grondement muet et recula vers le bord du tatami, les deux bras levés en position défensive haute, les pieds perpendiculaires l'un à l'autre, les mains serrées en poings lâches, invitant visiblement à une attaque au torse.

Le problème avec ce genre de piège, c'est que, si Mary Jo ne mordait pas à l'appât, elle pouvait le retourner de fort regrettable manière contre lui. Je posai ma main sur le bras d'Adam et tentai de ne pas enfoncer mes ongles dans sa peau. Il était tendu comme un arc à côté de moi et marmonnait dans sa barbe :

— Attention, attention. Il est plus rapide qu'il en a l'air.

Mary Jo partit lentement vers la gauche, puis vers la droite, Paul restant tourné vers elle. Elle commença à basculer son poids vers la droite, avant de soudain virer vers la gauche dans une brume de mouvement, dans une longue attaque basse qui ressemblait à celle d'une escrimeuse, son poing prenant de la vitesse quand ses hanches et ses épaules s'alignèrent, le projetant en avant telle une lance. C'était un coup parfait porté à une vitesse surhumaine.

Paul pivota souplement et le poing de Mary Jo frappa dans le vide, se contentant d'effleurer l'estomac de son adversaire. Il abattit ses deux poings comme des masses sur le dos offert de la louve, et elle s'écrasa au sol avec un bruit de tonnerre. J'entendis Adam pousser un grognement à côté de moi, comme si lui aussi avait senti l'impact du coup de Paul.

Mary Jo était visiblement étourdie. Elle était écroulée à plat ventre et clignait des yeux d'un air de myope, ouvrant et fermant la bouche comme un poisson hors de l'eau. Elle réussit enfin à prendre une grande inspiration tremblante et son regard redevint normal. Si elle avait mal aux côtes avant, alors, elle devait souffrir le martyre désormais.

N'importe qui de sain d'esprit aurait su que le combat était terminé à cet instant et aurait déclaré forfait, mais Mary Jo s'efforçait de rassembler ses coudes sous son torse pour se relever. Paul eut un sourire sans joie en la voyant lutter.

— Reste couchée, lui dit-il, reste couchée. Déclare forfait, bon sang ! Je ne veux pas te faire plus de mal.

Elle avait réussi à se redresser sur ses coudes et rassemblait ses genoux lorsqu'il fit une sorte de pas sauté un peu tape-à-l'œil et abattit le côté de son pied sur la cuisse de Mary Jo, la faisant de nouveau s'écraser sur le tatami. Elle poussa un cri bref, mais réussit néanmoins à replier ses genoux sous elle et à sauter sur ses pieds.

Sa garde était trop basse, son coude droit plaqué contre ses côtes abîmées. Sous celui-ci s'étendait lentement une tache de sang rouge vif. Chaque loup dans la pièce en sentait l'odeur et moi aussi. J'avais peur qu'une de ses côtes cassées lui ait transpercé le poumon. Sa jambe gauche ne semblait plus fonctionner normalement car elle reposait en appui sur le talon droit. Elle se tenait tout au bord du tatami, ce qui lui ôtait toute possibilité de retraite, mais aussi tout risque de voir Paul l'attaquer par l'arrière.

Paul avança lentement, d'un pas précautionneux, tel un prédateur traquant une proie blessée. Il devait avoir entendu ce que j'avais moi-même perçu : le faible gargouillement d'un poumon qui se décrochait. Elle avait la bouche ouverte en essayant d'inspirer plus d'oxygène.

Paul donna un coup de pied frontal qui n'avait pas la moindre finesse, mais moult puissance. Mary Jo projeta ses mains devant elle et réussit à amortir le coup qui visait sa jambe blessée, mais la force avec laquelle il avait été appliqué l'envoya valser en arrière, hors du ring.

Elle garda de justesse l'équilibre, mais sa jambe était visiblement H.S. Une mer de mains la repoussa, avec une certaine délicatesse, sur le ring où Paul l'attendait.

— C'est bon, intervint Adam. C'est bon. Déclare forfait, Mary Jo.

Celle-ci semblait épuisée, et pourtant, lorsqu'elle revint sur le tatami, elle envoya la jambe qui semblait paralysée, pointe du pied tendue comme celle d'une danseuse étoile, dans une attaque aussi simple que celle de Paul. Droit devant, visant ce qui se trouvait entre ses cuisses.

Il tenta de détourner l'offensive, mais c'était déjà trop tard. Il y eut un bruit étouffé d'impact et Paul laissa échapper tout l'air de ses poumons. Il recula rapidement, plié en deux, les poings croisés sur l'entrejambe, chaque muscle de son torse tendu par la douleur fulgurante. Mary Jo le suivit, même si je pouvais voir que ça lui faisait mal, et profita de sa garde descendue pour abattre son poing comme un marteau sur l'arrière de son crâne.

Un magnifique coup direct aux nerfs. *Bien joué, Mary Jo.*

Si ça n'avait pas été un loup-garou, il aurait vu des points lumineux et entendu les cloches pendant plusieurs semaines après ça. Ses yeux avaient acquis leur clarté lupine, et ses bras bougèrent bizarrement alors que ses os se réalignaient sous la peau. Il secoua la tête en essayant de dissiper les effets du coup. Si elle avait été en meilleure forme, elle aurait pu l'achever alors.

Mais Mary Jo fut trop lente. Il se redressa et releva les bras en position de défense au prix d'un effort visible. Puis il s'approcha lentement d'elle, implacablement, se contentant de réduire la distance entre eux en marchant. Elle donna un coup de poing en direction de sa gorge, mais il le bloqua de la main droite, avant de repousser son coude de la main gauche, la faisant pivoter avant d'écraser rudement le genou dans ses côtes blessées. Elle tomba à plat ventre sur le tapis en crachant du sang. Paul se jeta sur elle, la bloquant de tout son poids en travers des épaules. Il attrapa l'une de ses jambes et la tira en arrière, la courbant tel un arc. Il y eut une succession de petits bruits secs et Mary Jo griffa le tapis d'un air paniqué, son contrôle réduit en miettes, la louve luttant pour sa survie.

— Nom de Dieu! s'exclama Paul. Déclare forfait. Ne me force pas à te tuer.

Pour une raison inconnue, je regardai Henry. Le salopard assistait à ça avec une totale absence d'expression.

— Déclare forfait! rugit Adam. Mary Jo! Abandonne.

Mary Jo frappa le tapis deux fois de la main droite.

— Elle déclare forfait, dit Paul à Darryl.

— Paul est vainqueur, répondit Darryl. Acceptes-tu son forfait?

— Oui, oui.

— C'est terminé, déclara Darryl.

Paul se laissa rouler du dos de Mary Jo et la retourna:

— Des soins! appela-t-il frénétiquement. Des soins!

Quelques têtes se tournèrent vers Sam. Il resta où il se trouvait, mais je le sentais vibrer du désir d'apporter son aide. Il ferma les yeux et finit par tourner le dos à la scène. Ce fut Warren qui souleva le tee-shirt de Mary Jo et Adam qui attrapa le kit de premier secours.

Je saisis le poignet de Jesse et la contraignis à rester en arrière avec moi. Il y eut bientôt tellement de monde autour de Mary Jo qu'il me fut impossible de voir ce qui se passait.

— Il faut lui enlever l'os du poumon, constata Adam d'un ton ferme. Contente-toi d'ôter les esquilles. Ça repoussera. (Chez les loups-garous, la médecine était à maints égards plus simple que chez les humains, même si plus brutale.) Maintiens-la bien, Paul. Plus elle bougera, plus elle aura mal. (Puis, d'une voix plus douce :) C'est un mauvais moment à passer, ma petite. Dans une seconde, tu pourras respirer plus facilement.

— Je ne l'ai pas frappée dans les côtes.

— Henry l'a fait valser à travers la cuisine, intervint Auriele. Attends. Ne mets pas de vaseline partout. Juste un peu, autour de la blessure, pour sceller la compresse en Téflon, mais après, il faut mettre du sparadrap sur trois bords, et ça marchera mieux si la peau n'est pas pleine de gras.

Il y eut une vague de soulagement quand ce qu'ils avaient tenté sembla fonctionner et que Mary Jo put de nouveau respirer. Les gens s'écartèrent, lui donnant un peu d'air maintenant qu'elle n'était plus en danger immédiat.

Le dojo était équipé d'une civière, le genre basique, juste une armature métallique avec une toile tendue dessus et deux poignées à chaque extrémité. Alec et Auriele y firent glisser Mary Jo et la transportèrent dans la maison. Un humain mettrait un temps certain à se remettre d'un poumon perforé. Avec quelques kilos de viande crue, le poumon de Mary Jo serait probablement guéri d'ici à quelques heures, voire plus tôt. Les côtes prendraient plus longtemps pour se ressouder, quelques jours, une semaine au plus. Pas d'inquiétude concernant d'éventuelles infections ou rejets, étant donné que les organes et les os repoussaient.

Henry n'avait pas bougé d'un iota. Je remarquai que certains membres de la meute lui jetaient des regards noirs. Et quand ils s'écartèrent du tapis en prévision de la bataille finale, il y avait un très net espace autour de lui… ce qui n'était pas le cas avant.

Pendant que quelques loups nettoyaient le tapis, Paul revint de son côté du ring et Adam du sien.

Je gardai l'œil sur Paul. Cette attaque de Mary Jo…

Au début, je crus qu'il avait réussi à en dissiper les effets. Il avait eu une démarche plutôt assurée lorsqu'il était retourné de son côté du tatami. Mais pendant qu'on nettoyait le sang de Mary Jo, je le vis secouer la tête lentement et porter la main à son oreille, en évitant l'endroit où il avait été touché. Il cligna rapidement des paupières comme s'il voyait trouble.

Puis il laissa échapper un long soupir continu et retrouva son équilibre. Son corps se figea et sa respiration se fit profonde et régulière. On aurait dit une statue, avec son torse luisant d'une légère sueur. Il n'y avait pas un poil de gras sur cet homme : on aurait dit le croisement entre une pub Calvin Klein et un poster de recrutement de l'Armée de Terre.

On sécha autant que possible les taches humides sur le tatami et Darryl revint au centre de celui-ci.

— Paul, tu persistes à défier Adam ?

Il regarda Henry.

— Tu as frappé Mary Jo ? demanda-t-il.

Son équilibre était-il toujours précaire ? Impossible de l'affirmer.

— C'était un accident, se justifia Henry. Mercy a dit… (Il me fusilla du regard.) Tu sais, une créature aussi fragile que toi devrait apprendre à fermer sa gueule, ça éviterait aux gens de prendre des coups pour toi.

— Des gens qui ont autant à perdre que toi, lui répliquai-je, devraient apprendre à mieux se maîtriser.

Pas très percutant comme réplique. Mais il était plus important de répondre du tac au tac que d'être vraiment spirituel.

— Mary Jo s'est interposée entre moi et Henry, poursuivis-je.

— Et pourtant, tu l'as quand même laissé combattre ? me demanda Paul d'un air incrédule. Tu n'as pas pensé que ça pouvait être dangereux ?

— Un combat à mort, c'est dangereux, lui répondis-je. Elle savait, pour ses côtes. Et je savais que tu ne voulais pas la tuer.

Il me contempla longuement. Jeta un regard meurtrier à Henry. Puis dit à Darryl :

— Oui. Qu'on en finisse.

Darryl s'inclina légèrement et quitta le tatami avant de dire :

— Messieurs, commencez quand vous voulez.

Ils commencèrent doucement.

De l'autre côté du dojo, Paul fit un geste élaboré que je ne reconnus pas, un gracieux envol des avant-bras et des mains, accompagné d'un pas en avant, puis en arrière. Puis il émit un sifflement étouffé de prédateur inhumain.

Adam joignit les poings devant sa poitrine, puis les baissa lentement et, sans un mot, se coula naturellement dans une garde ouverte : un salut commun, nettement plus simple et direct. Il ressemblait énormément à celui que mon *sensei* m'avait appris. Les cicatrices sur ses doigts se rouvrirent quand il les plia.

Paul avança dans une série de pas en zigzag qui rendait sa trajectoire à travers le tapis totalement imprévisible. Il gardait le bras gauche presque vertical et le droit gardait une garde basse, la main inconsciemment positionnée devant son bas-ventre.

Adam l'observa, pivotant légèrement pour le suivre dans sa progression. Avait-il vu ce que j'avais vu ? Paul qui clignait des yeux, comme pour éclaircir sa vision ?

Adam eut un léger sourire. À mon adresse ? Je me dis qu'il valait mieux que je le laisse tranquille dans sa tête si je le pouvais, pour qu'il puisse mieux se concentrer sur Paul.

Ce dernier projeta son pied dans l'intention de faucher les genoux de son adversaire, et Adam balança son poids sur une jambe tout en levant l'autre pour bloquer l'offensive. Paul détourna son coup vers le haut et la pommette droite d'Adam, dans une version modifiée du coup de pied circulaire. Il était assez puissant pour pouvoir mettre une certaine force dans son coup malgré le peu d'élan. Adam le para de justesse et trébucha à moitié sous la violence de l'impact. Paul sautilla hors de portée.

Adam avança à grandes enjambées lentes et confiantes, les yeux braqués sur sa proie. Paul recula, cédant automatiquement le terrain à son Alpha. Il se reprit et fusilla Adam du regard, qui le lui rendit et l'affronta. Avec les garous, la bataille se déroulait sur bien des fronts.

Pour échapper au regard d'Adam, Paul tenta un nouveau coup de pied circulaire, mais il était trop loin pour toucher. De l'énergie bêtement gâchée, pensai-je, mais au moins le mouvement lui permit-il de briser le contact oculaire sans perdre le combat. Il utilisait plus ses jambes que ses bras et je me demandai s'il s'était blessé les mains lors de sa confrontation avec Mary Jo. Si c'était le cas, ce n'était probablement pas suffisant pour faire une vraie différence.

Paul utilisa l'élan du coup infructueux pour donner plus de force à une violente attaque dirigée vers le ventre d'Adam. Paul était peut-être un crétin, mais il savait se battre, et il était terriblement rapide.

Adam parvint encore à bloquer le coup, mais ne put qu'amortir l'impact. Il se laissa projeter en arrière, plié en deux, à travers le tatami et se releva aussitôt. Paul le suivit immédiatement, les bras dans la position de garde haute qu'il avait utilisée contre Mary Jo. Adam retrouva l'équilibre au moment où il fondit sur lui et pivota sur le talon gauche, envoyant la jambe droite à angle droit. Il y eut un bruit de tissu déchiré quand sa jambe se tendit entièrement, mais elle manqua largement Paul.

Paul serra les poings et les abattit dans une copie de l'attaque qu'il avait fait subir à Mary Jo. Adam était plié en deux, la jambe toujours tendue, le dos exposé aux poings qui menaçaient. Et il fit l'un de ces mouvements de film de kung-fu, se lançant dans un tourbillon horizontal. Je ne fus pas la seule à laisser échapper une exclamation de surprise.

Le coup ne porta pas immédiatement : c'était juste le premier mouvement d'une admirable symphonie martiale. La jambe gauche d'Adam heurta l'épaule de Paul avec une telle force que le coup de ce dernier dévia totalement dans le vide et qu'il fut projeté violemment au sol.

On aurait dit un arbre qui s'abattait, et chacun put entendre le bruit de l'os de son bras qui se brisait. Adam atterrit sur le ventre, une jambe coincée sous Paul, qui était allongé perpendiculairement à lui. Contrairement à celle de Paul, la chute d'Adam avait été calculée et amortie. Avant que l'autre ait pu réagir, Adam fit volte-face et envoya son tibia percuter le thorax de Paul.

Dans les films de karaté, on brise des branches de céleri pour imiter le son des os qui se cassent. Faites confiance à mon ouïe et à mon expérience : les côtes de Paul ne firent pas du tout le même bruit que du céleri. Un humain serait mort, après avoir reçu un tel coup. Il aurait en tout cas nécessairement dû passer en réanimation. Pas un loup-garou.

Paul frappa le tapis de la main.

— Il déclare forfait, dit Adam.

— Victoire d'Adam, déclara Darryl. Acceptes-tu le forfait de Paul, Alpha ?

— Je l'accepte, répondit-il.

— Le combat est terminé.

Adam se pencha vers Paul.

— J'ai su de quelle manière je pourrais te blesser sans avoir à te tuer en observant ton combat contre Mary Jo. Tu peux la remercier de t'avoir sauvé la vie.

Paul tourna la tête et exposa sa gorge.

— Je le ferai, Alpha.

Adam sourit.

— Je t'aiderais bien à te relever… mais il vaut mieux que Warren jette un coup d'œil à tes côtes. On a assez d'un poumon perforé.

J'avais gardé l'œil sur Henry pendant tout le combat. Je le vis avancer sur le tatami.

— Alpha, déclama-t-il, je te déf…

Il ne réussit jamais à terminer sa phrase… parce que je dégainai alors le SIG de mon père adoptif et lui tirai dans la gorge avant qu'il en ait eu l'occasion.

Pendant un bref instant, tout le monde le regarda en se demandant d'où venait tout ce sang.

— Arrêtez le saignement, ordonnai-je. (Je ne fis aucun geste pour cela : ce rat pouvait crever, je n'en avais rien à faire.) C'est une balle de plomb. Il s'en remettra. (Même s'il allait être incapable de parler – ou de défier Adam – pendant un bon moment.) Quand son état sera stabilisé, mettez-le dans la cellule, là où il ne pourra plus faire aucun mal.

Adam me jeta un regard admiratif.

— On peut toujours compter sur toi pour apporter un flingue lors d'un combat à mains nues. (Puis, se tournant vers sa meute. Notre meute.) Faites ce qu'elle dit, se contenta-t-il d'ajouter.

Chapitre 12

Quand la meute porta Adam en triomphe jusqu'à la maison, je restai en arrière avec Jesse et Sam qui avaient tous deux l'air éprouvé.

Paul avait quitté le dojo de la même manière que Mary Jo : sur une civière, et il devait à présent se reposer près d'elle dans l'une des chambres du bas qui étaient considérées comme propriété de la meute plus que celle d'Adam. N'importe quel membre de la meute pouvait en réclamer l'usage pour dormir, lire ou toute autre activité. Avec Adam dans la maison, ni Paul ni Mary Jo n'auraient de difficultés à maîtriser leur loup pendant la guérison : ils savaient que leur Alpha était là pour les protéger.

C'était parfois affreusement difficile d'être un loup-garou. Souvent, même. Mais il y avait aussi des aspects acceptables… et d'autres carrément sympa. À commencer par la conviction d'être en sécurité tant que l'Alpha était présent.

Henry avait survécu à la perte de sang, d'après ce que j'en savais, et sa blessure s'était probablement déjà refermée. Ce n'est pas bien gros, une balle de pistolet, et ça fait des trous nets si ça ne frappe pas quelque chose de dur, comme un os, sur sa trajectoire. Il serait sur pied avant Mary Jo ou Paul. Bien sûr, son sort après ça restait en suspens. J'imaginais que ça dépendrait de la décision d'Adam.

Warren, aussi, resta en arrière jusqu'à ce que tout le monde en dehors de Sam, Jesse et moi soit parti. Puis il referma la porte du dojo.

— Adam ne se demandera pas où tu es avant cinq minutes, me dit-il, et dans six minutes tu devras l'emmener dans sa chambre, pour éviter que la meute le voie s'évanouir dans… disons dix minutes.

— Je sais, le rassurai-je.

Le grand cow-boy eut un sourire las, même si, comme moi, il n'avait fait qu'assister au combat.

— C'était une sacrée bagarre. Je pense qu'il aurait pu vaincre Paul même sans l'aide de Mary Jo.

J'acquiesçai.

— Mais maintenant, Paul est de retour dans la meute, plus satisfait de son sort qu'avant. Et ça, je ne pense pas que ça aurait pu se produire sans Mary Jo.

— Je déteste ce genre de moment, intervint Jesse d'une voix tremblante.

— Le moment où tout le monde est enfin en sécurité et où tout ce dont tu as envie, c'est de te recroqueviller dans un coin en pleurant comme un bébé ? (Warren me jeta un coup d'œil complice.) Je trouve que c'est déjà mieux que quand les gens sont en danger, mais je ne suis pas fan, non plus.

Il enroula son grand bras autour des épaules de la fille d'Adam et elle se pelotonna contre lui.

— Vas-y, lui dit-il. Pleure, ça soulage, ma chérie. Tu en as tout à fait le droit. Laisse tout sortir, et pleure aussi pour moi… parce que, si Kyle me chope en train de chialer, il va penser que je suis devenu une tapette.

Jesse éclata de rire, mais resta contre lui.

Warren tourna la tête vers moi.

— File, toi. Tu as l'épaule de quelqu'un d'autre pour verser tes larmes. Dis-lui que je m'occupe de Jesse. Et…

Samuel, reste avec moi, toi aussi. Nous n'avons pas besoin d'un nouvel affrontement, et je doute qu'Adam soit prêt à montrer sa faiblesse à quelqu'un qui pourrait être son rival, tant que la tension ne sera pas un peu retombée.

Sam s'étira, bâilla et resta couché.

— Merci, Warren, lui dis-je.

Il sourit et toucha le bord imaginaire d'un chapeau de cow-boy.

— C'est rien, ma p'tite dame. J'fais juste mon boulot. Darryl va nourrir les bêtes, et moi, je m'occupe de celles qui traînassent.

Jesse s'écarta de lui et essuya ses larmes en souriant.

— Je t'ai déjà dit que tu étais mon cow-boy préféré ?

— Je n'en ai jamais douté, répliqua-t-il d'un ton satisfait.

— Tu es le seul cow-boy qu'elle connaisse, fis-je remarquer.

Il jeta un regard à sa montre.

— Tu n'as plus que deux minutes.

— Mercy ? s'inquiéta Jesse en me saisissant le bras avant que je puisse y aller. Qu'est-ce qu'on va faire pour Gabriel ?

— On va le retrouver, la rassura Warren avant que j'aie pu répondre. (Il m'adressa un sourire.) J'ai l'ouïe fine, et la maison était assez calme la nuit dernière pour que je puisse entendre un coup de fil dans la cuisine. (Il se pencha pour être face à face avec Jesse.) Ça ne sert à rien de courir dans tous les sens tant que nous n'en saurons pas plus. Zee s'occupe de rassembler des informations, et attendre de voir ce qu'il nous ramène est la meilleure solution pour le moment.

— Si Zee ne pouvait pas nous aider, il nous l'aurait déjà dit, renchéris-je en ne regardant que Jesse. (Je ne parlais pas à Warren ; seulement à Jesse. Aucun serment n'était violé, ainsi.) On va sortir Gabriel de ce mauvais pas.

—On pourrait leur envoyer Sylvia, proposa Warren.

—T'es au courant ? m'étonnai-je.

Évidemment qu'il était au courant : les nouvelles circulaient vite dans la meute.

—Au courant de quoi ? demanda Jesse, qui semblait reprendre contenance.

Le câlin de Warren était exactement ce dont elle avait eu besoin.

—Sylvia a menacé d'appeler les flics si jamais je m'approchais d'eux. Gabriel ne travaille plus pour moi. (Je fronçai les sourcils. Je n'y avais pas pensé, mais ça pouvait aussi influer sur Jesse.) Je ne sais pas si cette interdiction s'applique à toi… mais comme Sylvia est furieuse parce que je ne l'ai pas prévenue que Sam était un loup-garou avant que Maia décide d'en faire son nouveau poney, j'imagine que tout ce qui concerne les loups-garous risque d'être un peu sensible pendant un moment. Une fois qu'on l'aura ramené chez lui, il faudra en discuter avec Gabriel.

Elle opina du chef.

—Si on le ramène sain et sauf, je ne demanderai pas mieux que de me battre contre Sylvia pour le droit de fréquenter son fils.

—Bien dit, petite, approuva Warren.

Elle recula d'un pas et faillit trébucher sur Sam.

—Hé, lui demanda-t-elle, pourquoi as-tu laissé Warren et Papa prendre soin de Mary Jo ?

—Il n'est pas tout à fait lui-même, répondis-je. Ça n'aurait pas été une bonne idée.

Sam me décocha un regard coupable et détourna la tête. Je repensai à ce regard plein de culpabilité en remontant dans la maison puis dans le salon où la meute s'était rassemblée. Les membres étaient installés sur les meubles ou par terre. Ils étaient plus nombreux, désormais. Les derniers arrivés se faisaient raconter le combat-minute dans les moindres détails. Et je n'avais pas vu la meute d'Adam aussi détendue depuis… aussi longtemps que je puisse me rappeler. Je ne l'avais jamais vraiment beaucoup fréquentée jusqu'à l'année précédente, et ça n'avait pas été une période sereine pour elle.

Honey m'intercepta alors que j'allais rejoindre Adam, assis à l'extrémité du divan en cuir. Je ne l'avais pas vue dans le garage… et je l'aurais remarquée si elle avait été là : Honey était le genre de personne qu'on ne pouvait pas rater, non seulement parce qu'elle était très dominante mais aussi parce qu'elle était très belle. Elle devait donc faire partie des derniers arrivés.

— Mary Jo a été reconnue comme plus dominante qu'Alec ? demanda-t-elle.

Elle n'avait pas l'air contente, ce qui était étrange : parce que son compagnon, Peter, était le seul loup soumis de la meute, Honey était considérée comme le plus bas échelon de la meute si on ne comptait pas Mary Jo, même si, par sa personnalité et sa puissance, elle était plus proche du sommet de la hiérarchie. Peut-être que l'idée qu'on la considère au rang qu'elle méritait offensait sa notion de la féminité. Peut-être s'inquiétait-elle que cela cause des remous dans la meute, ou entre elle et son compagnon. Peut-être avait-elle peur de devenir une cible dans les combats de dominance. Quoi qu'il en soit, c'était bien le cadet de mes soucis à ce moment-là : Adam commençait à s'effondrer sur le côté. Encore quelques instants, et quelqu'un le remarquerait forcément.

— Oui, me contentai-je de répondre en la contournant et en enjambant un corps allongé par terre. J'ignore ce que ça implique sur le long terme. Je pense que personne ne le sait. Adam ?

Il leva les yeux et je me demandai si Warren n'avait pas un peu surestimé son compte à rebours avant l'effondrement : il avait vraiment une mine affreuse.

— Viens avec moi. Il faut appeler le Marrok. (Invoquer le nom du Marrok garantirait que personne ne nous suivrait. Je m'en assurai en ajoutant :) Il ne va pas être ravi de ne pas avoir été consulté au sujet de tout ça. Plus tôt il sera au courant, mieux ce sera.

Il y eut une étincelle dans le regard d'Adam, mais le reste de son visage resta imperturbable.

— Mieux vaut faire ça dans la chambre, s'il doit se mettre à hurler. Tu m'aides à me relever ? Paul m'a donné quelques bons coups.

Il tendit l'une de ses pauvres mains à vif et je la saisis en tentant de ne pas penser à la douleur que mes doigts se refermant dessus devait lui causer. C'était un petit cinéma à l'intention de la meute pour la rassurer : leur Alpha était aussi puissant que d'habitude. L'étincelle disparut de son regard, mais ses lèvres se courbèrent alors qu'il se relevait aisément, sans nullement utiliser l'aide de ma main.

Quand nous arrivâmes au crétin étendu en travers des marches, Adam me saisit par la taille et me fit passer par-dessus l'obstacle, avant de l'enjamber lui-même.

— Scott ? dit-il alors que nous gravissions les marches.

— Oui ?

— À moins qu'on te tire dessus, qu'on t'écorche et qu'on jette ta peau sur le sol, je ne veux plus te voir étalé par terre.

— Oui, chef !

Quand nous atteignîmes l'étage, sa main était plus lourde sur mon épaule et il s'appuya contre moi pour faire les derniers pas qui le menaient à sa chambre.

Quelqu'un (je soupçonnai Darryl) avait laissé trois énormes sandwichs au rôti de bœuf, une tasse de café chaud et un verre d'eau fraîche à côté du lit. Médée dormait sur le cousin qui trônait au milieu du lit. Elle nous regarda et, voyant que je ne faisais aucun mouvement pour la chasser, referma les yeux et se rendormit.

— Des miettes dans les draps, marmonna Adam en regardant les sandwichs alors que je le poussais sur le lit.

— Je suis certaine qu'il doit bien y avoir des draps propres quelque part dans ce mausolée, le rassurai-je. On les sortira ce soir et on refera le lit. Hop, plus de miettes ! (Je pris une moitié de sandwich et la tins devant son nez.) Mange.

Il sourit et me mordilla le doigt avec un enjouement dont je ne l'aurais pas cru capable vu l'état dans lequel il était.

— Mange, répétai-je d'un air inexorable. De la nourriture, puis du sommeil. On aidera… (Je me mordis la lèvre. Adam était un loup. Je ne pouvais pas lui parler de Gabriel, même si j'en mourais d'envie.) De la nourriture, du sommeil, le reste peut attendre.

Mais c'était trop tard. Il ne pouvait pas ne pas entendre ce mot-là. Il prit le sandwich, en arracha une bouchée et l'avala.

— Aider qui ?

— Je ne peux pas t'en parler. Demande à Jesse ou à Darryl.

Mercy ?

Sa voix envahit mon cerveau comme une brise hivernale, fraîche et vivifiante. Voilà un moyen de communiquer sans rien dire, si du moins je trouvais la manière de le faire. Je le regardai attentivement.

Il finit par sourire.

— Tu ne peux pas en parler. Tu l'as promis à… quelqu'un. J'ai déjà vu ça. J'ai un carnet de notes dans mon attaché-case. Il est dans le placard. Va donc le chercher et écris-moi une lettre sur ce que tu n'as pas le droit de me dire.

Je lui embrassai le nez.

— Toi, tu as encore trop fréquenté les faes, pas vrai ? Les loups sont en général un peu moins souples en ce qui concerne l'esprit des lois, sans parler de la lettre.

— Une bonne chose que tu ne sois pas une louve, alors, grogna-t-il d'une voix rendue rocailleuse par la fatigue et la fumée.

— Tu le penses vraiment ? demandai-je.

Quand j'étais petite, je rêvais de devenir un loup-garou pour intégrer la meute du Marrok. Je m'étais toujours demandé si mon père adoptif aurait décidé de se suicider après la mort de sa compagne si j'avais été une louve. Mais quand Adam disait qu'il était heureux que je n'en sois pas une, il semblait sincère.

— Je ne changerais rien chez toi, m'assura-t-il. Maintenant, va chercher ce carnet et écris tout avant que je meure de curiosité.

— D'accord, mais toi, tu manges.

Il prit une deuxième bouchée pour me signifier sa coopération, alors je fouillai dans le placard à la recherche de l'attaché-case. Il rampa sur le lit, provoquant un miaulement de protestation de Médée, qu'il interrompit en la posant sur ses genoux, me laissant de l'espace au bord du lit. Je m'assis à côté de lui et écrivis tout ce qui me venait à l'esprit pendant qu'il dévorait quasiment tous les sandwichs. Il me tendit la moitié du dernier et dit :

— Toi aussi, mange.

Puis il s'endormit pendant que je continuais à écrire.

Quand j'en eus terminé, je l'appelai :

— Adam ?

Il ne bougea pas, mais je remarquai que ses mains semblaient aller mieux. Sa meute le soutenait de nouveau, du moins pour le moment. Ou peut-être la magie décidait-elle d'agir ainsi à ce moment-là pour une autre raison. Les gens qui essayaient de comprendre la logique de la magie finissaient dans des endroits où on portait de jolies vestes qui se fermaient dans le dos.

J'ajoutai : « Fais de beaux rêves » en bas de la dernière page et laissai le carnet à côté de lui. Puis je me glissai hors de la chambre et refermai la porte. J'eus à peine le temps de faire deux pas que mon téléphone sonna. C'était Zee.

— *Trouve un endroit où personne ne t'entendra*, ordonna-t-il.

J'entrai dans la chambre de Jesse, qui était vide, refermai la porte sur moi et mis la musique à fond. Adam dormait comme un sonneur, pour cinq minutes ou des heures, nul ne le savait. Personne d'autre n'entendrait rien.

— OK.

— *Je sais que tu ne peux pas parler de celle qui a enlevé notre Gabriel*, dit Zee. *Tu vas donc devoir m'écouter.*

— J'écoute.

— *Je suis avec la grand-mère de Phin. Nous devons parler. Mais pas de loups-garous.*

— Pourquoi ça ?

Ça ne concernait pas l'enlèvement, j'imaginais donc que je pouvais poser la question sans que la reine des fées en soit avertie.

— *Parce qu'elle en a une peur panique, elle a failli être tuée par des loups-garous. Elle ne peut même pas en voir un sans faire une crise d'angoisse. Et crois-moi, tu n'as aucune envie de te retrouver dans les environs quand cette femme a une crise d'angoisse.*

Je me demandai si j'aurais été aussi sensible à sa demande si je n'avais pas moi-même été sujette à ce genre de crises.

— D'accord. Où ça ?

— *Bonne question. Ta maison est en cendres,* se souvint-il. *Elle n'est pas d'ici, donc elle n'a nulle part où aller. Chez moi, pas question : elle refusera de se rendre dans un endroit où il y a tant de faes.*

— Pourquoi pas le garage ? proposai-je.

— *Dans un quart d'heure,* approuva-t-il. *As-tu quelque chose qui appartienne à Gabriel ?*

J'ouvris la bouche et la refermai. Le sort s'appliquait-il ici ? Il valait mieux ne pas tenter le diable.

— Je ne peux pas répondre à cette question.

— *Apporte quelque chose.*

La voix d'une femme retentit.

— *Quelque chose qui lui appartienne. Quelque chose avec quoi il ait un lien, qui ait de la valeur à ses yeux ou qu'il possède depuis longtemps.*

— *Tu as entendu ?* demanda Zee.

Je restai muette.

— *Parfait,* conclut-il avant de raccrocher.

Je n'avais rien de ce genre. Gabriel était incroyablement organisé : il ne laissait jamais rien traîner.

Je regardai autour de moi : Jesse devait bien avoir quelque chose. C'était soit ça, soit affronter Sylvia.

Et en pensant à Sylvia, je me rendis compte que j'aurais dû l'appeler dès que j'avais su ce qui était arrivé. J'aurais encore préféré devoir me balader, seulement vêtue d'un boa rose, dans tout le centre commercial. Ou me faire ébouillanter à l'huile. À l'huile rance, même.

Je pouvais toujours l'appeler sur le chemin du garage. Déjà, je devais trouver Jesse en espérant qu'elle aurait quelque chose appartenant à Gabriel que je pourrais utiliser.

Elle apparut fort à propos, juste au moment où je m'apprêtais à partir à sa recherche.

— Je cherche Samuel, me dit-elle. Il s'est éclipsé. Ben dit qu'il faudrait le nourrir parce qu'il n'a rien mangé ce matin, et, je ne sais pas pourquoi, ça a l'air d'être urgent à ses yeux. Je ne m'attendais pas à trouver Samuel ici, mais toi non plus.

— Je te cherchais.

Elle me regarda, puis tourna la tête vers la chaîne hi-fi.

— Tu aimes Bullet For My Valentine ? C'est comme ce matin, tu voulais faire écouter mon CD de Eyes Set To Kill à Mary Jo ?

— Cesse donc ces sarcasmes, la rabrouai-je. J'ai bien saisi le message. J'avais une conversation privée.

Elle eut un sourire crispé.

— Laisse-moi deviner : le genre de choses que je ne dois pas savoir parce que je suis une fille. Je ne suis qu'humaine. On ne peut pas me faire courir de risque.

— Tu sais utiliser une arme à feu ?

Je n'avais aucune intention de lui demander ça. Je voulais seulement savoir si elle possédait quelque chose qui appartienne à Gabriel. Mais je savais quel effet ça faisait de rester bêtement assise pendant que des amis étaient en danger et de ne rien pouvoir y faire.

Elle se figea en entendant ma question, de la même manière que son père lorsqu'il se passait quelque chose d'important.

— J'ai un chouette Colt M1911 calibre 40 que Papa m'a offert pour mon anniversaire, dit-elle. Dis-moi que tu as retrouvé Gabriel.

Sa voix tendue me fit prendre une décision. Ils étaient jeunes : lui essayait de ne pas prendre leur relation au sérieux parce qu'il visait l'université. Elle essayait de ne pas la prendre au sérieux parce que c'était ainsi qu'il le voyait. Peut-être que tout cela ne menait à rien, mais elle tenait énormément à lui. Elle avait donc beaucoup à perdre… et si elle savait tirer, alors elle pouvait se défendre.

Jesse était bien la fille de son père : intelligente, dotée du sens de la repartie, et coriace. Mais j'avais déjà l'un de mes fragiles amis humains en danger, je n'allais quand même pas en jeter une autre dans les griffes du loup ?

Pourtant je ne pouvais parler de Gabriel ni aux loups, ni aux faes, et écrire, comme l'avait prouvé ma longue séance pour tout raconter à Adam, prenait beaucoup trop de temps. J'avais besoin de Jesse.

Je l'entraînai dans la chambre et refermai la porte.

— Zee a appelé, je dois le retrouver au garage dans un quart d'heure. Il est accompagné d'une fae qui a une phobie des loups-garous et qui peut nous aider. Nous devons trouver quelque chose qui appartienne à Gabriel et auquel il soit assez attaché. Je ne pense pas qu'elle veuille le pister à l'odorat, donc ça peut aussi bien être un objet dur, comme une bague, que quelque chose qui retient les odeurs.

— Je t'accompagne ?

— Tu m'accompagnes à ce rendez-vous, opinai-je. J'ai besoin de toi. Mais tu dois bien comprendre que je refuserai d'échanger Gabriel contre toi. Il est hors de question que je te fasse courir le moindre danger. (Je lui adressai un brave sourire pas très convaincu : les faes me fichaient une frousse de tous les diables.) J'ai besoin de ton aide. Mais j'ai aussi besoin que tu m'obéisses quand je te dirai de rentrer à la maison.

Elle me considéra d'un regard qui me rappela son père, et où je vis une lueur quand elle prit sa décision.

— OK. Si on leur disait qu'on va faire quelques achats dont tu as urgemment besoin vu que ta maison a brûlé ?

— Des trucs de filles, approuvai-je. Mais rappelle-toi qu'ils peuvent détecter les mensonges. Donc quand ce sera fait, je t'offrirai un grand pot de glace menthe-chocolat.

— Oui, des trucs de filles. Et s'ils essaient d'envoyer Warren avec nous en pensant que ça peut l'intéresser… ce qui serait complètement stupide, vu que Kyle préfère les hommes virils… bref, on fait quoi ?

— On anticipe. Trouvons d'abord Warren et demandons-lui de surveiller ton père pendant son sommeil.

C'est alors que Sam rampa de sous le lit.

Ça fonctionna. Nous réussîmes à atteindre ma voiture avec seulement Sam à nos trousses. Les loups autres ne virent aucun inconvénient à nous voir sortir, Jesse et moi, du moment que Sam nous escortait.

— Tu dois rester ici, Sam…, commençai-je à dire avant de m'interrompre et de le regarder.

De le regarder vraiment.

Sam le loup n'aurait certainement pas tourné le dos pendant que tout le monde essayait d'aider Mary Jo, et n'aurait jamais eu l'air coupable d'avoir fait ça. Parce que Sam le loup n'était pas un médecin. C'était un loup. Le matin même, Darryl avait rapidement compris que Samuel avait des ennuis. Mais dans le garage, personne n'avait rien remarqué d'anormal chez Sam. *Parce que c'était Samuel.*

— Contente de te revoir, commentai-je comme si l'événement n'était pas de taille.

J'ignorai pourquoi il avait décidé de reprendre les commandes, et même si c'était une bonne chose, mais je me disais que, si je n'en faisais pas un fromage, Samuel m'en serait reconnaissant. Pourtant…

— Tu ne peux vraiment pas venir avec nous, ajoutai-je d'un ton désolé. Tu as entendu Zee. On va voir une dame qui… (Je m'interrompis.) Comment les faes font-ils pour gérer ces histoires de mensonge-sans-mentir ? C'est vraiment agaçant. Écoute, Samuel, on va voir cette dame qui a une peur panique des loups. Tu dois rester ici. Tu ne peux pas venir sous forme de loup et tu n'as aucun vêtement.

Il resta simplement planté là à me contempler.

— Tête de mule, lui dis-je.

— On va être en retard, intervint Jesse. Et y a Darryl qui nous regarde par la fenêtre en se demandant ce qu'on fabrique.

Je récupérai mon sac dans ma voiture et ouvris le hayon arrière du 4 x 4 d'Adam pour Samuel.

— Il doit y avoir des jeans, des sweat-shirts et autres trucs dans un sac, à l'arrière, si tu veux t'habiller, proposai-je à Samuel. Et quand on arrivera au garage, tu devras rester à l'extérieur et nous laisser seuls avec elle. Avec un peu de chance, on apprendra… ce qu'on doit apprendre, et j'imagine qu'à ce moment-là je serai bien contente de t'avoir avec nous.

Sur le chemin du garage, j'appelai Sylvia. Elle allait probablement vouloir mêler la police à tout ça, mais j'espérais la convaincre qu'il s'agissait d'une mauvaise idée. La sonnerie retentit plusieurs fois, puis son répondeur prit le relais.

— Sylvia, c'est Mercy. J'ai des nouvelles de Gabriel. Rappelez-moi dès que poss…

— *Je vous ai prévenue,* dit-elle en décrochant, *que ma famille ne voulait plus rien avoir à faire avec vous. Et si Gabriel vous choisit au détriment de sa famille…*

— Il a été enlevé, l'interrompis-je avant qu'elle puisse dire quelque chose qu'elle regretterait amèrement plus tard.

Elle n'était pas aussi dure qu'elle aimait à le faire croire. Je le savais, parce que c'était mon cas, à moi aussi.

Je profitai du silence momentané pour poursuivre :

— Apparemment, il est allé au garage la nuit dernière et a tenté de prendre l'une des voitures, ce dont il a la permission permanente. Vous savez probablement mieux que moi pour quelle raison il a fait ça et où il avait l'intention d'aller. J'ai un ami qui a des ennuis, et ces ennuis sont retombés sur Gabriel.

— *Le genre d'ennuis que vous avez toujours, pas vrai ?* demanda-t-elle. *Allez, au hasard : des ennuis avec des loups-garous.*

— Rien à voir avec les loups-garous, répliquai-je, soudain agacée que, à ses yeux, les loups-garous soient tous des monstres.

Elle pouvait dire pis que pendre de moi, mais en ma présence, elle allait devoir tenir sa langue au sujet des loups.

— Dites à Maia que son copain loup-garou va faire tout son possible pour sauver son grand frère kidnappé par les méchants.

Parce que je savais pertinemment que Samuel, mon Samuel qui était à l'instant même en train de s'habiller sur la banquette arrière, ne tolérerait jamais de voir qu'on faisait du mal à un humain. Il était, à ma connaissance, le seul loup-garou à accorder autant de valeur à ces créatures banales, justement parce qu'elles l'étaient. La plupart des loups-garous, même ceux qui appréciaient la lycanthropie, détestaient, parfois ouvertement, les gens normaux parce qu'ils représentaient ce qu'eux-mêmes ne pouvaient plus être.

Sylvia garda le silence. Sans doute avait-elle pris conscience que son fils courait un réel danger.

— Gabriel est vivant, la rassurai-je. Et nous avons réussi à faire comprendre à nos ennemis qu'ils avaient tout intérêt à ce qu'il le reste. Ça ne servirait à rien d'appeler la police, Sylvia. Les flics sont complètement démunis face à de telles personnes. Ça ne ferait qu'envenimer les choses, et risquer la vie de quelqu'un pour rien. (Comme Phin.) Mon ami loup-garou est mieux armé. Je promets de vous tenir au courant dès que j'en saurai plus, ou de vous dire si vous pouvez faire quelque chose pour nous… vous, ou la police.

Puis je raccrochai.

— Waouh, commenta Jesse. Je n'ai jamais entendu personne parler comme ça à Sylvia. Même Gabriel a un peu peur d'elle, je pense. (Elle s'enfonça dans son siège.) Bien joué. Si ça se trouve, ça la fera réfléchir. Je veux dire, OK, les loups-garous, ça fait peur, c'est dangereux, mais…

— Ce sont nos loups dangereux qui font peur, et ils ne mangent que les gens qu'ils n'aiment pas.

Elle me décocha un grand sourire.

— D'accord. Du coup je peux comprendre qu'elle n'ait pas été très convaincue. Pourtant j'ai l'impression que, quand elle a exigé que Gabriel arrête de travailler pour toi, c'était aussi le jugement de Gabriel qu'elle remettait en question. Comme si elle estimait qu'il était idiot de travailler dans un endroit aussi dangereux.

— Un endroit où il risquerait d'être enlevé par de dangereux faes, par exemple ? demandai-je d'un air ironique, avant de poursuivre : Il ne faut pas oublier que c'est son bébé, qu'elle a changé ses couches. Il faut pardonner aux parents d'agir comme des parents, même si leurs enfants n'ont plus quatre ans. À titre d'exemple, quand ton père saura que je t'ai emmenée voir une mystérieuse fae, il va me faire la peau.

Elle sourit encore.

— Tu n'auras qu'à le laisser hurler, puis coucher avec lui. Les hommes, ça pardonne tout avec un peu de sexe.

— Jessica Tamarind Hauptman, qui t'a donc appris ça ? m'écriai-je l'air faussement effarée.

Marrant comme elle avait réussi à me déculpabiliser d'avoir mal parlé à une femme dont le fils venait d'être enlevé par la reine des fées... Dit comme ça, ça faisait penser à *La Reine des Neiges.* J'espérais juste que, contrairement à Gerda, nous ne retrouverions pas Gabriel comme elle avait retrouvé Kay dans l'histoire d'Andersen : une écharde de glace plantée dans le cœur.

La camionnette de Zee se trouvait déjà devant le garage quand nous arrivâmes. La Coccinelle que j'avais prêtée à Sylvia était toujours garée au même endroit, mais elle avait été vandalisée. Quelqu'un avait dégondé la portière conducteur, la fenêtre avant avait été réduite en miettes, et il y avait des taches de sang sur le siège.

Samuel n'avait pas tout à fait terminé sa métamorphose.

— Reste ici, lui dis-je avant de sortir du 4x4 d'Adam.

— Ce n'est pas un chien, remarqua Jesse alors que nous approchions de l'atelier.

— Je sais, soupirai-je, et de toute façon, il ne va pas m'obéir. Finissons-en le plus rapidement possible.

Zee avait disposé trois chaises en cercle dans le bureau : tout ce qu'il manquait, c'était une table. Quand il vit Jesse, il eut l'air surpris, mais tira une autre chaise.

— Je suis l'intermédiaire, expliqua Jesse. Elle peut me parler à moi plutôt qu'à vous.

Je ne fus pas surprise de constater que la compagne de Zee était bien la vieille femme que j'avais vue à la librairie... mais je n'aurais pas été étonnée non plus si ç'avait été une totale inconnue. Il y avait néanmoins des différences subtiles entre cette femme et la gentille grand-mère que j'avais vue plus tôt. Le genre de différences qui avaient fait dire au Petit Chaperon rouge : « Grand-mère, comme vous avez de grandes dents. »

— Mercy, dit Zee, tu peux t'adresser à cette femme sous le nom d'Alicia Brewster. Alicia, voici Mercedes Thompson et… (il hésita) Jesse. (Il me jeta un regard vif.) J'espère que tu sais ce que tu fais, ajouta-t-il.

— L'avoir avec nous permettra d'accélérer les choses, lui répondis-je. Quand ce sera terminé, elle rentrera à la maison.

— D'accord, admit-il en s'asseyant près d'Alicia.

— Vous êtes venue à la boutique de mon petit-fils. Vous le cherchiez, commença la femme sans même répondre à mon salut. Et vous vouliez lui rendre ce que vous lui aviez emprunté.

Je me tournai vers Jesse.

— Lorsque j'ai vu Alicia à la librairie de Phin, j'avais à la base l'intention de lui rendre son livre. Il avait appelé Tad, le fils de Zee, et lui avait demandé de me dire d'en prendre soin. C'était bizarre, ce coup de fil, et le nouveau voisin de Phin l'était encore plus. Avant même d'arriver à la librairie, j'avais subodoré un problème. Quand j'ai vu Alicia au comptoir, incapable de me dire quoi que ce soit sur l'endroit où se trouvait Phin ou sur la date de son retour, j'ai décidé de ne pas lui rendre le bouquin à elle. J'ai aussi décidé qu'il fallait découvrir où Phin se trouvait.

— Vous êtes donc revenue la nuit dernière pour le chercher dans la boutique ? s'étonna Alicia.

— Je croyais, répondis-je à Jesse, que nous étions ici pour trouver où est Gabriel et pour l'aider.

— Je préfère vous poser quelques questions d'abord, avant de décider ce que je peux vous dire exactement, répliqua Alicia.

Ça laissait entendre que, si je ne répondais pas, elle ne nous dirait rien. Encore fallait-il qu'elle sache quelque chose. Je consultai Zee du regard : il haussa les épaules et leva légèrement les mains de ses genoux, paumes vers le haut : il n'avait aucune influence sur elle.

Ma seule autre option était d'attendre l'appel de la reine des fées.

— OK, dis-je à Jesse. Tu sais déjà que Sam et moi sommes revenus à la librairie la nuit dernière pour voir ce qui était arrivé à Phin. Nous avons découvert la boutique vandalisée par un fae aquatique et deux faes sylvestres.

— Il y avait un glamour sur le magasin, approuva Alicia. Un glamour très fort que je n'ai pas réussi à transpercer, mais je savais qu'il était là. J'avais tellement peur que le cadavre de mon petit-fils se trouve là, juste à côté de moi, et que je ne puisse même pas le voir.

— La magie a un coût, intervint Zee en posant ses mains tachées par l'âge sur son petit ventre replet. Le glamour n'est pas des plus coûteux, mais on paie néanmoins un prix en vue et en ouïe, un coût sur la dimension physique. Rares sont les faes avec un bon odorat, alors ils font plus d'efforts sur les autres sens, et négligent un peu celui-ci. La magie fonctionne…

Il me regarda.

— …bizarrement, comme je dis souvent, complétai-je.

— … bizarrement sur Mercedes. Parfois ça fonctionne très bien, parfois pas du tout. Mais surtout, elle a un odorat très fin qui lui permet de transpercer les glamours. Je l'ai déjà vue en pénétrer un mis en place par un Seigneur Gris. Celle que nous cherchons n'est pas un Seigneur Gris.

— Phin a laissé du sang sur le sol, Jesse, repris-je. Je n'ai pas grand espoir qu'il ait survécu à cette agression. Mais nous n'avons pas trouvé son corps. Nous sommes descendus dans la réserve, elle aussi sens dessus dessous, et alors que nous nous y trouvions, l'un des faes qui avaient tout cassé est revenu.

— Ce doit être celui que nous avons trouvé dans la réserve, intervint Alicia. Celui que quelque chose avait commencé à dévorer.

— Sam n'est pas lui-même, ces jours-ci, expliquai-je à Jesse. Le fae m'a assommée, et quand je me suis réveillée, Sam l'avait tué, et…

— Sam, souffla la fae et je la vis serrer les poings sur ses cuisses. Vous avez des amis loups-garous, m'a dit Zee. Est-ce que ce Sam est un loup-garou ?

— Oui, et c'est aussi mon ami, lui répondis-je d'un ton peut-être un peu agressif. (Mais j'en avais assez que les gens insultent Samuel.) Il m'a sauvé la vie en attaquant le pas si gentil Géant Vert.

S'il en avait profité pour en grignoter un bout, je ne lui en voulais pas.

Ma mère m'avait bien sûr inculqué certains principes, comme « le cannibalisme c'est mal », et ce dernier était en fait bien ancré. Mais il n'avait en fait violé aucun tabou lycanthrope : il valait mieux manger sa proie que la laisser traîner.

Alicia ne sembla pas me tenir rigueur de ma réponse agressive.

— Samuel Cornick, dit-elle en croisant mon regard. Samuel Marrokson, Samuel Branson, Samuel Loup-Blanc, Samuel Pied-Agile, Samuel Porteur-De-Mort, Samuel le Vengeur.

Je ne me souvenais pas de la couleur exacte de ses yeux dans la librairie, mais j'étais sûre qu'ils n'étaient pas verts : pas noisette, pas une couleur humaine du tout, un vert gazon brillant qui passa au bleu et se mit à étinceler.

— C'est bien moi, confirma Samuel appuyé dans l'encadrement de la porte. (Il était vêtu d'un sweat-shirt molletonné gris et s'était débrouillé pour trouver un jean à peine trop grand.) Bonjour, Ari. Ça fait des siècles. (Sa voix était douce.) Je ne savais pas que tu avais un tel talent pour invoquer les vrais noms.

Elle se tourna vers lui et je vis ses pupilles s'élargir et envahir les iris, puis le blanc des yeux, jusqu'à ce que toute la surface prenne l'aspect d'un fragment de nuit étoilée. Et soudain, son glamour partit en *live*.

J'avais déjà vu des faes laisser tomber leur glamour. Parfois, c'était cool, un tourbillon de couleurs qui se mélangeaient. Parfois ça ressemblait à moi quand je me métamorphosais : un instant humain, l'instant d'après, la personne devant vous avait des antennes et des poils de vingt centimètres sur les mains.

Mais là, c'était différent. On aurait dit une lampe qui grillait, avec même les bruits de grésillement. La manche de son pull disparut, laissant apparaître la peau et une petite cicatrice. Un autre grésillement, et le pull réapparut, alors qu'était exposée une surface de dix par quinze centimètres sur sa cuisse, majoritairement occupée par une horrible cicatrice qui semblait profonde et indurée, une blessure si grave qu'elle avait probablement influé sur sa capacité à utiliser cette jambe. Elle disparut en un instant et trois autres zones couturées de cicatrices apparurent sur son visage, sa main et son cou. La peau autour des cicatrices était plus foncée que celle qu'elle choisissait de montrer. La couleur n'avait rien d'étrange, juste de quelques nuances plus foncée que la mienne et plus claire que celle de Darryl, mais la texture semblait plus douce que celle d'un épiderme ordinaire. On aurait dit que les vieilles blessures se présentaient à nous… ou plus exactement à Samuel, qu'elle ne quitta jamais des yeux.

Jesse tendit la main et m'agrippa le genou, mais resta imperturbable en voyant la femme se lever lentement. Elle prit deux ou trois inspirations brusques avant de reculer en entraînant sa chaise avec elle jusqu'à percuter les étagères murales et se retrouver bloquée dans le coin. Elle ouvrit la bouche et se mit à haleter et je me rendis compte que j'assistais à une bonne vieille crise d'angoisse à la fae.

Zee avait dit que les siennes étaient dangereuses.

— Ariana, dit Samuel d'une voix plus douce que le plus doux des ronronnements de Médée. (Il resta près de la porte, lui laissant de l'espace.) Ari. Ton père est mort et ses bêtes aussi. Je te promets que tu n'as rien à craindre.

— Pas un geste, siffla Zee à notre adresse à Jesse et moi, les yeux braqués sur la fae. On dirait que ça tourne très mal. Je t'avais dit de n'amener aucun loup.

— C'est moi qui suis venu tout seul, vieil homme, le contredit Samuel. Et j'ai dit à Ariana que, si elle avait besoin de moi, je viendrais. C'était une promesse aussi bien qu'une menace, même si je ne m'en étais pas rendu compte à l'époque.

Alicia Brewster, que Samuel semblait donc connaître sous le nom d'Ariana, fredonna trois notes et se mit à parler.

— Il y a très longtemps, dans un pays lointain, dit-elle sur un rythme de diseur de contes, il y avait une fille fae qui savait travailler la magie et l'argent, son art lui donnant son nom. Dans ce temps où les faes tombaient sous le fer froid des armes humaines, notre magie s'étiolant alors que les fanatiques ignorants du Dieu Unique bâtissaient leurs églises sur nos lieux de pouvoir, les métaux aimaient le contact de sa main et sa magie était florissante. Son père devint jaloux d'elle.

— C'était un homme vicieux, intervint Samuel, les yeux rivés sur la vieille femme qui avait parfois une cicatrice sur la joue ou au coin de l'œil. Mercy dirait « un vrai salopard ». C'était un seigneur des forêts dont le talent magique le plus éclatant était de commander aux bêtes. Quand le dernier géant mourut, avec son esprit de bête contrôlé par le seigneur, ce dernier se retrouva avec un pouvoir limité, et il en voulut à Ariana de le surpasser. Quand les faes perdirent la capacité d'imprimer de la magie dans des objets, comme ta canne, Mercy, elle y parvenait toujours. Les gens ont fini par l'apprendre.

— Un grand seigneur des faes est arrivé, reprit Ariana. (Elle ne semblait pas écouter Samuel, mais attendait pourtant qu'il ait terminé de parler pour reprendre la parole.) Il exigea qu'elle lui construise une abomination : un artefact qui absorberait la magie de ses ennemis et la lui transmettrait. Elle refusa, mais son père accepta la demande et scella le contrat avec le prix du sang.

Elle s'interrompit et, après quelques secondes, Samuel prit le relais.

— Il la battait, mais elle refusait toujours. Sa magie était proche de celle de la reine des fées : il pouvait influencer les autres. Ce qui aurait pu lui être plus utile, sauf que les seuls esprits sur lesquels il avait une influence étaient ceux des bêtes.

— *Alors, il l'a transformée en bête.*

La voix d'Ariana résonna dans la pièce. Celle-ci était pourtant si pleine que même un coup de feu n'aurait pu produire d'écho. Effrayée, Jesse se serra contre moi.

Ariana ne regardait plus Samuel, mais j'étais incapable de déterminer vers où ses yeux étaient tournés. Pas un endroit agréable, en tout cas.

— En ce temps-là, poursuivit Samuel, la magie des faes était encore assez puissante pour qu'il soit difficile de les tuer sans fer ou sans métal.

Il ne semblait pas inquiet pour Ariana, contrairement à Zee. Celui-ci s'était progressivement levé de sa chaise pour s'interposer entre la fae pleine de cicatrices et Jesse.

— Il a utilisé ses pouvoirs pour la torturer, reprit Samuel. Il avait deux chiens qui avaient du sang fae. Leur hurlement pouvait faire tomber un cheval raide mort, et leur regard terrifier un homme au point de lui donner une crise cardiaque. Il les jeta sur elle une heure chaque matin, sachant que, s'il ne dépassait pas l'heure de torture, elle ne pouvait *pas* mourir : c'était une composante de la magie de ces chiens.

— Elle finit par céder, reconnut Ariana d'une voix misérable. Elle céda et obéit à ses ordres aussi fidèlement que ses chiens. Elle ne voyait rien d'autre que ce qu'il voulait et créait ce qu'il désirait, le forgeant dans l'argent, la magie et son sang.

— Tu n'as jamais cédé, objecta Samuel. Tu as résisté chaque jour.

La voix d'Ariana changea et elle répliqua avec dureté :

— Elle ne pouvait pas lui résister.

— Tu lui as résisté, insista Sam. Tu as résisté et il t'a envoyé ses chiens, encore et encore, jusqu'à la fois de trop, et sa magie l'a trahi. J'ai entendu l'histoire de la bouche d'un témoin, Ariana. Tu as résisté et tu n'as pas achevé l'artefact.

— C'est *mon* histoire, gronda-t-elle en le fusillant de ses yeux uniformément noirs. Elle a échoué. Elle l'a forgé.

— La vérité n'appartient à personne, protesta Samuel. Le père d'Ariana est allé trouver une sorcière, parce que sa magie ne suffisait plus à faire plier sa fille à sa volonté. (Quelque chose dans sa voix me dit qu'il connaissait bien cette sorcière… et qu'il la haïssait.) Il a payé le prix demandé pour un sort qui mariait la sorcellerie à sa magie à lui.

— Sa main droite, expliqua Ariana.

Samuel attendit qu'elle continue, mais elle se contenta de le regarder sans un mot.

— Je pense qu'il voulait appeler ses chiens, poursuivit-il. Mais ils étaient partis trop loin pour qu'il puisse encore les influencer. Au lieu de ça, il obtint quelque chose de très différent.

— Des loups-garous, murmura Ariana en nous tournant le dos, les épaules tombantes. Je vis encore plus de cicatrices sur ses flancs.

— Nous l'avons attaquée parce que nous y étions obligés, dit Samuel avec douceur. Mais mon père était plus fort que nous, et il a résisté. Il a tué le père. Nous nous sommes arrêtés, mais elle était grièvement blessée. Une humaine en serait morte, ou aurait ressuscité en loup-garou. Elle ne put que souffrir.

— C'est toi qui l'as soignée, compris-je. Tu l'as aidée à se remettre. Tu l'as sauvée.

Ariana s'effondra… et Samuel sauta par-dessus nous et les chaises pour la rattraper avant qu'elle atteigne le sol. Elle devint molle, les yeux fermés, les cicatrices de nouveau soigneusement cachées par son glamour.

— Vraiment ? demanda Samuel en baissant des yeux pleins d'amour sur elle. La cicatrice sur son épaule, c'est moi qui la lui ai infligée.

Nom de Dieu, pensai-je en le regardant. *Nom de Dieu, Charles, je lui ai trouvé une raison de vivre !*

Samuel était en haut avec Adam quand la reine des fées nous avait dit qu'elle cherchait le Grimoire d'Argent. La simple mention de cet artefact aurait dû suffire à le convaincre de reprendre les rênes à son loup. Mais c'était quand Zee avait appelé et qu'il avait entendu la voix d'Ariana qu'il était revenu parmi nous.

— Tu l'as sauvée, répétai-je. Et tu l'as aimée.

— Elle l'ignorait, n'est-ce pas ? renchérit Jesse, visiblement aussi absorbée par l'histoire que l'était Ariana. Tu l'as soignée, et elle est tombée amoureuse de toi… Et toi, tu ne pouvais pas lui dire qui tu étais. C'est super romantique, Doc.

— Et tragique, commenta Zee d'un air amer.

— Qu'est-ce que tu en sais ? protesta Jesse.

Le vieux fae fit la moue et désigna Samuel :

— Tu vois une vie heureuse avec plein d'enfants, toi ?

Samuel attira la fae contre lui. Ça semblait étrange, ce jeune homme serrant contre son cœur une femme qui aurait pu être sa grand-mère. Mais les faes ne vieillissent pas, ils se fanent. Son allure de grand-mère était un glamour. Les cicatrices étaient réelles… mais je vis l'expression de Samuel et sus qu'il ne pensait qu'à la douleur qu'elles représentaient.

— Les fins heureuses, ça va, ça vient, intervins-je, poussant Samuel à soudain relever la tête. Je veux dire, tant que personne n'est mort, il y a toujours moyen d'écrire une nouvelle fin, non ? Tu peux me croire, Samuel : le temps peut guérir des blessures sacrément profondes.

— Ses blessures ont l'air guéries, là ? objecta-t-il en me clouant de son regard couleur de glace.

— Nous sommes tous vivants, remarqua Zee d'un air ironique, et elle ne s'est pas évaporée entre nos mains, ce qu'elle a toujours le pouvoir de faire. Je dirais que tu as tes chances.

Chapitre 13

Samuel ouvrait la bouche pour dire quelque chose à Zee quand la femme qu'il tenait dans ses bras rouvrit les yeux, de nouveau verts. Elle promena un regard perdu sur nous, comme si elle n'avait pas la moindre idée de la manière dont elle était arrivée là.

Je savais exactement ce qu'elle ressentait.

Dès qu'il vit qu'elle était réveillée, Samuel la posa par terre en toute hâte.

— Je suis désolé, Ari… Tu étais en train de tomber… Jamais je ne t'aurais touchée, sinon…

Je n'avais jamais rien vu de tel dans toute ma vie. Samuel, le fils d'un barde gallois, bégayant comme un adolescent amoureux.

Elle agrippa l'avant du sweat-shirt de Samuel et le contempla d'un air abasourdi.

— Samuel ?

Il recula légèrement, sans pour autant se dégager.

— Je ne peux pas te laisser respirer si tu m'empêches de m'éloigner, remarqua-t-il.

— Samuel ? répéta-t-elle.

Je remarquai soudain, même si ça ne m'avait pas frappée avant, que sa voix avait changé pendant sa crise d'angoisse et semblait désormais bien trop jeune comparée au visage mature de celle à qui il appartenait. Il y avait aussi une trace d'accent, entre anglais et gallois, ou quelque chose du genre.

— Je croyais… J'ai cherché mais je n'ai jamais pu te trouver. Tu as juste disparu sans laisser de trace, pas même une chemise ou un nom.

Il recula de nouveau et, cette fois, elle le lâcha. Libre de ses mouvements, il battit en retraite jusqu'à la porte endommagée qui séparait mon atelier du bureau.

— Je suis un loup-garou.

Ariana acquiesça et fit deux pas vers lui.

— Je l'ai bien vu quand tu as tué les chiens qui étaient venus me tuer, fit-elle remarquer avec une trace d'humour dans la voix. (*Bien*, pensai-je. *Je ne laisserais pas Samuel fréquenter une femme sans humour.*) Il faut dire que les crocs étaient un sacré indice. Sans parler de la queue. Tu m'as sauvée encore une fois, puis tu es parti, ne me laissant que ton prénom.

— Je t'ai effrayée, la contredit-il.

Elle eut un demi-sourire, mais serra les poings.

— C'est vrai. Mais on dirait que je t'ai fait encore plus peur, vu que tu as disparu pendant… très, très longtemps, Samuel.

Il détourna le regard : le loup le plus dominant des Tri-Cities, incapable de soutenir le regard de cette femme ? Ne pouvait-il pas voir que, même s'il lui faisait peur, elle le désirait toujours ?

Elle tenta de s'approcher encore un peu de lui et dut s'interrompre. Je pouvais renifler sa terreur, une odeur aigre et agressive. Elle recula avec un petit soupir.

— Je suis très heureuse de te revoir, Samuel, dit-elle. Grâce à toi, je suis toujours entière et vivante, des siècles après que mon père aurait dû me tuer. À la place, c'est son cadavre qui a nourri les bêtes et les arbres de sa forêt.

Samuel pencha la tête et dit au plancher :

— Je suis heureux de voir que tu vas bien… et je suis désolé d'avoir provoqué cette crise d'angoisse. J'aurais dû rester dehors.

— Oui, ces crises d'angoisse… ça peut être… (Elle jeta un regard à Zee qui était de retour sur sa chaise, détendu comme s'il venait de passer les dix minutes précédentes à regarder un *soap opera*.) Ai-je fait du mal à quelqu'un, Siebold ?

— Non, répondit celui-ci en croisant les bras. Tu t'es contentée de donner le vrai nom de notre loup et de raconter à Mercedes et Jesse l'histoire du Grimoire d'Argent.

Elle me regarda, puis Jesse, peut-être pour voir à quel point nous étions terrifiées. Ce qu'elle vit dut la rassurer parce qu'un sourire timide illumina son visage.

— Oh, tant mieux, tant mieux. (Ses épaules se relâchèrent et elle se tourna de nouveau vers Samuel.) Je n'en ai plus très souvent. Jamais avec les chiens ordinaires. Ce sont seulement les chiens faes, ces chiens magiques, bêtes noires et chiens de chasse, qui me paniquent. C'est seulement quand j'ai trop…

Elle se mordit la lèvre.

— Peur ? suggéra Samuel, et elle ne répondit rien. Je remarquai qu'elle n'avait pas parlé des loups-garous, non plus.

— Je suis aussi heureux de voir que tu as récupéré ta magie, poursuivit-il. Tu pensais l'avoir perdue définitivement.

Elle prit une grande inspiration.

— Oui. Et ce ne fut pas un mal, pendant un moment. (Elle se tourna vers moi.) Et ça a d'ailleurs une influence sur la situation actuelle. Vous êtes l'amie de Samuel, Mercedes ?

— Et la compagne de l'Alpha local, qui est aussi le père de Jesse, complétai-je.

Je ne pouvais pas lui dire directement que Samuel était célibataire, ç'aurait été un peu trop évident. Je voyais qu'il était important à ses yeux que Samuel ne m'appartienne pas.

— Vous alliez nous...

J'étais tellement occupée à jouer les entremetteuses que je faillis tout gâcher à ce moment-là. Je refermai la bouche et saisis le poignet de Jesse.

— Nous aider à retrouver Gabriel, finit-elle pour moi.

Ariana ne se déplaça pas du tout de manière humaine quand elle revint s'asseoir, sa chaise à la main : on aurait dit un... loup, avec sa démarche sûre d'elle, gracieuse et puissante. Elle se rassit sans jeter un seul regard à Samuel.

— Demande-lui ce que veut la reine des fées, dis-je à Jesse.

— Zee dit qu'elle veut le Grimoire d'Argent, répondit Ariana. C'est l'objet de pouvoir que j'ai construit pour mon père, même s'il n'a jamais fonctionné de la manière prévue par celui qui l'avait commandé. Pendant de nombreuses années, j'ai cru que toute ma magie avait disparu lorsque je l'avais forgé. (Elle ferma les yeux et sourit.) J'ai vécu une vie d'humaine, si l'on excepte mon extrême longévité. Je me suis mariée, j'ai eu des enfants...

Elle tourna la tête vers Samuel qui regardait obstinément par la fenêtre. Il avait l'air calme, mais je voyais la jugulaire palpiter dans son cou. Ariana reprit précipitamment son histoire.

— Il m'aura fallu presque un siècle pour faire le rapport entre la disparition de mes pouvoirs magiques et le Grimoire d'Argent. (Elle me décocha un sourire triste.) Oui, je sais. Je n'avais plus de magie, et le dernier objet que j'avais forgé avait justement le pouvoir de dévorer la magie. On aurait pu croire que j'y penserais avant. Mais tout ce que je savais, c'était qu'il n'était pas terminé... et j'avais oublié à quel stade je l'avais abandonné quand mon père avait lâché les loups sur moi. Après tout ce temps, cet objet n'avait plus grande importance à mes yeux : c'était juste un objet cassé qui ne faisait rien de spécial. Un jour, quelqu'un l'a volé et je me suis dit « bon débarras ». Je n'ai rien fait pour le retrouver et, au bout de quelques mois, ma magie m'est revenue. Ce n'est qu'à cet instant que j'ai compris que j'avais réussi, en partie. L'artefact consommait bien la magie fae... mais plus particulièrement celle de la personne à qui il appartient.

— Pourquoi la reine des fées le veut-elle tant, alors ? demandai-je, ajoutant de justesse : Jesse ?

— Il dévore la magie des faes, Mercy, expliqua Zee. Quoi de plus facile alors que de transformer le plus formidable des adversaires en un être encore plus vulnérable qu'un humain ? Un humain, lui, sait qu'il n'a aucun pouvoir. Et les duels sont encore permis entre faes.

— Ou peut-être qu'elle ne comprend pas vraiment son effet, suggéra Ariana. Elle peut croire qu'il agit comme il était censé le faire, pour absorber les pouvoirs d'un fae et les transférer à un autre. J'ai entendu ce genre d'histoires... et je n'ai pas pris la peine de les corriger. Maintenant que j'ai répondu à une question, j'en ai une pour vous, Mercy. Phin vous a-t-il donné ce livre ?

J'ouvris la bouche pour répondre et Jesse me sauta dessus, utilisant sa main pour me bâillonner.

— Ce serait plus simple si vous me posiez les questions à moi, s'excusa-t-elle. Ça éviterait que Mercy trahisse sa parole. (Elle ôta sa main de ma bouche.) Phin t'a-t-il donné le livre ?

— Qu'est-ce que le livre a à voir avec tout ça ?

— C'est un glamour, s'exclama Samuel. Bon sang, Ariana, comment es-tu arrivée à faire ça ? Tu as camouflé cette chose dans un livre et tu as donné le livre à ton petit-fils ?

— Il est en majorité humain, lui répondit-elle sans le regarder. Et je lui ai précisé de le garder sous clé, pour éviter qu'il perde le peu de magie qu'il avait.

— Et s'il l'avait vendu ? demandai-je, en ajoutant aussitôt : Jesse ?

— Il est né par mon sang, répondit Ariana. Il finit toujours par me retrouver. Jesse, demande-lui. Phin lui a-t-il donné le livre ?

— Non, j'aurais pu l'acheter si j'avais pu me le permettre…

Je cessai de parler en la voyant s'effondrer sur sa chaise, le visage enfoui entre les mains. Samuel se précipita vers elle, avant de s'immobiliser soudain : elle avait eu un mouvement de recul.

— C'est juste que… Oh, j'étais tellement certaine que Phin était mort, qu'ils l'avaient tué en essayant de le trouver, et tout ça, par ma faute. (Elle s'essuya les yeux.) Je ne suis pas comme ça, d'habitude, mais Phin est… j'adore Phin. Il ressemble tellement au fils que j'ai perdu il y a tant d'années… Et je pensais qu'il était mort.

— Et maintenant, tu sais qu'il est vivant ? s'étonna Samuel.

— « Dans le feu ou dans la mort », intervint Jesse, comprenant la situation avant tous les autres. C'est ce que la reine des fées a dit. Que si elle tuait Mercy, ou qu'ils brûlaient l'objet, il se révélerait. Mais s'il appartient toujours à Phin…

— S'ils avaient tué Phin, alors le Grimoire d'Argent se serait révélé à leurs yeux, approuva Ariana. Ils ne seraient plus en train de le chercher.

— Pourquoi lui avez-vous donné un tel pouvoir ?

Ariana lui sourit gentiment.

— Je ne lui ai rien donné. Mais les objets de pouvoir ont tendance… à déborder des limites qu'on leur assigne. C'est pourquoi, même si je croyais qu'il ne faisait rien, je l'ai gardé auprès de moi. Parce que c'était un objet de pouvoir, même s'il n'était pas fini.

— Comment vous êtes-vous rendu compte qu'il… Oh…

Jesse semblait avoir répondu à sa propre question.

— Voilà. C'est un artefact très ancien, et nombre de ses propriétaires sont morts de bien des manières. Pour le feu, c'est quelque chose dont je me suis rendu compte plus tard. (Elle eut l'air pensif.) Et d'une manière plutôt spectaculaire.

— Mais ce n'est pas vous, son propriétaire ? s'enquit Jesse.

— Pas si je tiens à conserver mes pouvoirs… Je ne suis que sa créatrice. C'est pour ça que son vrai nom est le Grimoire d'Argent.

— *Ariana* signifie « argent » en gallois, intervint Samuel en s'asseyant par terre, le dos appuyé contre une étagère métallique.

Pour lui aussi, les derniers jours avaient été éprouvants. J'espérais juste que la terreur visible d'Ariana ne le pousserait pas de nouveau sur la pente du désespoir.

— Jesse, dis-je, demande-lui comment on peut retrouver Gabriel.

— Que m'avez-vous apporté qui appartienne à ce jeune homme ?

Jesse lui tendit un sac en plastique blanc.

— C'est un pull qu'il m'a prêté un jour où j'avais froid.

— Phin m'a dit que son pouvoir était de parfois percevoir certaines choses dans les objets, me souvins-je. Il pouvait deviner leur âge. De la psychométrie, me semble-t-il.

— C'est quelque chose que je lui ai transmis, acquiesça Ariana en prenant le pull et en le portant devant son visage. Oh zut… Ça ne fonctionnera jamais.

— Pourquoi pas ? s'étonna Samuel. Ça lui appartient, pourtant. Je sens son odeur d'ici.

— Je n'utilise pas les odeurs, lui répliqua-t-elle, les yeux braqués sur le pull. J'utilise les liens qui nous relient aux objets qui nous appartiennent. (Elle regarda Jesse.) Ce pull représente infiniment plus pour vous, en tant que cadeau d'amour, que pour lui lorsqu'il le portait. Je pourrais l'utiliser pour vous retrouver, mais pas lui. (Elle hésita.) Il ressent la même chose pour vous ?

Jesse rougit et secoua la tête.

— Je ne sais pas.

— Donnez-moi votre main, lui ordonna la fae.

Jesse tendit sa main, et Ariana la prit entre les siennes, souriant comme un loup qui aurait senti une proie.

— Oh oui, un vrai petit aimant. (Elle se tourna vers Zee.) Avec elle, je pourrai le trouver. Il se trouve dans cette direction, ajouta-t-elle en désignant le fond du garage.

Nous montâmes dans la voiture d'Adam car la camionnette de Zee n'aurait pu tous nous accueillir, et Zee prit le volant. Ariana prit le siège passager et Samuel s'assit derrière Zee, aussi loin que possible d'elle dans ce vaste habitacle.

Le bruit du gros moteur arracha un sourire à Zee. Il appréciait plus que moi la technologie moderne.

— Adam a bon goût, se contenta-t-il de dire.

La chasse au Gabriel commença alors, frustrante, car il nous fallut un bon moment pour nous rendre compte que nous devions traverser la rivière et parce que les rues ne menaient pas toujours où Ariana voulait nous emmener. Adam avait une carte dans la boîte à gants et Samuel l'utilisa pour tenter de déterminer un itinéraire menant aux destinations les plus probables.

Nous terminâmes dans un grand champ complètement vide, au bout d'une route en terre particulièrement sinueuse qui ne figurait pas sur le plan d'Adam. Elle ne devait pas se trouver à plus de une heure des Tri-Cities, mais, comme nous ne savions pas où nous allions, ça nous avait pris le triple. Le champ était entouré par une clôture que nous avions dû enjamber. Il y a dix ans, elle avait peut-être empêché du bétail de partir en vadrouille, mais depuis, les piquets s'étaient effondrés et les barbelés relâchés. Nous avions garé la voiture près des ruines d'une cabane.

Ariana, qui semblait totalement décalée, avec son cardigan et son pantalon en lainage extensible, s'arrêta au beau milieu du champ entre une touffe de *tussock* et un bosquet d'armoise.

— Ici, dit-elle d'un air inquiet.

— Ici ? répéta Jesse d'un air incrédule.

Je profitai de notre arrêt pour enlever les épillets accrochés dans mes chaussettes. Si j'avais su qu'on terminerait dans le coin, j'aurais pris des chaussures hautes. Et un blouson plus épais.

— La reine des fées a installé son Elphame, commenta Zee.

— Et c'est mauvais ? demandai-je.

— Très, répondit-il. Ça signifie qu'elle est plus puissante que je le croyais… et probablement qu'elle a plus de faes à son service que nous le pensions, si elle est toujours en mesure de construire un royaume.

— Comment a-t-elle pu faire cela ici ? demanda Ariana. Elle doit avoir accès à l'énergie d'En-Dessous pour créer sa propre contrée. Nous n'avons pas été en mesure de retrouver l'entrée du Lieu Secret depuis plusieurs siècles… et En-Dessous n'existe pas, ici.

Je jetai un regard à Zee. Je ne pus m'en empêcher, parce que j'avais fait une petite incursion En-Dessous… et qu'on m'avait fait jurer de ne jamais en parler.

— En-Dessous existe là où il le décide, la corrigea Zee. La réserve ne se trouve pas à plus de quinze kilomètres à vol d'oiseau. La plupart des faes qui vivent là-bas ne font pas partie des plus puissants… mais nous sommes nombreux, plus que ce qu'indiquent les registres gouvernementaux. Il y a nécessairement de la puissance dans une telle concentration.

Il prit grand soin de ne pas dire que certains habitants de la réserve avaient déjà réussi à opérer de nouveaux passages vers En-Dessous.

Ariana tendit la main, paume vers le bas, et ferma brièvement les yeux.

— Tu as raison, Zee. Il y a de la puissance ici, une puissance au goût de l'Ancien Endroit. Je me demandais pourquoi elle avait pris la peine de garder Phin en vie alors qu'il aurait été bien plus logique de le tuer. Elle a fait une erreur en l'emmenant à Elphame.

— Les reines des fées obéissent à certaines règles, approuva Zee. Les mortels qu'on emmène à Elphame ne peuvent être tués ni blessés de manière permanente : c'est une conséquence de la magie nécessaire pour construire un royaume.

Ariana lui sourit timidement.

— Mon Phin doit être trop humain pour qu'elle puisse le tuer. Je me demande si elle le savait quand elle l'a entraîné dans son repaire. S'il est humain, elle ne peut, même si elle le veut, le relâcher avant un an et un jour.

— Est-ce que ça signifie qu'elle ne peut pas tuer Gabriel ? s'enquit Jesse en se frottant les bras. Et qu'on ne peut pas le récupérer avant un an et un jour ?

— Elle ne peut pas non plus tuer Gabriel, lui répondit Samuel. Mais ça ne veut pas dire qu'elle ne leur fera aucun mal ou ne les ensorcellera pas. Les prisonniers des fées peuvent être secourus de diverses manières : la discrétion, la bataille ou la négociation.

— La négociation ? Comme dans la chanson *The Devil Went Down To Georgia*, mais avec une fée ? m'étonnai-je.

Je croyais bien avoir déjà lu ce genre d'histoires avec des fées.

— En effet, confirma Samuel. Ça peut prendre la forme d'un concours, souvent musical, parce que les reines des fées ont un certain talent mélodique. Mais on a pu aussi assister à des courses à pied ou des épreuves de natation. Mon père avait écrit une merveilleuse chanson à propos d'un jeune homme qui avait défié une fée dans un concours de nourriture. Il avait gagné.

— Comment on fait pour entrer ? l'interrompit Jesse.

— Le seul moyen que je connaisse pour entrer dans Elphame, c'est de suivre la reine.

— Je suis peut-être en mesure d'ouvrir un accès, intervint Zee. Et je crois pouvoir faire en sorte qu'elle ne s'en rende pas compte. Mais il faudra que je reste ici et que je tienne la porte ouverte… et je ne pourrai pas le faire très longtemps. Une heure maximum, et il faudra sortir. Si la porte se referme… Comme En-Dessous, le temps s'écoule différemment à Elphame. Si la porte se referme, vous réussirez peut-être à vous évader, mais nul ne sait combien de temps se sera écoulé à l'extérieur.

— OK, décida Jesse.

— Oh non ! m'indignai-je. Pas toi, Jesse. Non.

— C'est moi qui risquerai le moins là-bas, me rappela-t-elle. Je suis totalement humaine et mortelle : ils ne peuvent pas me tuer.

— Mais ils peuvent te donner envie de mourir, observa Samuel.

— Vous avez besoin de moi pour trouver Gabriel, objecta-t-elle en relevant le menton d'un air de défi. Je viens.

Je consultai Ariana du regard, et elle opina du chef.

— L'Elphame est sous le contrôle absolu de sa créatrice. Si on veut rapidement trouver votre jeune ami et sortir de là, on aura besoin d'elle.

— Alors, laissez-moi appeler Adam pour qu'il vienne avec ses loups.

J'aurais dû passer chez Sylvia et dénicher quelque chose auquel il était attaché qui ne soit pas un être vivant. Je ne voulais pas causer plus d'ennuis à la meute d'Adam que je l'avais déjà fait. Mais, plus que tout ça, je voulais sortir Gabriel et Phin de l'antre de la fée tout en protégeant Jesse.

Ariana prit une brusque inspiration.

— Je suis désolée, dit-elle. Samuel, c'est… Je n'y arriverai pas avec des loups inconnus. Si c'était juste de la peur, je le ferais. Mais ces crises d'angoisse peuvent être dangereuses pour ceux qui m'entourent. (Elle consulta Zee du regard.) Ils réussiraient à les trouver, sans moi ?

— Non, répondit Zee. Si je dois rester ici, ils auront besoin de toi pour ne pas se perdre. De plus, la présence des loups ne me semble pas une bonne idée. Samuel est assez âgé, et assez puissant : je pense qu'il pourra résister à la volonté d'une créature comme la reine des fées. Mais tous les loups… Trop de risques qu'elle en tourne certains contre le reste d'entre nous. Si elle vous manipule, toi ou Jesse, Ariana et Sam réussiront quand même à vous sortir de là. Si vous entrez avec les membres de la meute, c'est comme si vous entriez avec autant d'armes fatales.

— C'est bon, Mercy, me tranquillisa Jesse. Je sais me débrouiller et puis… si c'était papa, là-dedans, tu pourrais attendre dehors ?

— Non.

— Vous êtes prêts ? demanda Zee.

— Allons-y, soupirai-je en sachant très bien qu'Adam serait furieux après moi…, (Mais Jesse avait raison : c'était probablement elle qui risquait le moins là-dedans.) Sortons-les d'ici.

— Bien, approuva Zee.

Et il laissa tomber son glamour sans fanfare ni cérémonie.

L'instant d'avant, il était un homme âgé, de taille moyenne, maigrichon avec un petit bidon et des taches de vieillesse sur le cou et les mains, et celui d'après, il était devenu un grand guerrier à la peau lustrée dont la couleur rappelait celle de l'écorce humide. Le soleil donnait un reflet d'or à sa chevelure qui pendait en une épaisse tresse derrière son épaule et plus bas que la ceinture. La dernière fois que je l'avais vu ainsi, ses oreilles étaient percées de nombreux trous et ceux-ci étaient ornés de bijoux d'os. Là, il n'y avait pas le moindre bijou.

Son corps n'était pas du tout assorti au jean et à la chemise en flanelle qu'il portait toujours. Les vêtements étaient à la bonne taille dans cette forme-là aussi, et je me fis la réflexion que c'était logique : c'était le Zee que je voyais tous les jours, l'illusion. L'homme et les vêtements qui se trouvaient devant moi étaient les vrais.

Le visage de Zee était étonnant : beau, fier et cruel. Je me souvins des histoires que j'avais lues concernant le Forgeron Noir de Drontheim. Zee n'avait jamais été le genre de fae qui nettoyait les maisons ou sauvait les enfants égarés. C'était plutôt quelqu'un qu'on évitait de croiser si on le pouvait et qu'on traitait avec beaucoup de courtoisie si on n'avait pas le choix. Il s'était un peu adouci avec l'âge et n'éventrait plus les gens à la moindre contrariété. Enfin, pas à ma connaissance.

— Waouh ! s'exclama Jesse. T'es super beau. Super flippant, mais super beau.

Il la regarda un instant puis répondit :

— J'ai déjà entendu Gabriel dire la même chose de toi, Jesse Adamstochter. Je crois que c'était un compliment. (Il se tourna vers Ariana.) Il faut enlever ton glamour. Le seul glamour qui fonctionne à Elphame, c'est celui de la reine, et si tu attends que l'Elphame t'arrache le tien, ça ne servira qu'à avertir ceux qui s'y trouvent qu'il y a un intrus.

Elle serra les poings, regarda Samuel, puis détourna les yeux.

— J'ai déjà vu tes cicatrices, lui rappela Samuel. Je suis un médecin et un loup-garou. J'ai vu ces cicatrices alors qu'elles étaient encore des blessures ensanglantées. Elles ne me dérangent pas. Ce sont les lauriers des survivants.

Comme Zee, elle ne s'embarrassa pas de frivolités. Sans son glamour, sa peau était d'une nuance plus chaude que celle de Zee et plus claire de plusieurs tons. Elle offrait un joli contraste avec sa chevelure d'un bleu argenté, pas plus longue que le doigt, qui flottait sur son crâne plus comme un plumage que comme des cheveux… très similaire à la coiffure actuelle de Jesse, en fait. Les vêtements d'Ariana se modifièrent aussi quand elle changea d'aspect : ils se transformèrent en une robe blanc cassé, toute simple, dont l'ourlet était découpé en pointe.

Elle n'était pas belle de manière conventionnelle : son visage était trop étrange pour ça, avec des yeux trop grands et un nez trop petit pour les standards de beauté humaine.

Ses cicatrices n'étaient pas aussi affreuses qu'elles l'avaient semblé lorsqu'elles s'étaient présentées à nous auparavant. Elles semblaient aussi plus anciennes, moins enflammées… mais elles étaient nombreuses.

— Nous sommes prêts, dit Samuel en regardant Ariana avec, dans les yeux, un intérêt qui n'avait rien de médical.

Zee leva le bras et sortit du col de sa chemise sa dague à la lame noire, d'une élégance simple et mortelle. J'étais incapable de dire s'il s'agissait d'un fourreau ou de magie, mais avec Zee ça pouvait être l'un et l'autre. Il se fit une petite coupure sur l'avant-bras. Pendant un instant, rien ne se passa, puis le sang perla, rouge sombre. Il s'agenouilla et le laissa couler sur le sol.

— Mère, dit-il, entends la prière de ton enfant.

Il utilisa son autre main pour mélanger le sang à la terre poudreuse. Puis, en allemand, il chuchota :

— *Erde, geliebte Mutter, dein Kind ruft. Schmeke mein Blut. Erkennedein Schöpfung, gewähre Einlass.*

La magie me fit comme des fourmis dans les pieds et le bout du nez me gratta… mais rien d'autre ne se passa. Zee se releva et recula de quatre pas avant de faire une nouvelle coupure à son autre bras.

Il s'agenouilla de nouveau et, cette fois-ci, sa voix vibrait de puissance quand il entonna :

— *Erde mein, lass miche ein.*

Le sang dégoulina le long de ses bras, sur le dos de ses mains posées à plat sur le sol.

— *Gibst mir Mut!* cria-t-il en retournant les mains et en les essuyant sur le sol. *Trinkst mein Blut. Erkenne mich.*

Il se pencha en avant et transféra son poids sur ses bras. Ses mains, puis ses avant-bras s'enfoncèrent dans la terre, au-delà des blessures qu'il s'était infligées. Il continua jusqu'à ce que sa bouche soit presque contre le sol et souffla, presque serein :

—*Öffne Dich.*

Je sentis le sol vibrer sous mes pieds, et une fissure apparut entre l'endroit où se tenait Zee et l'endroit où il avait mélangé son sang à la terre.

—*Erde mein*, ajouta-t-il.

Le sol vibra à l'unisson de sa voix, et celle-ci avait une teinte plus sombre, comme s'il la tirait d'une profonde caverne.

—*Lass miche in. Gibst mir Glut.* (Il posa le front contre le sol.) *Trinke mein Blut. Es quillt für Dich hervor. Öffne mir ein Tor !*

Il y eut un flash, puis un grand carré de sol disparut, faisant place à un escalier en pierre qui descendait pendant huit marches avant de tourner. Je ne voyais pas plus loin parce qu'une épaisse brume s'élevait des profondeurs de l'ouverture, noyant tout ce qui se trouvait à plus de deux mètres de profondeur.

Zee arracha ses mains du sol. Ses bras étaient recouverts de terre, mais il n'y avait plus trace ni de sang, ni de la moindre blessure. Il tendit la main vers Ariana et lui donna une pierre étincelante.

—Je peux tenir environ une heure, nous dit Zee. Ariana pourra utiliser la pierre pour vous guider jusqu'à moi. Si elle clignote, ça voudra dire que je suis sur le point de lâcher la porte et qu'il faut vous dépêcher de rentrer. Tant que cette porte est ouverte, le temps dans Elphame s'écoulera à la même allure qu'à l'extérieur. Si elle se referme, vous réussirez peut-être à vous enfuir, mais je ne sais pas à quelle époque vous vous retrouverez.

Samuel ouvrit le chemin, suivi par Ariana. J'envoyai Jesse devant moi et me chargeai de nos arrières. La lumière au-dessus de nous s'estompa et nous nous retrouvâmes bientôt à progresser dans une obscurité presque totale. Jesse trébucha, et je la rattrapai avant qu'elle puisse perdre l'équilibre.

— Vas-y, proposa Ariana, mets ta main sur mon épaule.

— Et je vais mettre ma main sur la tienne, ajoutai-je. Samuel, tu y vois quelque chose ?

— Maintenant, oui, répondit-il. Il y a de la lumière, devant.

« De la lumière », c'était tout relatif, mais effectivement, dix marches plus bas, je distinguai de nouveau quelque chose. L'escalier aboutissait à un couloir en terre éclairé par des joyaux incrustés dans le sol, aussi gros que des oranges. Le couloir était moins haut d'une quinzaine de centimètres que Samuel, et les murs étaient faits de racines enchevêtrées.

— Il n'y a pas d'arbres au-dessus de nous, remarquai-je. Et même s'il y en avait, on est descendus plus bas que n'importe quelles racines… enfin, je croyais.

— Elle a un seigneur des forêts à sa cour, expliqua Ariana en écartant le rideau de racines qui cachait le mur de terre du tunnel. Les racines répondirent à son contact, caressant brièvement ses doigts avant de retomber, inertes.

— Quel genre de fae êtes-vous ? demanda Jesse. Un seigneur des forêts, aussi ? Ou un gremlin comme Zee, vu que vous pouvez travailler l'argent ?

— Zee est seul dans son genre, répondit-elle. Il est unique. Presque tous les faes peuvent travailler plus ou moins l'argent : ce matériau se marie merveilleusement avec la magie fae. Mais tu as raison : il y a des faes qui ont reçu le baiser du fer dans ma lignée, et l'acier ne me fait pas peur.

Nous parlions à mi-voix, mais je ne m'inquiétais pas vraiment d'être découverte. L'endroit me semblait… vide, dépourvu de toute vie en dehors de celle des racines qui se prenaient dans mes cheveux et dans mes pieds.

— Nous…

Je m'interrompis, me souvenant que je n'étais pas censée parler de la reine des fées. Mais n'avais-je pas déjà violé mon serment ? Était-ce vraiment important, maintenant que nous étions entrés dans le château ?

— Jesse, repris-je en choisissant la voie de la prudence, nous n'avons rien planifié pour le sauvetage.

— Rien ne sert de planifier quand on entre dans Elphame, maugréa Samuel qui avançait plié en deux, une main devant lui pour balayer les racines. Ce n'est pas ce genre d'endroit. Ariana va nous conduire jusqu'à son petit-fils et à Gabriel, et on essaiera de sortir en s'adaptant à la situation telle qu'elle se présentera.

— Ça a l'air simple, dit comme ça.

— Ça *pourrait* être simple, me dit Ariana. Elle ne doit pas s'attendre à de la visite : ils ne sont pas nombreux, les faes capables d'ouvrir une porte dans la forteresse d'une fée. Les ensorcelés ne réagiront pas à notre présence : ils n'ont conscience de rien, des automates qui n'obéissent qu'à la volonté de la reine. Avec un peu de chance, on peut trouver Phin et Gabriel, et les sortir d'ici sans que personne se rende compte de quoi que ce soit.

— Aurait-on dû amener…

Ariana posa ses doigts sur mes lèvres.

— Mieux vaut ne pas parler de ce qu'une certaine personne désire tellement, expliqua-t-elle. Je pense qu'elle l'entendrait. Et, non. Il est trop puissant. Même s'il ne fait pas ce qu'on s'attend qu'il fasse, il ne faut pas qu'il tombe dans de mauvaises mains.

— D'accord, soufflai-je.

Samuel releva la tête.

— Ne disons plus rien, d'ailleurs. Je commence à sentir l'odeur d'êtres vivants.

Moi aussi, je les sentais, maintenant qu'il me le faisait remarquer. Nous arrivions dans des couloirs qui semblaient plus passants. La terre battue sur le sol devint plus compacte, les racines devinrent plus discrètes, avant d'être recouvertes par des briques carrées, tandis que le sol se recouvrait de pavés. Le plafond se releva aussi et Samuel put de nouveau se tenir debout.

D'autres tunnels rejoignirent le nôtre.

Je détectai l'odeur avant Samuel, mais c'était seulement parce que la femme arrivait par l'arrière. Cela n'eut aucune importance, de toute façon : j'eus à peine le temps de faire volte-face qu'elle était déjà sur nous.

Sa veste était déchirée et son jean taché. Elle portait des deux mains une grande planche à découper en bois. Elle me rentra dedans et rebondit. Quand elle essaya de me contourner, je l'arrêtai.

— Apporter ça à la cuisine, dit-elle sans me regarder.

Elle se balança d'un pied sur l'autre, l'attention monopolisée par sa planche à découper.

Ses cheveux pendaient en mèches grasses et elle avait de la crasse sur les articulations des doigts. Elle portait un fin collier d'argent autour du cou.

— La cuisine, petite. La cuisine. Apporte ça à la cuisine.

Je m'écartai de sa trajectoire et elle repartit presque en courant.

— Elle ne prend pas soin de ses ensorcelés, constata Ariana d'un air désapprobateur.

— Ensorcelés ? demanda Jesse.

— Ses esclaves, traduisis-je. Tu sais, dans les films, quand quelqu'un est *ensorcelé* par un garçon ou une chanson ? Eh bien, c'est la même origine.

— Suivons-la, proposa Ariana. La cuisine se trouve probablement au cœur d'Elphame.

Nous courûmes après la femme, croisant un jeune homme en uniforme de police, une femme en jogging, et une vieille femme qui avait une théière fumante entre les mains, tous avec un collier en argent autour du cou et tous se déplaçant de manière artificielle. Le sol passa des pavés au carrelage en pierre, et le plafond s'éloigna encore, culminant à près de quatre mètres de haut.

Les joyaux qui avaient éclairé le tunnel par lequel nous étions arrivés recouvraient à présent les murs et pendaient au plafond par des câbles qui ressemblaient aussi bien à du fil d'argent qu'à une toile d'araignée. Quoi qu'il en soit, cela ne semblait pas assez épais pour pouvoir soutenir les pierres. La tête de Samuel les heurtait parfois, les envoyant valser dans tous les sens.

Nous arrivâmes dans la cuisine, qu'on aurait dite importée d'une série télévisée des années 1950 : un énorme piano, avec deux gazinières de six anneaux, le tout dans une pièce plus grande que toute ma défunte caravane. Je regardai autour de moi, mais ne vis personne qui ressemblait à Donna Reed ou June Cleaver [1]… ou Gabriel Sandoval, d'ailleurs. Les appareils d'un blanc éclatant étaient arrondis bizarrement pour mon œil habitué aux arêtes modernes, et les trois réfrigérateurs étaient fermés par une poignée à bascule, *Frigidaire* écrit en lettres d'argent en haut de la porte. D'autres personnes avec des colliers d'argent préparaient à manger et à boire… et ne semblèrent pas du tout remarquer notre présence. La femme que nous avions suivie posa la planche à découper sur le comptoir qui se

1. Respectivement actrice et personnage de séries télévisées américaines des années 1950. (*NdT*)

trouvait à côté de l'évier, et commença à le remplir d'eau à l'aide de la pompe qui tenait lieu de robinet.

— Excusez-moi, dit Ariana en s'approchant d'un homme qui mélangeait ce qui ressemblait à du porridge.

— Il faut remuer soixante-dix fois sept, répondit-il.

— *Où sont gardés les prisonniers ?* intervint Sam en mettant toute sa force de loup ultradominant dans sa voix. Celle-ci résonna bizarrement dans la pièce.

Progressivement, tout le monde s'immobilisa dans la cuisine. Une par une, les six personnes au cou encerclé d'argent se tournèrent vers Samuel. Celui auquel Ariana s'était adressée fut le dernier à le faire. Il sortit sa cuiller de la marmite et s'en servit pour pointer l'une des sept sorties voûtées. Les autres, un par un, désignèrent la même direction.

— Quarante-sept pas, marmonna le mélangeur de porridge.

— Prendre le tunnel à droite, ajouta un homme qui était occupé à découper des navets.

— Encore dix-huit pas et on est arrivé, renchérit une fille qui pétrissait de la pâte à pain. La clé est sur le crochet. La porte est jaune.

— Il ne faut pas les laisser sortir, avertit un gamin qui ne semblait pas avoir plus de treize ans et qui remplissait des verres avec une carafe d'eau.

— *Reprenez le travail*, ordonna Samuel, et, un par un, ils s'exécutèrent.

— J'ai jamais rien vu d'aussi zarb, murmura Jesse. On va tous les laisser comme ça ?

— On va déjà sortir Gabriel et Phin d'ici, lui répondit Ariana. Et puis nous irons parler de tout ça aux Seigneurs Gris, qui ont interdit l'ensorcellement. Seule la reine des fées peut les relâcher, et seuls les Seigneurs Gris ont le pouvoir de l'y contraindre. Dans Elphame, son pouvoir est absolu.

— Et si elle a ensorcelé Gabriel ?

— Ce n'est sûrement pas le cas, répliqua Ariana d'un ton plein de certitude. Elle l'a promis à Mercy, et trahir sa promesse aurait de terribles conséquences pour elle. Quant à mon Phin, il est protégé contre de telles choses.

Le tunnel que nous prîmes en sortant de la cuisine était nettement moins somptueux que celui par lequel nous y étions arrivés. Le sol était revêtu de ces petits carreaux blancs octogonaux avec une ligne de carreaux noirs qui constituait une frise à une vingtaine de centimètres du mur. À quarante-sept pas de la cuisine, le tunnel s'élargit et devint une petite pièce. Les carreaux noirs dessinaient un nœud celtique complexe au centre du sol. Plusieurs couloirs débouchaient sur la pièce, deux en face et un de chaque côté. Nous prîmes celui de droite. Le sol était recouvert de planches en bois brut, visiblement sciées à la main, qui grincèrent un peu sous le poids de Samuel, qui était plus lourd que le reste d'entre nous.

— Dix-huit, dit-il.

Et nous nous retrouvâmes effectivement devant une porte jaune avec une clé à l'ancienne accrochée sur le mur à côté. C'était la première porte que je voyais dans l'Elphame.

Samuel prit la clé sur le crochet et déverrouilla la porte.

— Doc ? demanda Gabriel. Qu'est-ce que vous faites là ?

— *Gabriel !* s'exclama Jesse en poussant Samuel pour entrer.

Gardant la clé à la main, Samuel la suivit à l'intérieur, bientôt imité par Ariana et moi à l'arrière.

Jesse dans les bras, Gabriel nous regarda d'un air ahuri :

— Qu'est-ce que vous faites tous là ? Elle vous a enlevés, vous aussi ?

La pièce était blanche. Des murs de pierre blanche, un plafond blanc d'où pendaient des lustres de cristal. Le sol était d'un seul bloc de marbre immaculé. Deux lits trônaient au milieu, dressés de draps blancs.

Les seules couleurs de la pièce venaient de Gabriel et de l'homme allongé sur l'un des lits. Il n'avait vraiment pas l'air bien, et je ne l'aurais jamais reconnu si Ariana n'avait pas murmuré son nom.

Phin se releva avec précaution, comme si ses côtes étaient douloureuses, et Ariana se précipita près de son lit, un genou à terre.

Il fronça les sourcils en la voyant et articula :

— Qui… ?

— Grand-mère Alicia, lui dit-elle.

Il eut l'air surpris, puis un sourire illumina son visage.

— On t'a déjà dit que tu n'avais pas du tout l'air d'une grand-mère ? Vous venez à la rescousse, c'est ça ? Comme dans les vieux contes ?

— Non, intervint Samuel, qui s'était tourné vers la porte. C'est un piège.

— Bienvenue chez moi, entonna une voix sinistre et familière. Je suis tellement heureuse que vous soyez passés à l'improviste.

La femme qui se tenait dans l'encadrement de la porte de la cellule était tout bonnement exquise. Elle avait les cheveux couleur de fumée noire, tirés en une tresse sophistiquée composée d'une myriade de minuscules tresses. Elle ondulait le long de son dos et jusqu'au sol comme le panache d'un étalon arabe, et mettait en valeur son teint de porcelaine et le rose de ses lèvres.

Elle me regardait plus particulièrement.

— Heureuse de te recevoir chez moi, Mercedes Thompson. J'étais justement en train d'essayer de vous contacter avec mon portable quand… imagine ma surprise… je me suis rendu compte que tu étais déjà ici. Mais tu ne l'as pas apporté.

Voir une reine des fées parler portable fut presque suffisant pour me faire éclater de rire. Presque.

Je relevai le menton. La discrétion, la bataille ou la négociation.

— Je suis une meilleure négociatrice que ça. Si je l'avais apporté, il nous serait impossible de jouer.

Elle eut un sourire, et une étincelle fit briller ses yeux d'un gris argenté.

— Eh bien, alors, accepta-t-elle, jouons !

Chapitre 14

— Mais ce n'est pas l'endroit pour marchander, reprit la reine des fées. Suivez-moi.

Ariana prit Phin dans ses bras. Samuel jeta un regard à Gabriel.

— C'est bon, Doc, le rassura celui-ci. (Il regarda Ariana et me consulta du regard.) Loup-garou ? articula-t-il.

— Non, ça, c'est moi, lui dit Samuel. Ariana est une fae.

Gabriel leva brusquement la tête vers Samuel.

— Vous êtes… (Soudain, son visage s'éclaira.) Voilà qui explique bien des choses, comme Snowball…

Samuel eut un sourire approbateur.

— Tu es sûr de ne pas avoir besoin d'aide ?

— Phin est le seul à avoir été gravement blessé, dit-il. Son état s'est beaucoup amélioré dans la semaine passée, mais il est arrivé dans un sale état.

Je jetai un regard curieux à Gabriel, mais pensai que ce n'était peut-être pas nécessaire de lui dire qu'il n'avait disparu que depuis hier, dans le monde réel : si on ne réussissait pas à sortir tant que Zee retenait la porte ouverte, de toute façon, ça n'aurait pas grande importance.

La voix de la reine des fées nous parvint de l'autre côté de la porte.

— Vous venez ?

Ariana fit un signe de tête à Samuel, qui reprit la tête du groupe et suivit la reine des fées. Ariana lui emboîta le pas et j'invitai Gabriel et Jesse à passer devant moi. Je pris une grande inspiration, du genre de celles qui éclaircissent les poumons et l'esprit avant une tâche difficile… et sentis une odeur de terre et de plantes qui poussaient dans cette pièce entièrement revêtue de marbre froid.

Seul le glamour de la reine des fées peut fonctionner dans son Elphame, avait dit Zee.

Je me fiai donc plus particulièrement à mon nez en remontant le hall sur les talons de la reine des fées.

Juste une question, pensai-je en essayant de distinguer les odeurs véritables de celles produites par l'illusion de la reine. *Si ça ressemble à un couloir et que ça se comporte comme un couloir… est-il vraiment important que ce n'en soit pas vraiment un ?*

Mais la curiosité était vraiment mon plus vilain défaut. Peu à peu, au fur et à mesure de notre avancée, l'odeur de terre, de la sève suintant de branches coupées et de ce qui ressemblait bien à du chagrin prit le pas sur le reste. Je levai les yeux vers les lumières suspendues et vis des racines au lieu des câbles argentés, et des pierres luisantes au lieu de gemmes, des pierres qui ressemblaient énormément à celle que Zee avait donnée à Ariana. Je clignai des yeux, et les joyaux furent de retour, mais je ne croyais plus en leur existence, à présent, et l'illusion vacilla.

Je trébuchai et regardai par terre, apercevant un bref instant une racine qui saillait d'un sol en terre meuble, puis ma vision se modifia et ne laissa plus paraître que les petits carreaux blancs, parfaitement posés, sans rien qui puisse faire trébucher quiconque.

— Mercy ? s'inquiéta Jesse. Ça va ?

La reine se retourna pour me regarder, et son visage, même s'il était toujours très beau, était différent de celui de la femme qu'elle était quelques minutes plus tôt. Ses traits étaient très étirés, la structure de son visage allongée entre le front et le menton, et ses cils étaient plus longs que ce que la nature permettait sans l'aide de colle et de faux cils. De fines ailes transparentes, comme celles d'une libellule, s'élevaient de ses épaules. Elles étaient bien trop petites pour lui permettre de voler sans magie.

— Ça va, répondis-je.

La longue robe argentée que portait la reine était réelle, mais des taches brun foncé qui auraient pu être du sang séché en maculaient l'ourlet et les poignets. Son collier, qui ressemblait auparavant à une chute d'eau faite d'argent et de diamants, était en réalité tout noirci et les pierres n'en étaient pas taillées.

Ma mâchoire faillit se décrocher à ma première vision du grand hall, ne serait-ce qu'à cause de son côté ostentatoire. Les sols étaient couverts de marbre blanc avec des veines gris argenté, et des piliers de jade rose soutenaient sans effort apparent un plafond voûté qui n'aurait pas déparé à l'intérieur de Notre-Dame. Des arbres d'argent au feuillage de jade poussaient sur le sol en marbre en frémissant dans un courant d'air que je n'arrivais pas à percevoir. Quand les feuilles se heurtaient, elles émettaient un léger carillon très mélodieux. Des bancs élégants en bois clair et foncé étaient disposés artistiquement dans toute la pièce, créant l'effet d'un échiquier de bois. Assis sur ces bancs, de magnifiques femmes et des hommes sublimes nous regardèrent tous lorsque nous entrâmes.

À l'autre bout du hall se trouvait un dais protégeant un trône en argent délicatement ouvragé et incrusté de pierres précieuses rouges et vertes aussi grosses que ma main. Un félin qui ressemblait à un guépard nain était pelotonné près du trône. Lorsqu'il releva la tête, j'aperçus ses grandes oreilles. *Un serval,* pensai-je, *ou quelque chose qui y ressemble énormément.* Mais je ne sentais aucune odeur de félin : seulement le bois pourrissant et la mort.

C'est là que la pièce que je traversais se révéla ne pas être une pièce du tout.

Je ne croyais pas qu'il pouvait y avoir des cavernes naturelles dans les environs. Il en existe, creusées par l'homme, les viticulteurs du coin créant des caves dans le basalte pour faire vieillir leur vin. Notre sol est principalement volcanique, ce qui implique que nous avons des tunnels de lave, mais pas des grottes calcaires comme celle de Carlsbad. J'imagine que la magie, quand elle était assez puissante, n'en avait que faire de la géologie, parce que nous nous trouvions dans une gigantesque caverne dont les murs, le plafond et le sol n'étaient pas faits de pierre, mais de terre et de racines.

L'Elphame était issu de la magie, mais je me demandai si c'était bien la reine des fées qui l'avait créé. Ariana, lorsqu'elle avait vu les racines dans les tunnels où nous avait menés l'entrée de Zee, avait parlé d'un seigneur des forêts. En regardant autour de moi, je fus convaincue qu'elle avait vu juste.

Le sol était fait de racines entrelacées : il fallait que je fasse très attention à ne pas trébucher pour ne pas attirer davantage l'attention sur moi. Le trône de la reine des fées était le seul élément dans le hall à ne pas avoir changé d'aspect quand j'avais réussi à transpercer le glamour. Les piliers n'étaient que d'épaisses racines qui descendaient du plafond ou crevaient le sol, telles des stalactites et des stalagmites végétales. Les bancs étaient de bois vivant, moins ornementés, mais plus authentiquement beaux.

La plupart des faes présents étaient loin d'être jolis, même si certains auraient pu être séduisants aux yeux de quelqu'un pas trop bloqué sur les critères de beauté humains. Aucun d'entre eux ne ressemblait à un seigneur ou à une dame : Ariana et la reine des fées elle-même étaient celles dont l'apparence était la plus humaine dans l'assistance, et aucune des deux n'aurait pu entrer dans un magasin sans que tout le monde se rende compte que, humaines, elles ne l'étaient pas.

Je ne perdis pas trop de temps à détailler la cour de faes. Au lieu de ça, mon attention se porta rapidement sur la créature allongée derrière le trône de la fée. Elle était immobile, comme un gigantesque tronc de séquoia abattu par la hache d'un bûcheron. L'être était couvert d'écorce et de feuilles persistantes, mais il avait aussi quatre yeux grands comme des assiettes qui brillaient comme des lanternes rouges. Il était attaché par des chaînes qui étincelaient de magie. J'ignorais à quoi ressemblait un seigneur des forêts, mais un arbre géant avec des yeux, ça me semblait coller pas mal.

Près du trône se trouvait une femme d'âge mûr aux traits marqués et au teint bistre des alentours de la Méditerranée : Grèce, Italie, peut-être Turquie. Elle portait le collier que j'avais commencé à associer aux ensorcelés de la reine, mais elle était aussi attachée au trône. Mon odorat m'apprit qu'une sorcière se trouvait parmi les faes, les humains et le seigneur des forêts agonisant. Je comprenais que la reine des fées considère une sorcière trop dangereuse pour la laisser se promener avec seulement un collier d'ensorcellement.

Il existe différents types de sorciers. Les moins dangereux sont les humains qui ont adopté la religion Wicca. Certains d'entre eux ont une pointe de magie, juste assez pour pouvoir maintenir la flamme de leur croyance, mais pas suffisamment pour attirer l'attention de créatures plus vicieuses.

Puis il y avait les sorciers blancs : ceux qui naissaient dans des familles de sorciers, mais prêtaient le serment de ne jamais faire le mal. À l'instar de leurs cousins humains sans pouvoirs, les sorciers blancs n'étaient pas très puissants, tout simplement parce que la sorcellerie se nourrit de la mort, de la douleur et du sacrifice, et que les sorciers blancs choisissent de ne pas y avoir recours.

La plupart des sorciers réellement puissants utilisaient la magie noire. Celle-ci avait une odeur bien reconnaissable, plus présente chez certains que d'autres. Il existait des sorciers noirs qui évitaient de commettre de mauvaises actions : Elizaveta Arkadyevna, la sorcière de la meute, était l'une de ces personnes. Elle était extrêmement puissante, même par rapport aux autres sorciers noirs. Mais si j'ai bien compris, éviter le Mal est difficile, consomme du temps et demande plus de la part de celui qui pratique que la magie noire traditionnelle. C'est bien plus simple d'utiliser la souffrance des autres pour faire de la magie, et le résultat en est toujours plus prévisible.

Cette sorcière-là, et plus nous nous approchions du trône, plus l'odeur me prenait à la gorge, cette sorcière puait la plus sombre des magies. J'étais certaine qu'en temps normal les animaux et les enfants disparaissaient mystérieusement dans son quartier, sans parler des SDF qui passaient par là. Et j'étais prête à parier que c'était elle qui avait procuré à la reine les chaînes métalliques qui entravaient le seigneur des forêts.

La pièce que les autres voyaient avait beau être très haute de plafond, elle n'était pas bien vaste. La caverne que je voyais, moi, était plus grande mais la moitié de la surface en était occupée par le seigneur des forêts étendu derrière le trône. Nous ne tardâmes pas à atteindre le dais.

La reine des fées s'assit au bord de son trône d'argent et tendit la main pour caresser sa sorcière… qui ne sembla pas vraiment apprécier l'attention. Les ailes de la reine tremblèrent quand elle s'assit, puis se replièrent quand elle s'appuya contre le dossier.

Elle battit des cils avec un faible bruit d'éventail. Maintenant que je lui faisais face, je pouvais voir que… quelque chose clochait avec ses yeux. Ils regardaient fixement devant eux pendant plusieurs minutes, puis ses paupières frémissaient à toute allure. C'était très éprouvant à regarder.

— Jesse, dit-elle. Donne-moi ton nom.

— Jessica Tamarind Hauptman, répondit Jesse d'une voix pas tout à fait normale.

— Jessica ! s'exclama la reine. Comme c'est joli ! Viens t'asseoir à mes pieds, Jessica.

Elle me regarda avec un sourire pendant que Jesse faisait comme on lui ordonnait.

— Elle est déjà presque mienne, remarqua-t-elle à mon adresse. Votre jeune homme, Gabriel, et moi sommes déjà passés par là, n'est-ce pas, Gabriel ?

— Oui, ma reine, répondit-il à contrecœur.

— Je ne lui ai pas mis de collier à cause de notre marché, Mercedes Thompson, mais tant qu'un humain est en ma présence, à moins que j'en décide autrement, il m'appartient. Ce n'était pas très malin de me fournir un nouvel esclave à ensorceler. (Elle tapota le haut du crâne de Jesse, puis se réinstalla dans son trône.) Mais ce n'est pas tout ce que vous avez amené dans mon Elphame. Dites-moi, Mercedes, comment avez-vous réussi à faire venir non seulement une fae, mais aussi un loup ici alors que vous n'étiez pas censée leur toucher un mot de cette histoire ?

Je lui donnai une version résumée.

— J'ai enregistré notre conversation.

— Je vois. (Elle avait soudain l'air d'avoir mordu dans un citron, mais ne poussa pas le sujet plus avant.) Alors, comme ça, vous voulez négocier, Mercedes Thompson ?

(Elle eut un sourire glacial.) Que diriez-vous d'échanger votre vie contre le Grimoire d'Argent ?

Ariana me jeta un regard inquiet, mais je savais ce que je devais écouter, et j'avais aussi entendu parler de ces marchés de fées qui finissaient par vous voir maudire le jour où vous l'aviez conclu, même avant de lire le livre de Phin. Si je ne faisais pas très attention, j'échangerais effectivement ma vie contre le Grimoire d'Argent, et passerais le reste de celle-ci à vouloir être morte. Par exemple, je pouvais être autorisée à quitter cet endroit à la seule condition d'y laisser Jesse et Gabriel.

— Je ne sais pas, répondis-je, mal à l'aise sous le regard intense de la reine des fées.

Je me mordis l'intérieur de la joue à en saigner, et me fis un mal de chien, parce que les dents humaines ne sont pas vraiment conçues pour transpercer la peau.

— Samuel, un baiser pour me souhaiter un bon courage et une vision claire, mon amour ?

Sam se tourna vers moi, l'air interdit : il devait penser à tout, sauf à un baiser, à cet instant-là. Je me dressai sur la pointe des pieds et dus presque l'escalader pour arriver à sa bouche. Je refermai mes lèvres ouvertes sur les siennes et essayai de faire passer le plus de sang possible dans sa bouche. Il comprit presque immédiatement ce que j'étais en train de faire et participa activement à l'action, me léchant la lèvre puis me reposant doucement au sol.

J'espérais que le sang fonctionnerait de la même manière que dans la librairie et qu'il verrait ce que, moi, je voyais. C'était difficile de le deviner avec la réaction de Samuel, mais il me sembla que ça avait marché. Peut-être que ça ne servirait à rien, mais, en dehors du pistolet qui se trouvait dans mon holster et de celui que Jesse portait dans la ceinture de son jean, Samuel était notre meilleure arme contre les faes. Peut-être même la meilleure, parce qu'il était beaucoup plus difficile à enrayer. Ça ne pouvait pas faire de mal qu'il sache qui étaient vraiment ses adversaires.

— Comme c'est émouvant, commenta la reine d'un air plein d'ennui. Et à présent, as-tu le courage assez bon et la vision assez claire pour me donner enfin le Grimoire d'Argent ?

— On n'est pas ici pour marchander, répliquai-je en essayant de lui cacher le sang sur mes lèvres. Mais pour procéder à un échange. J'envisagerai un tel échange seulement si mes camarades ici présents sont tous libérés. C'est contre un tel départ, le plus rapidement possible, que je suis prête à négocier.

— Une vraie négociation ? s'étonna-t-elle. Joues-tu d'un instrument ?

Le piano et moi avions une relation tumultueuse entre la haine et la détestation. Je n'appelais pas ça « jouer d'un instrument » et ma vieille prof de piano aurait été tout à fait d'accord.

— Non.

— Un autre type de négociation, alors. Je propose que tu serres contre toi quelque chose de mon choix, qui prendra plusieurs formes successives. À chaque changement, je libérerai une personne.

Elle claqua des doigts et la sorcière se mit à marmotter dans sa barbe, et le fae près de nous, une petite créature aux attaches fines, à la peau de pêche et aux cheveux verts à reflets roses, prit soudain feu. Ce n'était pas un glamour : le reste de la pièce ne changea pas. C'étaient de vraies flammes, même si elles ne semblaient pas brûler le fae.

— Elle ne peut pas tenir une flamme contre elle sans mourir, intervint Ariana, qui avait évité de nous regarder, moi ou Samuel, depuis notre baiser. (J'ignorais si elle se doutait que nous préparions quelque chose, ou si elle pensait que nous formions un couple.) Et ça annule *de facto* l'échange. Ce doit être quelque chose que le *challenger* doit être capable d'accomplir, même difficilement.

— Bien, répondit la reine. Si tu te crois si particulière, Argent, sois donc ce *challenger*. (Son rire s'éleva et les racines qui pendaient au plafond se recroquevillèrent dans l'écho de cloches argentées.) Bien sûr que je savais qui tu étais, ma chère Argent… comment as-tu pu croire le contraire ? Sommes-nous si nombreux à avoir choisi de vivre aussi défigurés par les crocs de chiens et de loups ? Non. Il n'y a qu'Argent. Alors j'exige que tu tiennes l'autre part de notre marché, ou sinon, je tuerai cette femme presque mortelle, mais pas aussi humaine que ton Phin ou le garçon. À moitié humaine, ça ne suffit pas pour bénéficier des lois d'accueil de l'Elphame.

Ariana ne sembla prêter aucune attention aux provocations de la reine. Au lieu de ça, elle répondit d'une voix forte et claire.

— J'accepte de prendre ce fae dans mes bras, et la forme de feu compte pour un changement. Après ça, à chaque changement, tu relâcheras l'un de mes camarades. Il va se transformer encore cinq fois et tiendra la forme pendant trois minutes. Si je réussis, tous pourront s'en aller. Si je ne parviens pas jusqu'au bout, tu libéreras un prisonnier par forme réussie.

Tout en parlant, Ariana déposa Phin près de Gabriel. Même sous le charme de la reine, celui-ci mit sa main sur l'épaule de Phin pour l'aider à rester debout.

— Quatre fois, répondit la reine, cinq formes. Je ne laisserai pas partir Mercedes Thompson, qui a le Grimoire d'Argent en sa possession.

— C'est bon, rassurai-je Ariana. Je suis une survivante. Demandez à n'importe qui. Je négocierai le livre avec la reine quand vous serez tous en sécurité.

— Six formes, s'entêta Ariana. Une pour chacun. Les règles sont très claires : « Pour chaque marché, chacun des prisonniers concernés sera libéré. »

Les rimes étaient un peu pauvres, mais j'imaginais que le talent lyrique n'était pas nécessaire pour mettre par écrit les lois d'une reine des fées. Les yeux de celle-ci papillotèrent d'exaspération. Il me fut très difficile de ne pas détourner le regard… ou de ne pas me mettre à cligner des yeux comme une perdue, moi aussi.

— D'accord, gronda-t-elle. Mais Mercedes sera la dernière libérée, et ton petit-fils sera le premier.

Samuel intervint.

— Phin, Jesse, Gabriel, Ariana, moi, puis Mercedes, alors.

— Phin, Ariana, les autres dans l'ordre que vous voulez, puis Mercedes, proposa la reine.

Je voyais ce qu'elle essayait de faire : en mettant Phin et Ariana en début de liste, elle pensait réduire la motivation de cette dernière alors même que le marché deviendrait de plus en plus difficile.

Sam secoua la tête en signe de refus.

— Phin, Jesse, Gabriel, Ariana, moi et Mercedes.

— Je commence à m'ennuyer, commenta la reine. D'accord. Voilà notre marché.

Ariana considéra Samuel d'un regard soupçonneux… peut-être parce qu'il l'avait fait passer avant lui. Mais je le comprenais parfaitement : la priorité était de faire sortir d'abord ceux sans défense, suivis par ceux qui savaient se battre. Ce qui impliquait que Samuel passait après elle.

— Le marché est accepté, acquiesça Ariana en avançant et en prenant le fae en feu dans ses bras.

Dès qu'elle le toucha, les flammes s'emparèrent de sa chevelure et de ses vêtements, et tout ce qui n'était pas inflammable tomba au sol, y compris le caillou que Zee lui avait confié. La lumière qu'il émettait était si faible qu'elle passa inaperçue auprès des flammes. Le reste d'Ariana devint incandescent, puis explosa en langues de feu.

— Elle résiste à l'air, à la terre, au feu et à l'eau, me confia Samuel. (Si je ne l'avais pas connu aussi bien, j'aurais pu croire qu'il était totalement indifférent à la scène.) C'est ça qui l'a rendue capable de faire de la grande magie, même lorsque nous avons perdu l'accès à En-Dessous. Ce feu magique ne lui fera rien.

La reine était en train de parler à la sorcière. Elle s'interrompit et la sorcière se leva en brandissant un couteau à lame d'acier. Elle souleva ses chaînes et les traîna jusqu'au bord du dais, à portée du seigneur des forêts. Elle enfonça l'arme dans la créature aux allures d'arbre, qui poussa un hurlement et se débattit en laissant échapper un liquide ambré sur le couteau. Le sol trembla sous mes pieds et les racines au plafond se contractèrent et se tortillèrent.

Samuel m'aida à garder l'équilibre, et je sus que mon sang avait fait effet. Il voyait au-delà du glamour la réalité de ce que nous avions à affronter.

La sorcière lécha la lame du couteau et trempa le doigt dans la plaie qu'elle avait infligée au fae piégé. Puis, avec ce doigt, elle traça des symboles cabalistiques qui semblèrent rester suspendus dans le vide, luisant d'un reflet jaunâtre malsain. Elle souleva sa jupe pour exposer son ventre, tendit la main vers les symboles flottants et les plaqua contre sa peau nue. Quand elle en eut terminé, elle revint vers le trône, se rassit et finit de nettoyer la lame du couteau avec sa langue. Elle croisa mon regard et me décocha un sourire méchant.

Peut-être ne savait-elle rien concernant le glamour, ou peut-être pensait-elle que j'avais peur des chats. Mais une chose était sûre : elle savait que j'avais peur d'elle. J'aurais aimé savoir à quoi rimait ce qu'elle venait de faire.

Quoi qu'il en soit, ça ne nous aiderait certainement pas. Or nous avions besoin d'aide. Six fois trois minutes, ça faisait dix-huit, et Zee tenait la porte depuis déjà un moment. Dix-huit minutes de plus, et on aurait amplement dépassé l'heure promise. La reine des fées n'aurait pas besoin de l'issue creusée par Zee pour permettre à ses prisonniers de quitter son royaume… mais si la sortie restait ouverte, ils seraient sûrs d'être libérés le même jour où nous étions entrés.

Les trois minutes touchèrent enfin à leur terme, et le fae qu'Ariana tenait entre ses bras se transforma en glace. C'est long, trois minutes, quand on étreint un glaçon géant. Je ne comprenais pas pourquoi Ariana le serrait si fort alors qu'elle aurait pu le tenir de plus loin, sans que son corps soit entièrement plaqué contre lui. Surtout que, maintenant que ses vêtements avaient brûlé, c'était sa peau nue qui était soumise au froid.

— Corps à corps, rappelle-toi, marmonna la reine des fées d'un air si grincheux que je devinai qu'elle aurait espéré un mouvement de recul de la part d'Ariana.

J'entendis des murmures s'élevant des faes autour de moi, des remarques sur les cicatrices d'Ariana. Combien elles étaient laides. Et qu'elle aurait dû en avoir honte. Je me fis la réflexion qu'il devait s'agir d'une nouvelle tactique de déstabilisation de la reine des fées, mais, quoi qu'il en soit, Ariana n'y prêta aucune attention.

Trois minutes s'écoulèrent encore, libérant Jesse, et le fae qu'Ariana pressait contre elle se transforma en fumée. Elle avait néanmoins l'air de s'y attendre car, dès qu'elle vit les membres du fae se dissoudre en une légère brume, elle tendit le bras et arracha sa cape à un fae voisin. Elle s'enveloppa de la cape et en recouvrit le fae, avant de passer une main glacée sur le tissu, le recouvrant d'une pellicule de glace qui emprisonna la fumée à l'intérieur.

Je regardai discrètement les faes qui se trouvaient avec nous dans la pièce. Il y en avait eu quelques-uns déjà présents à notre arrivée, mais de nombreux autres étaient arrivés depuis le début du défi, comme si elle les avait convoqués. J'en comptai vingt-huit, sans le seigneur des forêts qui, je le suspectais, ne comptait pas parmi ses sujets.

Je les dévisageai : ils semblaient moins… vides que les ensorcelés, mais je ne pensais pas non plus qu'ils soient libres de leurs mouvements. Probablement parce que tous avaient les yeux rivés, fascinés, sur leur reine, comme s'ils n'attendaient qu'une chose : un ordre, une punition, n'importe quoi sortant de la bouche de leur seul et véritable amour qu'ils vénéraient éperdument. Je connaissais les faes. Je n'avais que rarement vu trois d'entre eux unis pour quoi que ce soit, alors vingt-huit, c'était de la science-fiction.

— Regardez les cicatrices que son père lui a faites, chuchota l'un d'entre eux.

— Comment peut-elle supporter ça ? renchérit un autre. On dirait qu'elle a été mâchonnée par une bête sauvage.

— Vous ne connaissez pas l'histoire ? intervint un troisième. (Tous tournèrent le regard vers Ariana au lieu de la reine.) Son père a envoyé ses chiens sur elle chaque matin pendant trois ans.

Je vis Ariana serrer les lèvres à ce souvenir. Puis les trois minutes arrivèrent à leur terme, et Gabriel fut libre.

Le fae sous la cape commença à grandir et Ariana retira le tissu. D'abord, je ne compris pas en quoi résidait le défi. La créature s'était transformée en un autre fae, un grand mâle avec des traits presque humains. Sa peau avait la couleur et la texture de l'écorce de bouleau argenté, avec des endroits lisses et blancs et d'autres gris foncé et rugueux. Des cheveux qui ressemblaient à des brindilles emmêlées encadraient son visage. Il n'était ni laid, ni effrayant… mais Ariana se mit à trembler.

Je sentis Samuel se raidir à côté de moi et un grondement étouffé s'échappa de sa gorge.

— Bonjour, ma fille, dit l'homme à la peau d'écorce avant de passer au gallois, avec un accent tellement fort que je ne pus rien y comprendre. Il leva le bras droit – et je vis alors qu'il n'avait plus de main – et lui caressa les cheveux.

Le père d'Ariana était un seigneur des forêts, mais visiblement d'un genre différent de celui que la reine des fées retenait prisonnier : ils ne se ressemblaient pas du tout.

La reine des fées avait poussé ses sujets à affaiblir Ariana en prévision de ce moment, pour lui rappeler ce qu'elle avait subi de la main de cet homme. Mais elle avait sous-estimé Ariana si elle pensait que cette dernière allait céder au premier petit obstacle. Elle serra plus fermement les bras, ramenant le fae tout contre elle.

Je compris mieux le gallois de Samuel, cette fois-ci : il n'était pas au téléphone, il parlait lentement et ce qu'il disait était assez simple.

— Il ne peut pas siffler ses chiens, Ari, mon amour. Ne t'inquiète pas. Ils sont morts et enterrés. Je m'en suis assuré. Il n'est pas réel ; pas réel. Elle n'a pas ce genre de pouvoir. Mon papa, il a tué le tien. J'ai tué les chiens, et ils ne reviendront pas.

Il continua à psalmodier patiemment ce refrain, lui donnant autre chose à écouter que le fae qui, visiblement, avait pris l'apparence de son père abusif.

De mon côté, je regardais le visage de la sorcière et, contrairement à Samuel, je n'étais pas certaine que le père d'Ariana n'était pas réel. Les sorcières pouvaient faire des choses effrayantes. Les trois premières formes que le fae avait empruntées, feu, glace et fumée, elles avaient senti la magie fae. Celle-ci, outre l'odeur de son modèle, puait la magie noire, la sorcellerie, et les sorcières étaient capables de ramener les morts à la vie.

Pendant trois longues minutes, Ariana serra contre son cœur l'homme qui avait voulu la torturer au point de lui faire perdre l'esprit. À l'issue de ce laps de temps, elle aurait très bien pu abandonner et sortir de l'Elphame en nous laissant prisonniers, Samuel et moi. Mais elle était plus solide que ça. Quand son père se transforma en un loup-garou rugissant qui ressemblait curieusement à Samuel, elle tomba à genoux, le serra contre lui et regarda fixement… Samuel. Ses yeux s'assombrirent, son teint pâlit, mais elle tint bon, en répétant le même mot encore et encore : le nom de Samuel.

Celui-ci aussi tomba à genoux, les iris de ses yeux blancs et sauvages.

— Pas ici, lui rappelai-je, car c'était mon tour de lui parler : Tu ne peux pas changer ici, Samuel. Tu dois les sortir d'ici, elle, Phin et les petits. Il le faut… Elle ne sera pas en état pour ça. Tiens bon.

Elle allait être incapable de me libérer : d'abord son père, puis un loup-garou, et j'avais une idée assez précise de ce que serait la forme finale étant donné que la reine des fées n'avait pas la moindre intention de nous laisser filer.

Celle qui avait été autrefois Daphné croyait que j'étais la propriétaire légitime du Grimoire d'Argent. Elle pensait que, une fois Gabriel libéré, c'en serait terminé de la négociation concernant ma sécurité. Visiblement, je n'étais pas assez humaine pour bénéficier des lois d'accueil qui interdisaient à la reine des fées de tuer les humains qui entraient dans son royaume. Elle pourrait me tuer et récupérer le livre.

Elle aurait eu raison de penser ainsi, à un détail près : le Grimoire d'Argent ne m'appartenait pas. Il appartenait à Phin. Si elle me tuait, tout ce qu'elle aurait, c'était un semi-remorque de problèmes… et je ferais de mon mieux pour la convaincre de ça une fois les autres libres. Tout ce qu'il faudrait faire alors, c'est de tenir bon jusqu'à ce qu'Adam vienne à ma rescousse.

Évidemment, si Ariana réussissait à étreindre la dernière forme, ça me faciliterait très nettement la vie.

Ariana s'accrocha au loup-garou pendant les trois minutes requises, puis il changea. Le chien ressemblait à un beagle géant : un pelage blanc avec des taches brunes, des oreilles rondes qui pendaient de chaque côté de sa tête, mais son expression n'avait rien à voir avec l'air amical qui était le propre des beagles ordinaires.

Ariana contempla le chien qu'elle serrait contre elle, les bras enroulés autour de son cou et les jambes presque glissées sous le corps du monstre. Pendant un moment, rien ne se produisit, et en dépit de moi-même, je ne pus m'empêcher de voir une lueur d'espoir. Je ne voulais pas me retrouver seule avec la méchante reine qui voulait me tuer.

Puis Ariana roula hors de portée du chien qui devait ressembler à l'un de ceux que son père avait utilisés pour la torturer et se recroquevilla en position fœtale, la bouche ouverte sur un hurlement rendu muet par la terreur. Samuel la prit entre ses bras en la berçant d'un murmure, sans rien dire de précis, offrant simplement le son de sa voix. Mais il n'oubliait pas qui était le véritable ennemi : il ne quitta jamais des yeux la reine des fées.

— Cinq, constata celle-ci d'un ton passablement grincheux. J'ai bien cru que j'allais pouvoir aussi te garder, loup-garou, mais elle était plus forte que je le pensais.

Samuel lui montra les crocs.

Je remarquai que la pierre de Zee, qui était coincée sous le ventre du chien dont l'attention était braquée sur Ariana, avait commencé à clignoter.

— Samuel ! murmurai-je d'un air paniqué. Zee attend. Emmène les enfants et *Phin* aussi… (Surtout Phin. Je n'avais nulle intention de donner plus de puissance à une fae capable de faire appel à une sorcière noire pour la laisser torturer d'autres créatures. Nous devions sortir Phin d'ici et le mettre en lieu sûr pour que le Grimoire d'Argent soit hors de la portée de la reine.) Emmène-les, maintenant !

— Vous pouvez m'aider à me relever ? demanda Phin à Gabriel.

Il savait de quoi nous avions besoin. Il y eut un instant d'hésitation, mais comme la reine ne protesta pas, Gabriel aida Phin à se relever.

— Toi, reprit la reine en pointant le fae le plus proche d'elle, accompagne-les Dehors et laisse-les partir. Il faudra porter l'humain adulte. (Elle regarda Jesse puis Gabriel.) Allez, mes enfants, et quand vous serez sortis de mon Elphame, reprenez votre vie là où vous l'aviez laissée.

Le fae qu'elle avait désigné s'inclina profondément et souleva Phin avec la même aisance qu'Ariana, plus tôt. Tous les faes ne sont pas aussi puissants. Sans un mot, Jesse et Gabriel le suivirent et sortirent de la pièce.

Samuel s'arrêta le temps de me plaquer un baiser sur la joue. Il portait toujours Ariana qui tremblait de terreur.

— Reste en vie, me dit-il.

— J'en ai bien l'intention, lui répondis-je.

Je jetai un regard méfiant à Ariana en pleine crise d'anxiété. Je me souvenais de son inquiétude en sortant de celle d'avant et ajoutai :

— Toi aussi, reste en vie. Maintenant, sortez, avant qu'il soit trop tard.

— *Semper Fi*, répondit-il en baissant les yeux sur le caillou de Zee, puis en se dépêchant de suivre les autres.

À ma connaissance, Samuel n'avait jamais fait partie des Marines. Mais il savait que je saisirais la référence. Les Marines ne laissaient jamais un des leurs derrière eux. Il reviendrait, et Adam, aussi. Tout ce que j'avais à faire, c'était de survivre.

Nous attendîmes tous en silence le retour du fae qui les avait escortés dehors. Il traversa la pièce, fit une profonde révérence à la reine et dit :

— Ils sont Dehors, sains et saufs, ma reine.

Je soupirai de soulagement et, un instant plus tard, la pierre de Zee redevint un caillou ordinaire qui se fondait dans le sol de racines entremêlées. Ils devaient être sortis à peu près deux minutes avant la fermeture, même si Zee devait avoir lâché la porte en les voyant la traverser.

— J'ai tenu ma part du marché, constata la reine.

— Parfait, répondis-je.

— Maintenant, tu vas échanger ta vie contre ce livre.

— Non, fis-je en secouant la tête. J'y ai réfléchi, et j'ai décidé que ça n'allait pas être possible.

Il n'y avait plus aucun humain à protéger. Seulement moi. Je m'inquiétai un bref instant de ce que ferait la sorcière si je la libérais et ce moment d'hésitation me fut fatal lorsque je voulus dégainer mon arme. J'eus à peine le temps de glisser la main sous mon tee-shirt que deux des sujets de la reine m'agrippèrent les bras. Le pistolet tomba par terre, et la reine des fées le dégagea d'un coup de pied… bien hors de portée de la sorcière.

— Tu n'as pas compris, reprit la reine. Je vais t'ôter la vie, et par ta mort, tu vas me donner le livre.

— Je croyais qu'il fallait que le livre soit à moi pour que ça fonctionne, m'étonnai-je.

La reine des fées me dévisagea sans comprendre.

— Tu as donné le livre à quelqu'un avant de descendre ici ?

— Pas de la manière dont vous le pensez, répondis-je.

— Et comment devrais-je le penser ? susurra-t-elle.

— Pourquoi répondrais-je donc à cette question ? lui demandai-je.

La reine des fées fit un signe de la tête et la sorcière tendit le bras et me toucha.

Je revins à moi allongée sur le lit où nous avions trouvé Phin. Ou tout du moins sentait-il l'odeur de Phin, mais la pièce avait des murs en terre mêlée de racines au lieu du marbre qui s'y trouvait. Je fus désorientée un bref instant puis me réveillai totalement et me souvins que je ne l'avais jamais vue sans son glamour, seulement sentie.

J'avais mal partout, mais aucun nouveau bleu. J'avais tenu autant que possible, pour laisser le temps à Adam et à Samuel de mettre tout le monde en lieu sûr. J'ignorais si ça serait suffisant. Je m'étais vaguement crue en train de mourir quand ça s'était arrêté. Mais visiblement, mon corps fonctionnait toujours et réclamait quelque chose qui impliquait le pot de chambre en porcelaine blanche que j'apercevais sous l'autre lit. La reine des fées avait une cuisine tout équipée avec des frigos et tout le toutim, mais elle n'avait pas de salle de bains ? J'y réfléchis un instant et décidai qu'il était probable qu'il n'y en ait simplement pas pour les prisonniers.

Après un très long moment qui ne dura probablement pas plus de une heure après mon réveil, la porte s'ouvrit et la reine entra, escortée de deux assistants et de deux assistantes.

Le premier fae était celui qui avait accompagné Samuel et les autres dehors. Il était grand, plus grand que Samuel, avec des yeux couleur d'écume. Je me rendis soudain compte qu'il s'agissait du fae aquatique qui avait cambriolé la librairie. Le deuxième homme était petit par rapport à la moyenne des humains, mais pas au point de sembler étrange. Il avait la peau verte, aux replis évoquant un océan tumultueux. Comme la reine des fées, il avait des ailes, mais les siennes étaient grises, comme du cuir tanné, beaucoup moins insectoïdes.

L'une des femmes portait une chaise. Elle était d'apparence presque humaine, sauf que ses yeux étaient orange et sa peau d'un bleu très pâle. L'autre femme était recouverte de la tête aux pieds d'une fourrure brune et lisse d'environ cinq centimètres de long, et ses bras faisaient un tiers de la longueur ordinaire. Elle portait un fin anneau d'argent juste assez grand pour aller autour de mon cou.

En le voyant, je tentai de m'enfuir. Le plus grand des deux hommes me rattrapa et m'assit sur la chaise pendant que celle qui la portait me ligotait aux bras et aux pieds.

Et ils me mirent le collier.

Une fois qu'elle les a en son pouvoir, elle seule peut les libérer.

— J'ai mis trop de temps à percer tes secrets, Mercedes, dit-elle d'un ton contrarié. Le livre appartenait à Phin, mais Ariana lui a trouvé un refuge dans la réserve, où il nous est impossible d'aller le chercher. Tu l'as confié à ton ami, mais lui-même l'a ensuite donné aux loups-garous, et nous ne pouvons pas non plus aller le chercher là-bas.

Combien de temps avais-je été évanouie, et que lui avais-je dit ?

Je ne me souvenais pas de tout, et ça m'inquiétait.

La reine des fées portait une nouvelle robe. Celle-ci était bleu et or. Cela signifiait-il qu'il s'agissait d'une nouvelle journée ? Ou simplement qu'elle avait taché son autre robe et avait dû se changer ?

— Tout ce qu'il me reste à présent, c'est la vengeance, poursuivit-elle avec son clignement de paupières bizarre. Ils finiront bien par relâcher la surveillance du Grimoire d'Argent et je mettrai la main dessus. En attendant, je me contenterai de ce que j'ai. J'espère que la victoire t'est douce.

» Mercedes Athena Thompson, dit-elle en posant la main sur mon front. *Regarde-moi.*

Cette dernière phrase résonna dans mon esprit. Ça me fit penser à la fois où la voix de Mary Jo s'était insérée dans mes pensées au bowling. Peut-être que, sans cette expérience, la voix de la reine ne m'aurait pas paru si étrangère.

Tu veux me servir. Rien d'autre n'a d'importance.

Adam était important.

Si je ne sortais pas d'ici vivante, il penserait que c'était sa faute. Que, s'il avait été en meilleur état, je l'aurais emmené avec moi, et que tout se serait bien terminé grâce à lui. Il était prêt à accepter la responsabilité du monde entier si on ne l'en empêchait pas, comme je le faisais souvent. Rien que pour ça, pour ce qu'Adam représentait pour moi, il fallait que je survive.

La reine des fées avait continué à parler dans ma tête, mais je ne prêtais pas attention à ce qu'elle disait.

— Qui sers-tu ? demanda-t-elle tout haut en ôtant sa main de mon front.

La réponse ne semblait pas l'intéresser réellement.

— « Choisissez aujourd'hui qui vous voulez servir », murmurai-je, « Mais moi et ma maison, nous servirons l'Éternel. »

Josué semblait être un bon apôtre à citer à ce moment-là.

— Pardon ? demanda-t-elle, abasourdie.

— Qu'est-ce que tu attendais que je réponde ? demandai-je, un peu déçue.

Certains faes, les plus anciens, supportaient très mal qu'on leur cite la Bible, mais celle-ci ne semblait pas être sensible… en tout cas aux Saintes Écritures.

— Amenez-la dans la salle du trône, ordonna-t-elle en battant furieusement des cils.

Les hommes me soulevèrent, encore assise sur la chaise, et me ramenèrent dans la grande salle. Je n'avais que des souvenirs confus de ce qui m'était arrivé lorsque je me trouvais entre les mains de la sorcière… Ma mère m'avait dit que c'était pareil avec l'accouchement : toute cette douleur, puis plus rien. Mais si mon esprit avait bloqué le pire, mon corps, lui, semblait s'en souvenir pour lui. À mesure que nous approchions, je sentis mon estomac se nouer et la sueur perler sur ma peau. Quand nous arrivâmes dans le grand hall, je n'aurais pas été surprise si les deux hommes qui m'encadraient avaient été capables de sentir ma peur.

Ils m'amenèrent vers le trône et posèrent la chaise au pied de celui-ci.

— Qu'est-ce que tu as fait ? siffla la reine en direction de la sorcière, qui eut un mouvement de recul. Pourquoi me résiste-t-elle ?

— Rien, ma reine, répondit la sorcière. En tout cas, rien qui lui permette de te résister. Elle n'est qu'à moitié humaine. Peut-être est-ce ça, le problème ?

La reine détourna son attention de la sorcière et se précipita vers moi. Elle saisit un couteau d'argent et me coupa le bras exactement à l'endroit où Samuel m'avait mordue. Les plaies étaient encore à vif, ce qui signifiait que je n'avais pas perdu trop de temps.

Elle frotta ses doigts dans mon sang et les fourra entre ses lèvres. Puis elle se coupa elle-même et fit couler trois gouttes de son sang sur la plaie ouverte de mon bras.

J'eus une soudaine pensée paniquée : si elle réussissait à m'ensorceler, atteindrait-elle la meute à travers moi ? Zee avait eu l'air inquiet à l'idée de loups-garous ensorcelés.

— De mon sang à ton sang, dit-elle, et il était trop tard pour y faire quoi que ce soit. Mon argent, ma magie, notre sang font que tu m'appartiens.

Car c'était fait.

Le brouillard m'envahit l'esprit.

Je luttai et luttai encore, mais il n'y avait rien contre quoi lutter ; seulement un brouillard qui recouvrait tout et étouffait mes pensées.

Chapitre 15

Je luttai et luttai encore, puis je me retrouvai, seule au beau milieu d'un champ enneigé. Le froid était tel que des glaçons se formaient dans mon nez quand j'inspirais, mais j'avais beau être nue, je ne me sentais pas frigorifiée.

— Mercedes, retentit la voix essoufflée de Bran, te voilà enfin !

Je regardai autour de moi mais ne pus le voir.

— Mercedes, poursuivit-il, je peux te parler parce que tu fais partie de la meute d'Adam, et que la meute d'Adam m'appartient, aussi. Mais tu vas devoir m'écouter parce que je ne peux pas t'entendre. Tout ce que je peux faire, c'est te montrer ce dont tu as besoin, selon moi.

— D'accord, répondis-je.

C'était étrange de ne pas pouvoir lui parler. Je me sentais encore plus seule… aussi parce que ce n'était pas Adam qui m'avait trouvée dans ce champ enneigé. Même si je n'avais toujours pas froid, je fus parcourue d'un frisson.

— La meilleure arme de l'arsenal d'une reine des fées, c'est l'ensorcellement. En tant que membre de la meute, tu devrais être quasiment immunisée contre lui. Mais ta situation est spéciale et on me dit que personne n'a pensé à t'enseigner les rudiments de la magie de meute te concernant. Apparemment, Adam et mon fils semblent avoir pensé que ce serait instinctif, parce que ça l'est pour les loups. Quand Adam s'est rendu compte que ce n'était pas le cas, il a fait le choix d'attendre pour piéger celui qui jouait avec ton esprit au lieu de te protéger.

— Il y a eu des complications, répliquai-je d'un ton aigre.

Je n'appréciais pas de l'entendre critiquer Adam. J'avais eu pleine conscience de ce qu'il faisait et appuyé entièrement son plan.

Il y eut un silence, et j'eus une impression très nette de surprise.

— Désolé de t'avoir contrariée, dit-il doucement. Le simple fait que je sache que tu es contrariée est… intéressant. (J'eus le sentiment qu'il haussait les épaules, puis il continua à parler :) Il faut savoir que l'ensorcellement n'est pas si éloigné que ça des liens de meute, Mercedes. Ces derniers ne servent pas à renoncer à son individualité au profit de l'Alpha ou à forcer à faire quoi que ce soit. Une meute se nourrit de toutes ces différences, et tire sa force de là : une force bien plus grande que celle d'une idiote de fée qui volait la magie et utilisait une sorcière. Tu me comprends ?

Sa colère était telle que j'eus l'impression d'être secouée par un ouragan de fureur.

Ce n'était pas après moi qu'il était furieux, cela étant. Je ne devais pas m'inquiéter.

— Je comprends, répondis-je, même s'il ne pouvait pas m'entendre. Ou peut-être que si.

— Je vais te montrer quelque chose, dit-il.

J'aperçus soudain une guirlande argentée qui courait dans la neige.

— C'est l'un de tes liens de meute, expliqua-t-il.

Je ne le voyais pas, mais je pouvais le sentir marcher près de moi pendant que nous remontions la guirlande. Nous arrivâmes à son extrémité : un rocher saucissonné… ou plutôt enveloppé dans une moelleuse cage d'argent.

Le rocher rayonnait d'une lumière dorée et chaude qui était très agréable dans cet endroit glacé.

— Des guirlandes de Noël et un caillou ? s'étonna-t-il avec un petit sourire. Pourquoi pas quelque chose de plus ornementé ?

— Les loups ne sont pas fragiles, lui fis-je remarquer. Et puis ils sont têtus : difficile de les faire bouger.

— J'imagine que cette métaphore en vaut bien d'autres, reconnut-il. Sais-tu de qui il s'agit ? Tu vois combien elle est inquiète pour toi ?

— Mary Jo, murmurai-je.

Je pus le sentir aussi, une fois qu'il me l'eut fait remarquer. Je sentais qu'elle était à ma recherche sous forme de loup pour que son odorat soit le meilleur. Elle n'était pas vraiment près de me trouver, et j'avais l'impression que les kilomètres déjà parcourus, additionnés à ceux restant à parcourir, étaient proches de l'infini.

— En général, ce n'est pas si clair que ça, reprit Bran en me tirant des pensées de Mary Jo. Là, c'est en partie parce que je suis avec toi, et que je suis le Marrok. Mais aussi parce que la fée t'a enfermée dans ta propre tête, je le devine à la qualité de mon contact avec toi. Ce qu'elle a fait est *une offense impardonnable* (je le sentis de nouveau tenter de maîtriser sa colère), mais ça aura l'avantage de te donner des atouts que tu n'aurais pas eus autrement. (Il hésita un instant.) La connexion entre nous est meilleure que je m'y attendais, aussi. Je n'entends pas des mots, mais il y a quelque chose… Enfin, ça ne sert à rien d'y penser maintenant. Nous avons du pain sur la planche.

Il me conduisit près d'une autre guirlande argentée et me demanda à qui elle appartenait. Au bout de la troisième, j'étais capable de découvrir les guirlandes sans son aide. La quatrième était celle de Paul. Il accompagnait Mary Jo dans ses recherches… et semblait tout aussi inquiet de mon sort. Il continuait à détester Warren, en revanche. Je vis que sa guirlande et celle de Mary Jo étaient reliées, emmêlées à celles de tous les autres. Nous passâmes toutes les pierres qui symbolisaient les loups de la meute les unes après les autres.

Bran me retint devant celle de Darryl, alors que j'étais pressée de trouver celle d'Adam.

— Non, m'arrêta-t-il. Je veux que tu observes celle-ci un moment. Peux-tu voir la connexion qui relie Darryl à Auriele ? Elle est différente des liens de la meute.

Je regardai attentivement. Je trouvai rapidement le rocher d'Auriele, mais ne vis rien qui le reliait à celui de Darryl. Finalement, par désespoir, je ramassai la pierre de Darryl et vis que celle d'Auriele bougeait aussi… comme si elles étaient attachées ensemble. Et soudain, je me demandai comment j'avais pu ne rien voir : une corde d'or éclatant les reliait de manière très visible. Peut-être était-ce parce que je m'étais concentrée sur une guirlande argentée. Ce lien était très différent : plus doux, plus solide, plus profond. Contrairement aux liens de meute, il n'était pas noué autour des pierres, mais sortait de l'une et pénétrait dans l'autre.

Bran me prit par le coude.

— OK, arrête de jouer avec eux. Tu ennuies Darryl. J'en ai un autre à te montrer.

Il me mena au centre de toutes les guirlandes d'argent.

Presque enfoui dans la magie de meute se trouvait un rocher d'un noir profond. Il dégageait une telle impression de colère, de peur et de chagrin qu'il m'était difficile de m'en approcher.

— N'aie pas peur, me rassura Bran d'une voix pleine d'affection bourrue. Adam fait peur à trop de gens, ces jours-ci. Regarde et dis-moi ce que tu vois.

C'était Adam ? Je me précipitai vers le rocher et posai mes mains dessus.

— Il est blessé, constatai-je, avant de me reprendre : Non. Il a mal.

— Où se trouve votre lien ?

Il gisait dans la neige, pauvre chose usée, renouée à la hâte à plusieurs endroits, juste pour éviter qu'elle cède sous la tension.

— Tressé à la hâte sous l'empire de la nécessité, ce qui n'est pas forcément une mauvaise chose, commenta le Marrok. Mais des imbéciles ont décidé de s'y attaquer. Ils auraient mieux fait de réfléchir.

Je vis qu'autour des nœuds, il y avait des traces de dents, comme si des chiens… ou des loups avaient tenté de mâchonner le lien et que quelqu'un avait rendu la corde plus solide en y faisant des nœuds.

— Henry ne fait plus partie de la meute, poursuivit Bran. Des fois que tu ne l'aies pas remarqué. Je l'ai amené dans ma meute pour une petite conversation entre quatre yeux. Dans quelques mois, je le laisserai peut-être vivre sa vie. Tout ça est en grande partie sa faute.

Mais soudain, les traces de morsure ne me semblèrent plus aussi graves.

— Il est brisé ! m'exclamai-je en tombant à genoux dans la neige profonde. Devant mes yeux, la corde s'interrompait brutalement, comme si elle avait été tranchée à l'aide d'un couteau aiguisé. J'avais cru que la raison qui m'empêchait de sentir Adam dans ma tête était la surcharge qui avait eu lieu quand il avait pensé que j'étais morte. Sauf qu'elle s'était un peu rétablie, n'est-ce pas ? Quand l'avais-je de nouveau perdue ?

C'était douloureux de savoir qu'elle était rompue.

— *Ça, vois-tu, c'est une coupure faite par la magie noire*, gronda Bran.

Sa voix était si forte dans mon oreille droite que je ne pus m'empêcher de faire volte-face. J'aperçus une créature énorme et affreuse qui ne ressemblait nullement à Bran, quelle que soit la forme qu'il adoptait.

— Je ne comprenais pas comment c'était possible jusqu'à ce que Samuel me dise qu'une sorcière était mêlée à tout ça. Celle-ci et la reine ont découvert à elles deux une faiblesse dans ton lien et l'ont exploitée, m'expliqua-t-il, avant de constater, l'air amusé : Et je n'ai pas l'air de te faire peur du tout, je me trompe ?

— Pourquoi aurais-je peur de toi ? m'étonnai-je, mais toute mon attention était braquée sur la corde cassée.

Est-ce que je ferais mal à Adam si je la touchais ?

— Vas-y, m'encouragea Bran. Il donnerait n'importe quoi pour que tu la touches.

— Mien, dis-je. Mien.

Mais pourtant, je ne la touchai pas.

Avec ce petit ton ironique et supérieur qu'il utilisait parfois, et qui me donnait chaque fois envie de lui coller des claques, il ajouta :

— Je suis sûr qu'on trouvera quelqu'un qui en veut.

Je la saisis à pleines mains… pas parce que j'avais peur qu'il y ait quelqu'un d'autre, contrairement à ce que Bran pensait. Mais tout simplement parce que nous étions faits l'un pour l'autre, Adam lié à moi et moi à lui. J'adorais quand il me permettait de le faire rire : c'était un homme de nature sérieuse, encore accentuée par les responsabilités qu'il avait entre les mains. Je savais qu'il ne me quitterait jamais, que jamais il ne me laisserait tomber : il n'avait jamais rien abandonné dans toute sa longue vie. Si je n'avais pas saisi la corde d'or, je savais qu'Adam aurait fini par s'asseoir sur moi et me ligoter avec. Et j'aimais cette idée. Beaucoup.

— Mercy !

Ce n'était plus la voix de Bran. Celle-ci était exigeante et à moitié folle. Il y eut une brève hésitation, puis Adam reprit la maîtrise de lui-même et dit :

— Il était temps. On t'a trouvée. Mercy, on vient te chercher. On arrive.

Je pris sa voix et m'en fis un manteau, et je m'accrochai à la corde comme un coquillage à son rocher, jusqu'à ce qu'elle se confonde avec mes os et que je n'aie plus besoin de la tenir.

— Adam, m'écriai-je, inondée de joie, avant d'ajouter, parce qu'il saurait que je le taquinais : Il était temps, en effet. Tu attendais que je m'en sorte toute seule ?

Je parcourus du regard le champ de neige, à présent recouvert de guirlandes étincelantes et de pierres lumineuses. Puis je fermai les yeux et rassemblai le sentiment de meute autour de moi comme un duvet réconfortant. Je sentis la magie de la reine des fées entrer en contact avec la corde dorée qui me reliait à Adam… et cette fois-ci, c'est la magie de la reine qui vola en éclats.

Mon regard était planté dans celui du seigneur des forêts entravé. Il cligna des paupières et je baissai précipitamment les yeux… et vis que du sang dégoulinait toujours de mon bras. À en juger par la quantité qui s'était écoulée, je ne devais pas avoir perdu connaissance plus de quelques secondes.

— Voilà, dit la reine des fées. À présent, tu m'appartiens.

Je clignai des yeux et tentai de prendre l'expression bovine que partageaient les ensorcelés alors qu'elle coupait les cordes qui me retenaient à ma chaise.

—Va à la cuisine et rapporte une serpillière pour éponger tout ce sang, ordonna-t-elle.

Je me levai et partis vers la porte. Elle ne prêta pas la moindre attention à moi, tout simplement parce que je n'étais plus intéressante à ses yeux. J'accélérai légèrement en voyant mon pistolet par terre à côté des bancs, où quelqu'un avait dû l'envoyer valser d'un coup de pied. C'était logique, en fait : peu de faes auraient pu le ramasser sans se faire mal. Aucun des ensorcelés n'aurait eu l'idée de s'en servir, mais j'aurais imaginé que les faes feraient quand même en sorte d'éviter qu'il se retrouve entre les mains d'un des esclaves.

Je le ramassai et fis demi-tour. Lentement, pour ne pas attirer l'attention des faes présents, qui de toute façon ne regardaient que leur reine, pas sa nouvelle esclave. La reine était courbée sur le bras de son trône, en pleine conversation avec sa sorcière. Je lui tirai trois balles dans le cœur. Alors que j'appuyais sur la détente, je croisai le regard souriant de la sorcière.

—Hé, fit une voix près de moi.

Je tournai la tête et dus baisser le regard sur une créature qui avait l'apparence d'une enfant de huit ou neuf ans.

Elle me sourit :

—Et eux qui croyaient qu'il t'arriverait quelque chose si nous attendions que tout le monde soit prêt pour la fête ! On peut toujours compter sur un coyote pour tout gâcher.

La dernière fois que j'avais vu cette fae, elle jouait avec un yo-yo sur la pelouse d'une scène de crime où elle montait la garde. J'ignorais son nom, mais je savais qu'elle était très puissante, que les gens avaient peur d'elle et qu'elle était bien plus vieille qu'elle le semblait.

Un bref instant, j'aperçus quelque chose de très différent debout à côté de moi, mais elle sourit et me réprimanda :

—On ne touche pas à mon glamour, Mercedes.

Les autres faes présents étaient paralysés à l'instant de la mort de leur reine.

La fille au yo-yo s'approcha de la défunte reine et je la suivis. La sorcière avait attiré le cadavre près d'elle, plongeant ses mains dans son sang et en peignant le collier d'esclave qu'elle portait autour du cou.

— Je ne crois pas, non, murmura la fille au yo-yo.

Elle se pencha, effleura le corps et prononça quelque chose qui ressemblait à un mot. Le cadavre de la reine fut aussitôt réduit en poussière.

La fille au yo-yo allait s'éloigner quand elle aperçut le seigneur des forêts enchaîné derrière le trône. Elle ne semblait étrangement pas l'avoir vu avant de transformer la reine en cendres.

L'anneau d'argent libéra la gorge de la sorcière, mais céda la place à de petits doigts enfantins. Il n'y eut qu'un murmure, et la sorcière fut à son tour réduite en poussière. La fille au yo-yo prit une poignée de poudre grise, l'amena jusqu'à sa bouche et la lécha comme si c'était un cornet de glace.

— Miam, s'exclama-t-elle, les mains, les vêtements et la bouche pleins de cendres. J'adore les sorcières.

— Je prendrai plutôt le parfum chocolat, si ça ne vous dérange pas, lui répliquai-je.

— *Mercy !* rugit Adam à l'extérieur de la salle du trône.

— Oh ! oh ! commenta la gamine, il a raté toute la fin du film.

— Ici ! l'appelai-je. Tout va bien !

Et ce fut soudain la vérité car Adam était avec moi, il me tenait dans ses bras, et de ce fait, tout allait vraiment bien.

Je donnai un coup de pied dans un tas de neige et me cognai l'orteil contre l'évier. C'était la nuit du grand sauvetage et tout le monde était en train de faire la fête chez Adam. On m'avait étreinte, portée en triomphe et on s'était tellement inquiété de moi que j'avais fini par décider que c'était le moment idéal pour aller examiner les vestiges de ma maison.

La neige cachait beaucoup de choses et la meute avait déjà dégagé pas mal de débris. Ils avaient eu un mois entier, le temps de ma disparition, pour ça. J'imagine que j'avais de la chance que ce n'ait pas été un an ou un siècle.

Ils n'avaient pas pu retrouver l'Elphame lorsque Zee avait été contraint d'en laisser la porte se refermer. Apparemment, selon Zee, l'Elphame se déplaçait par rapport à la réserve, et Ariana avait été incapable de me retrouver.

Ce ne fut que lorsque le lien entre moi et Adam s'était réparé qu'ils avaient été en mesure de me localiser dans l'Elphame. Zee s'était appliqué à ouvrir une nouvelle issue et ils avaient envoyé la fille au yo-yo en guise d'éclaireur, pour s'assurer de ma sécurité. Visiblement, elle n'avait nul besoin d'une chose aussi bassement matérielle qu'une entrée pour pénétrer dans le royaume des fées. Elle avait probablement un autre nom que « la fille au yo-yo », mais les faes étaient toujours un peu bizarres en ce qui concernait leurs noms, et personne ne semblait vouloir m'en dire plus.

Les faes qui appartenaient à la reine des fées avaient été provisoirement logés au sein de la réserve. La plupart d'entre eux n'avaient aucun souvenir de la façon dont ils s'étaient retrouvés à suivre la reine. Certains étaient furieux que je l'aie tuée, mais aucun ne tenta quoi que ce soit à mon encontre. Zee m'avait dit que les Seigneurs Gris étaient partagés entre la colère à l'idée que la reine des fées ait exploité une sorcière et un seigneur des forêts et le triomphe devant la preuve qu'En-Dessous rendait un peu de leur pouvoir aux faes.

Il ne restait pas grand-chose de ma caravane, hormis quelques objets qui pourraient être récupérés. Je n'avais pas perdu le garage avec mon van Volkswagen dedans. Je n'avais perdu ni Samuel, ni Médée.

La première fois que j'avais vu cet endroit, un coyote s'était caché sous le porche. J'avais pris cela comme un signe. Quand j'avais fini par l'acheter, je m'étais sentie chez moi pour la première fois de ma vie. Un chez-moi que personne ne pouvait m'enlever.

— Tu dis au revoir ?

Je n'avais pas entendu le Marrok approcher. C'était tout Bran.

— Ouais, lui répondis-je avec un sourire, pour qu'il sache que sa présence ne me dérangeait pas.

— Je voulais te remercier pour Samuel, dit Bran.

Je secouai la tête.

— Je n'y suis pour rien. C'est Ariana… Tu les as vus ensemble ?

Ariana n'était pas chez Adam, même si Samuel s'y trouvait. Elle n'était pas encore prête à affronter une meute de loups en train de faire la bringue. Mais Samuel avait quand même trouvé le moyen de parler d'elle pendant vingt minutes.

Ariana n'avait pas réussi à toucher Samuel en forme de loup… pas encore, selon lui. Mais elle n'avait aucun problème avec l'homme Samuel et n'avait plus de crises d'anxiété avec les loups-garous, à condition qu'ils l'approchent un par un et sous forme humaine. Elle avait juste besoin d'une motivation pour traiter ses phobies, expliqua-t-il avec fierté. Bran avait souri en l'entendant, ce sourire qui disait qu'il était pour quelque chose dans tout ça. Et peut-être effectivement y était-il pour quelque chose, peut-être l'avait-il orientée en direction de la meute.

Ou alors voulait-il simplement que je le pense ? Je me suis rendu compte que je vivais bien mieux depuis que je n'essayais plus de savoir de quoi Bran était réellement capable.

— Ariana est un cadeau, acquiesça Bran. Mais sans toi, Samuel n'aurait plus été là pour le recevoir.

— C'est à ça que ça sert, les amis, remarquai-je : vous aider à tenir debout quand ça ne va pas, et vous donner un coup de pied au cul quand c'est nécessaire. Adam m'a bien aidée. Et en parlant d'amis, merci pour le cours express de magie de meute pour les nuls qui m'a empêchée de me transformer en Zombie Mercy.

Il eut un sourire qui le fit paraître avoir seize ans. Sans le connaître, il était difficile de croire que ce jeune homme à l'air affable était le Marrok.

— Tu as tout entendu ? demanda-t-il. Je n'étais pas sûr de ce qui s'était passé.

Je contemplai son expression innocente.

— Et toi, tu m'as entendue ?

Il ouvrit de grands yeux, puis son visage se fendit d'un sourire :

— Je pense que nous avons eu un peu d'aide de la part d'un protagoniste de l'affaire.

— Qui ça ?

— Zee n'a eu aucun mal à libérer le seigneur des forêts de ses chaînes. C'est un garçon charmant, d'ailleurs, aussi gracieux que puissant. Elle l'a enlevé chez lui, en Californie du Nord, il y a un an, un an et demi. Sa famille était ravie de savoir qu'il allait enfin rentrer chez lui. Visiblement, Daphné, la reine des fées, avait visité la réserve et trouvé que c'était un bon endroit pour s'enraciner. Elle a alors réduit une méchante sorcière en esclavage et s'est servie de sa magie pour capturer le seigneur des forêts : elle n'était pas assez puissante pour l'ensorceler, lui.

— Tu penses qu'il nous a aidés ?

— Quelqu'un l'a fait en tout cas. J'étais prêt à abandonner. (Il contempla les vestiges de mon mobil-home.) J'ai une autre théorie, plus probable, mais je dois encore y réfléchir un peu. Tu sais ce que tu vas faire de tout ça ?

— J'étais assurée, lui répondis-je. Autant carrément la remplacer.

Gabriel aurait peut-être besoin d'un toit très bientôt.

Lui et Zee s'étaient occupés du garage pendant mon absence. Sa mère était furieuse et, du coup, il avait emménagé chez Adam. Dans la cave, aussi loin que possible de la chambre de Jesse.

— Regarde, reprit Bran. Ton chêne n'a pas brûlé.

— Oh ! Oui, m'exclamai-je, ravie. Il a eu chaud, mais il devrait s'en sortir.

Je m'avançai vers lui et me pris les pieds dans quelque chose. Je crus d'abord qu'il s'agissait d'un manche à balai, mais, quand je me penchai pour le ramasser, je me rendis compte qu'il s'agissait de ma vieille amie la canne magique.

— Ah ! dit Bran. Je me demandais où elle avait disparu.

Je la contemplai d'un air pensif.

— Tu l'as vue ?

— Elle était sur le divan, dans la cave d'Adam, expliqua-t-il. Quand je l'ai saisie, tous mes efforts ont soudain porté leurs fruits, et j'ai pu te retrouver au milieu des liens de meute comme si tu n'avais jamais disparu.

Je lui décochai un sourire pince-sans-rire.

— Oui, elle a tendance à se manifester à des moments intéressants.

— Et donc, tu réfléchis à une carrière de bergère ?

— Pas en ce moment, répliquai-je vivement. Oh, non.

Nous continuâmes à avancer dans un silence confortable.

— J'ai apporté des photos, laissa-t-il soudain échapper. De Bryan et Evelyn. (Mes parents adoptifs.) De vieilles photos de classe à toi, aussi, si tu veux.

— Je veux bien, répondis-je.

Il tourna la tête vers la maison d'Adam et je vis quelqu'un s'approcher.

— On dirait que tu manques à quelqu'un. Je vous laisse, murmura Bran en m'embrassant sur le front avant de s'éloigner au petit trot.

Il croisa Adam au niveau de la clôture barbelée, et celui-ci dit à Bran quelque chose qui le fit rire mais que je ne réussis pas à entendre.

— Hé, dis-je en voyant Adam approcher.

Sa seule réponse fut un souffle de chaleur qui me fit rougir.

— Tu as les clés du van ? demanda-t-il d'une voix qui me parut une sombre caresse et me donna la chair de poule. Il dégageait une odeur de besoin et d'impatience.

— Elles sont dedans.

— Parfait.

Il me prit le bras et m'entraîna d'un pas rapide vers le garage, qui n'avait pas du tout souffert de l'incendie.

— Si je prends la mienne, quelqu'un risque de remarquer mon départ. J'ai les clés de l'appartement de Warren. Il m'a assuré que les draps étaient propres dans la chambre d'ami.

Il s'arrêta devant le van.

— Ça te dérange si je conduis ?

En temps normal, je me serais chamaillée avec lui juste pour le principe, mais parfois, en particulier lorsque Adam semblait prêt à exploser, il valait mieux laisser le mâle Alpha en faire à sa guise. Sans un mot, je me dirigeai vers le côté passager.

Le trajet se déroula sous les limites de vitesse et en silence. Nous arrivâmes jusqu'à Richland sans croiser un seul feu rouge, puis la chance nous quitta.

— Adam, remarquai-je gentiment, si tu casses le volant, il va falloir qu'on termine le chemin à pied.

Il relâcha sa prise sur le volant mais ne me regarda pas. Je lui mis la main sur la cuisse et la sentis vibrer sous ma paume.

— Si tu veux qu'on arrive jusqu'à chez Warren, répliqua-t-il d'un ton guttural, je te conseille de surveiller tes mains.

Il y a quelque chose de terriblement excitant dans le fait de se sentir *désirée*. Je retirai ma main et pris une brusque inspiration.

— Adam, murmurai-je.

Le feu passa enfin au vert. J'avais l'impression bizarre que mon séjour dans l'Elphame avait totalement faussé mon horloge interne, parce qu'il me semblait que notre arrêt avait duré des heures, et non quelques secondes.

Warren vivait dans une maison A, l'une des « maisons Alphabet » qui avaient été bâties durant la Seconde Guerre mondiale pour loger la population en pleine croissance qui travaillait au complexe nucléaire de Richland. Celle où il habitait était toujours un duplex. Il était plongé dans l'obscurité, et l'autre duplex avait une pancarte « À louer » à une de ses fenêtres.

Adam gara le van et sortit de l'habitacle sans un regard pour moi. Il ferma la portière avec une grande délicatesse qui en disait long sur son état d'esprit. Je sortis à mon tour et ne pris même pas la peine de vérifier que les portières de mon cher van T3 Syncro étaient bien fermées, ce qui en disait tout aussi long sur mon état d'esprit à moi.

Adam déverrouilla la porte de chez Warren et la tint ouverte pour moi. Dès que je fus entrée, il la referma et actionna la clé.

Quand il me fit face, ses yeux brillaient d'un or pur et ses joues étaient rouges.

— Si tu ne veux pas cela, dit-il, comme chaque fois depuis… l'incident avec Tim, tu n'as qu'à dire non.

— Le premier à la chambre a gagné ! m'écriai-je en démarrant vers l'escalier.

Il attrapa mon bras avec une délicatesse infinie avant que j'aie pu m'éloigner de plus de deux pas.

— Ce n'est pas une très bonne idée de courir, là.

Il avait honte de son manque de maîtrise de lui-même. Quelqu'un d'autre que moi aurait pu ne pas le remarquer. Même moi, sans le lien qui nous unissait, j'aurais pu ne pas le voir. Je posai ma main sur la sienne et la tapotai d'un air réconfortant.

— OK. Et si tu me portais jusqu'au lit ?

Je ne m'attendais pas qu'il me soulève aussi vite et avec autant de vigueur, et laissai échapper un couinement de surprise.

Il se figea.

— Désolée, marmonnai-je. C'est bon.

Il me prit au mot et me porta vers l'escalier. Je m'attendais vaguement à le voir courir, mais au lieu de ça, son allure était sereine, ses pas presque lourds. L'escalier était raide et étroit et il faisait tout son possible pour éviter que je me cogne la tête ou les pieds.

Il me posa juste à l'entrée de la chambre d'ami et referma la porte derrière nous. Puis il resta planté là, dos à moi, la respiration hachée.

— Un mois, finit-il par dire. Et ni Zee ni aucun fae n'était en mesure de nous dire si nous pourrions te retrouver. La femme de Samuel ne parvenait pas à te détecter : tout ce que tu possédais avait brûlé dans l'incendie. Ni le van, ni la Golf n'avaient été assez efficaces. Elle a même eu l'idée de se servir de moi pour te localiser… mais dans l'état de frénésie où je me trouvais, elle n'était même pas capable d'être dans la même pièce que moi. Autant dire que me toucher était hors de question. J'ai bien cru que je t'avais perdue à jamais.

Je me souvins de la sensation d'être recherchée par Paul et Mary Jo.

— Vous m'avez cherchée.

— Oui, acquiesça-t-il.

Il fit soudain volte-face et m'attira contre lui. En tremblant, il enfouit son visage dans mes cheveux. C'était futile : il ne pouvait pas me cacher ses vrais sentiments. Je les voyais presque en Technicolor grâce à notre lien.

Je le serrai de toutes mes forces, pour lui montrer que j'étais réelle et que ça ne me dérangeait pas qu'il mette toute sa puissance dans notre étreinte.

— Je suis là, maintenant, dis-je.

— Moi non plus, je n'arrivais pas à te trouver, murmura-t-il d'une voix à peine audible. Notre lien était coupé, et j'ignorais si tu l'avais fait exprès, si c'était l'œuvre de la reine ou si c'était parce que tu étais morte. Nous te sentions encore parmi les liens de la meute, mais ça arrive parfois quand quelqu'un meurt. Bran est venu et n'a pas réussi à te trouver non plus. Et puis, hier, alors que Darryl nous préparait à manger, il a laissé tomber la poêle au sol.

Je connaissais l'histoire : on me l'avait racontée à plusieurs reprises. Mais je le laissai parler.

— Darryl a cru que quelqu'un s'en prenait à Auriele et s'est rué en haut de l'escalier, où il a croisé Auriele, qui était sortie de sa chambre pour la même raison. C'est alors que Bran est remonté de la cave et nous a dit…

Il s'interrompit un bref instant, le temps de reprendre contenance.

— Il a dit : « J'ai fait le plus dur, Alpha. Maintenant, dis-nous où se trouve ta compagne », complétai-je. Et il tenait la canne dans sa main.

— Et soudain, tu étais là, acquiesça Adam, en moi, à ta place.

Il se recula légèrement et posa les mains sur mes joues. Je sentis la chaleur de sa peau sur la mienne, et c'était comme un trésor pour moi, ça et ses iris d'ambre liquide qui entretenaient le feu qui consumait mon cœur… et mon corps.

Ses narines palpitèrent comme celles d'un étalon sentant l'odeur de sa jument. Il saisit les manches de mon manteau qu'il m'arracha brutalement en le déchirant dans le dos et jeta au sol, avant de reculer brusquement.

— Bon sang, marmonna-t-il, la tête contre la porte, j'en suis incapable.

J'ôtai mon tee-shirt et me débarrassai de mon jean et de mes dessous. Warren ne gardait plus la température de chez lui autour des vingt degrés, vu qu'il passait la plupart de ses nuits chez Kyle. Mais je ne sentis pas le froid, pas avec la fournaise du désir d'Adam pour me tenir chaud.

— De quoi es-tu incapable ? m'enquis-je gentiment en tirant les draps et en m'asseyant sur le lit.

— Je ne peux pas être doux. Je sais… je sais bien que tu as besoin de douceur, mais j'en suis incapable pour le moment. (Il ouvrit la porte.) Il faut que j'y aille. J'enverrai…

— Si tu me laisses nue sur ce lit sans me faire l'amour, je vais…

Je n'eus même pas le temps de terminer ma phrase. Je pense que c'était le mot « nue », à moins que ç'ait été « lit », mais il fut sur moi avant même que j'aie pu le menacer des pires sévices.

Il avait raison : il n'était plus capable de douceur. Jusqu'ici, le sexe entre nous avait été une histoire passionnée mais tempérée par une bonne dose d'humour et de câlins. On m'avait fait du mal et il prenait soin de moi.

Mais dans l'obscurité de la chambre d'ami de Warren, il n'y avait plus de place pour l'humour et les câlins. Et même s'il y avait de l'attention dans ses gestes, il ne me traita pas comme un objet fragile. Oh, il ne me fit pas mal, bien au contraire. Mais le feu de son désir brûlait avec une telle force qu'il me consuma, moi aussi… et tel le phénix, je renaquis de mes cendres.

L'urgence de son désir résonnait en moi : j'enfonçai mes ongles dans la peau soyeuse de ses bras durs comme la pierre alors que ses merveilleuses lèvres parcouraient mon corps. Il était brûlant, dur, le besoin qui bouillait en lui me forçant à le rejoindre pour que nos brûlures se confondent. Sa sueur coulait sur ma peau, et c'était comme un aphrodisiaque pour moi, car c'était Adam, tout Adam, rien qu'Adam. Il avait autant besoin de moi que moi de lui.

Il s'arc-bouta sur moi en fermant ses yeux dorés et se projeta à travers moi, en moi, se confondant en moi d'une simple poussée. Il ouvrit les yeux seulement quand il fut entièrement en moi, et son regard était si sauvage, si possessif que j'aurais dû en être effrayée.

— Mienne, dit-il en remuant les hanches dans un roulement plus possessif que passionné.

Je levai le menton et l'affrontai du regard d'une manière dont j'étais seule capable. Puis j'enfonçai les talons dans le matelas et donnai mon rythme à notre étreinte.

— Mien, répondis-je.

Le loup d'Adam sourit et me mordilla l'épaule.

— Ça me convient parfaitement, dit-il.

Puis il me démontra la pleine signification du concept de possession quand il impliquait un loup-garou alpha capable de toute la patience du monde quand il s'agissait de traquer un coyote.

J'eus un rêve où je marchais dans la neige, mais je n'avais pas peur, car j'avais une épaisse corde dorée nouée autour de la taille. Cette corde ne montrait aucune trace d'effilochement ou de nœud, et elle menait vers une forêt, éclairant mon chemin de sa chaleur lumineuse. Je la suivis avec le cœur léger et l'impression merveilleuse d'être au bord d'une découverte fantastique. Finalement, je parvins à l'autre extrémité de la corde, où se trouvait un loup bleu-gris aux yeux d'ambre.

— Salut, Adam, lui dis-je.

— Chut, marmonna Adam, à moitié endormi.

Il me tira contre lui et roula sur moi comme si c'était le meilleur moyen de me faire taire.

— Dors, ajouta-t-il.

Mon corps était fatigué. J'étais au chaud et en sécurité. Il aurait dû être facile pour moi de sombrer de nouveau dans le sommeil, surtout en ayant été réveillée par un rêve si agréable. Mais ça m'avait aussi rappelé comment c'était de se sentir perdue.

— Moi non plus, je n'arrivais pas à te trouver, chuchotai-je à Adam en me pelotonnant contre lui.

Il était plus mince que la dernière fois que nous avions partagé le même lit. L'incendie ne lui avait pas laissé de cicatrices, et ses cheveux, qu'il portait courts, avaient déjà repoussé, mais je me rendis compte en sentant ses côtes que ça lui avait coûté une grande quantité d'énergie.

— J'avais abandonné, reconnus-je. J'avais trop peur qu'elle m'utilise pour ensorceler toute la meute. Je n'avais pas conscience qu'elle en était incapable, qu'elle n'en avait pas le pouvoir.

Je fermai les yeux et me souvins de combien j'avais été terrifiée, puis je les rouvris aussitôt : j'avais besoin de voir Adam pour me sentir en sécurité.

Il était si immobile que je crus qu'il s'était rendormi. Puis il parla.

— Elle t'a fait du mal.

Ce n'était pas une question.

— Oui. (Je n'avais aucune intention de lui mentir.) Mais ce n'était que de la douleur, rien de vraiment grave. Je savais que tu viendrais me chercher si je tenais bon.

Je fis de mon mieux pour qu'il entende la certitude dans ma voix.

Il roula sur le lit de manière que je me retrouve sur lui. Il posa les mains sur mes épaules et me secoua gentiment.

— Ne me fais plus jamais vivre un truc pareil. Je n'y survivrais pas.

— Promis, répondis-je avec rage. Plus jamais ça.

Il eut un petit rire et me serra contre lui.

— Bran ne t'a-t-il jamais appris à ne pas faire de promesses que tu ne pouvais pas tenir ? (Il soupira.) Bon, j'imagine que, si tu refuses de la fermer et de me laisser dormir, il va bien falloir que je trouve une occupation.

Quand il en eut terminé, nous nous endormîmes tous les deux.

Adam vint avec moi quand j'allai rendre le livre à Phin, le lendemain, une heure avant l'ouverture de la librairie. Le grimoire était toujours enveloppé dans la serviette de Kyle et n'avait visiblement pas été touché entre le placard de ce dernier et celui d'Adam. C'étaient Darryl et Auriele qui nous l'avaient apporté, avec un nouveau manteau pour moi et des vêtements pour Adam, qui les avait trop abîmés la nuit d'avant. Darryl n'eut même pas un sourire narquois, même si ce que nous étions venus faire chez Warren était une évidence, sans même avoir besoin de l'odorat d'un loup. Au lieu de ça, Auriele et lui nous contemplèrent avec une satisfaction qui me sembla un peu déconcertante. Je fus soulagée quand ils repartirent.

Phin était à son bureau dans la boutique, ressemblant énormément à l'homme que j'avais rencontré plusieurs semaines auparavant, avec juste quelques kilos en moins : un homme d'âge indéterminé, avec des cheveux blond doré qui grisonnaient légèrement et un regard plein de bonté. Il y avait plusieurs nouvelles étagères, mais en dehors de ça l'endroit n'avait pas énormément changé non plus.

— Hé, Mercy, Adam ! s'exclama Phin avec un sourire amical.

— Salut ! J'ai quelque chose pour toi, dis-je en déroulant précautionneusement la serviette et en posant le grimoire sur le comptoir.

Le cuir me fit l'effet d'une caresse sous les doigts.

— Ariana a toujours eu un certain sens de l'ironie, remarqua Adam en voyant le titre pour la première fois (« Réalité de la Magie » était embossé en lettres d'or sur la couverture et le dos.) Dur de croire qu'il ne s'agit que d'un glamour.

— Ce n'est pas exactement le cas, intervint Ariana en apparaissant de derrière un rayonnage.

Elle avait modifié son apparence : elle ne ressemblait plus du tout à une mamie. Au lieu de ça, elle s'était contentée d'altérer juste assez ses traits pour sembler humaine. Elle avait la peau lisse et bronzée, les yeux gris, et sa chevelure devait être aussi blonde que celle de Phin lorsqu'il était plus jeune.

Elle observa Adam un instant, et ce dernier resta immobile, tel un homme essayant de ne pas faire fuir une créature sauvage.

— Vous avez changé, finit-elle par dire en se détendant légèrement. Elle satisfait votre loup.

— Je suis désolé de vous avoir fait peur, s'excusa Adam d'une voix douce.

Je me souvins qu'il avait raconté qu'elle ne pouvait pas être dans la même pièce que lui. Elle secoua la tête.

— Ce n'était pas votre faute, pas plus mes vieilles peurs que les nouvelles. Il n'empêche que vous n'êtes plus aussi terrifiant, à présent.

D'un pas résolu et le menton fièrement relevé, elle s'approcha de nous. Puis elle baissa les yeux sur le livre et secoua de nouveau la tête.

— Qu'est-ce que tu auras pu m'amener comme ennuis… (Presque timidement, elle nous demanda à Adam et moi :) Voulez-vous voir à quoi il ressemble vraiment ?

— Je vous en prie, l'encourageai-je.

Elle posa les deux mains sur le livre et je sentis une vague de magie. Puis elle souleva le livre, laissant derrière lui une petite statue d'oiseau. Une alouette, me sembla-t-il, mais je n'étais pas une experte. Elle n'était pas plus grande que la paume de la main et avait été sculptée de manière extrêmement réaliste. Je contemplai le grimoire posé à côté d'elle.

— Les meilleurs déguisements sont ceux qui sont réels. J'ai simplement utilisé le grimoire pour camoufler l'artefact.

Adam posa la main sur mon épaule, se pencha sur la statue et dit :

— Incroyable qu'une chose aussi minuscule ait provoqué autant de problèmes.

Puis il plaqua un baiser au sommet de mon oreille.

Achevé d'imprimer en mai 2021
Par CPI Bussière à Saint-Amand-Montrond
N° d'impression : 2058313
Dépôt légal : novembre 2010
Imprimé en France
81120405-4